KB084007

**좋아하는 그림을 벽에 걸듯,**
**좋아하는 드라마를 머리맡에 놓아둘 수 있다면**

마음을 어루만졌던 드라마는 오래도록 남아 어느 허하고 고된 날
문득 위로로 다가오곤 합니다. 그러다 자연히 내 삶에 의미를
남긴 드라마가 방 안 소중한 곳에 놓여 있는 모습을 상상했습니다.
인생드라마 작품집은 그렇게 기획되었습니다.

시의성에 얽매이지 않고 가치에 더 집중한 작품과 감정의 물결을
다시 일으킬 밀도 있는 이야기들을 한 권의 책에 담고자 합니다.
그리고 이에 걸맞은 아름다운 물성을 더해 작품을 소장하고
간직하는 기쁨을 선사하고자 합니다. 인생드라마 작품집이 뭉근히
독자에게 가닿는 책이 되길 기대합니다.

미생 未生
Incomplete Life
인생드라마 작품집
초판 에디션

# 미생 2

**일러두기**

1    이 책의 편집은 드라마 대본 집필 형식을 최대한 따랐습니다.
2    단어, 표현, 구두점 등이 표준한국어맞춤법과 다르더라도 입말 표현을 살렸습니다.
3    이 책은 방송 전 집필한 대본으로 연출에 의해 방송된 영상물과 다소 차이가 있습니다.

인생드라마
작품집 시리즈

# 미생

未生: Incomplete Life 2

정윤정 대본집

## 용어 정리

**S#**      Scene. 신. 같은 시간, 장소에서 상황이나 행동, 대사, 사건이 나타나는 한 장면.

**Na.**     Narration. 내레이션. 서사가 진행됨에 따라 장면으로 나타나지 않는 것들을 해설하는 일.

**E.**      Effect. 수화기 너머 들리는 목소리처럼 해당 신 공간 밖에서 들리는 소리.

**Off.**    말하는 인물이 상황 속 공간에 있지만 화면에 보이지 않고 소리만 들리는 것.

**OL.**     OverLap. 현재 장면과 다음 장면이 겹쳐지는 효과, 앞 사람 대사가 끝나기 전에 시작한다는 의미로도 사용.

**Cut to.** 신 안에서 화면이 전환될 때 사용.

**F.I.**    Fade in. 화면이 점차 밝아지면서 장면 전환.

**F.O.**    Fade out. 화면이 점차 어두워지면서 장면 전환.

**Dis.**    Dissolve. 한 장면이 다른 장면과 교차되며 서서히 바뀌는 기법.

**Ins.**    Insert. 상황을 강조하거나 이해를 돕고자 삽입하는 화면.

**몽타주**   편집된 장면들을 짧게 끊어 붙여서 의미를 전달하는 화면.

# 차례

# Episode 7

# 제7국

## S#1 ── 휴게실, 낮

열받아 영이 앞으로 서류들을 거칠게 확 던지는 하 대리. 날아간 서류들이 맞은편에 서 있는 영이의 얼굴을 날카롭게 스치고 떨어진다. 종이에 얼굴이 베이면서 핏자국이 쓱 그어진다.

| | |
|---|---|
| 그래 | ! |
| 영이 | 그건 검토하다 보니 나온 의견일 뿐입니다. 이미 보고된 시점에서 많이 지나버려서 수정이 필요하고, 자료는 보강이 되어야 한다는 뜻으로. |
| 하 대리 | (버럭 치고 나오며) 그 말이 그거잖아? 되지도 않을 보고서란 뜻이잖아? |
| 영이 | 제 말씀은 그게 아니고, |
| 하 대리 | (히스테릭하게 버럭!) 에이씨! 그 입 좀 다물지 못해! (하며 손에 든 파일을 들어 올린다) |
| 그래 | (놀란 그래, 확 들어가려는데) |
| 상식 | (Off) 어이 하 대리! 정 과장이 찾네? |

그래, 멈칫 돌아보면 어느새 온 상식, 그래는 본 체도 않고 휴게실로 휙 들어간다. 하 대리와 영이, 멈칫해서 상식을 본다. 못마땅한 얼굴로 휙 가는 하 대리. 서류를 줍기 시작하는 영이와 그래.

| | |
|---|---|
| 상식 | 쓰레기통도 아니고 말야. 치우는 놈 따로 버리는 놈 따로. |

구시렁대며 줍다가 마지막 종이를 그래와 함께 잡게 된다. 그래, 자기도 모르게 종이를 당기는데, 상식도 역시 자기도 모르게 힘을 준다.

| | |
|---|---|
| 그래 | 제가 먼저 주웠습니다. |
| 상식 | 엉? |

그래, 눈에 힘을 주며 종이를 당기는데 상식도 계속 힘을 준다. 그때 종이를 쑥 빼는 영이.

| | |
|---|---|
| 영이 | 제 겁니다. |

머쓱하게 영이를 보는 그래와 상식.

## S#2 ── 탕비실 밖, 낮

탕비실에서 나오는 세 사람. 영이, 꾸벅 인사하고 앞서간다. 그래, 영이 뒷모습 시선 너머로 자원팀에서 정 과장과 하 대리가 얘기하는 걸 보면서 걸어간다. 영이가 들어오자 아니꼽게 보는 하

## S#3 ── 영업3팀, 낮

회의 테이블에 앉은 세 사람. 상식은 서류를 들여다보며 미간을 모으고 있다.

| 그래 | (E) 영업3팀의 새로운 사업 아이템을 결정하기 위한 회의… |
|---|---|
| 동식 | 재무팀의 판단은 중국 희토류* 건입니다. |
| 상식 | (A등급 표시된 부분 보며) 나도 눈 있어, 보여. |
| 그래 | (Na) 가장 긍정적인 평가를 받은 A등급안을 포함, B, C등급의 사업들도 최종적으로 다시 검토한다. |
| 상식 | … (B등급 표시 문서 가리키며) 이란 원유 수입 건 이거, 정말 안 될까? 자꾸 머리에 남는데? |
| 동식 | 과장님… 이번엔 확실한 사업 위주로 보시는 게… |
| 그래 | (Na) 마음 편하게 A등급 아이템을 하면 좋겠지만, 오 과장은 B등급의 한 아이템에 못내 미련이 남아 있으신 것 같다. |
| 동식 | 지금 이란 쪽 정세가 안 좋아요. 미국은 이미 이란 원유에 금수 조치** 를 내렸고, EU도 심상치 않아요. 언제 금수 조치 내릴지 모르잖아요. |
| 상식 | (고민 깊이 서류 보며) 아는데… |
| 그래 | (상식을 본다) … |
| 상식 | 무리긴 한데 밀어붙이고 싶다. 감이지만 뭔가 오거든. |
| 동식 | (낮은 한숨) 아… |

그래, 상식의 손을 본다. 그 손 안에서 잘그락거리는 바둑알이 보이는 듯하다.

| 그래 | (Na) 소매 속에 숨긴 바둑알. |
|---|---|
| 상식 | (혼잣말하듯) 이 판에 있다 보면 보이는 감이 있거든. |
| 그래 | (Na) 타짜들이 손 안에 패 한 장을 감추듯, 내기 바둑꾼들 중엔 소매 안에 상대의 바둑돌을 감추는 경우가 있다. |
| 동식 | …그럼 리스크 관리팀에 올리죠. 최종 체크하면 되잖아요. |
| 상식 | (자료 추리며) 오케이! 자료 준비해. 부장님은 내가 설득하지. |

상기된 얼굴로 자료를 보고 추리고 있는 상식 위로.

---

* 　Rare earth resources. 란탄(lanthanum), 세륨(cerium), 디스프로슘 (dysprosium) 등의 원소를 일컫는 말로, 희귀 광물의 한 종류이다.
** 　embargo. 한 국가가 다른 특정 국가에 대해 직간접 교역, 투자, 금융 거래 등 모든 부분의 경제 교류를 중단하는 조치.

그래       (Na) 오 과장님이 회사를 상대로 속임수를 쓰려는 것은 아니겠지만, 꼼수를
비롯한 모든 경우의 수를 고려한 꾼의 감이 출동하고 있는 것만은 확실해 보인다.
왜 그것이 나 같은 신입에게 보이냐면, 그 신중한 사람이,

그런 상식을 떨떠름하게 보는 동식을 보며

그래       (Na) 데이터를 고려치 않아 언짢아진 김 대리님의 표정을 못 읽고 있어서다.

그런 각각의 세 사람에서.


## S#4 ── 김 부장실, 낮

떨떠름하게 상식을 보고 있는 김 부장.

김 부장       중국 건이 더 안정적인 거 아닌가?
상식         그렇긴 하지만, 이 이란 건이 더 수익률이 높습니다. 아시지 않습니까?
원유는 확보해두면 화학이나 다른 사업팀에도 분명 큰 도움이 될 겁니다.
김 부장       (마뜩찮게) 재무팀이나 리스크팀에 승인은 받을 수 있는 거야? 요즘 같은 시국에
리스크가 너무 커. 크다고.
상식         승인받을 수 있도록 해보겠습니다.

떨떠름하게 상식을 보는 김 부장 위로.

동식         (E) 과장님이 저러실 때가 아닌데…


## S#5 ── 통로 + 영업3팀 + 영업2팀, 낮

그래, 동식. 영업3팀 쪽을 향해 걸어오며

동식         이란 쪽 정세도 문제지만, 중국 희토류 건은 부장님이 제안한 건이야.
밀고 계신 거지.
그래         과장님도 알고 계십니까?
동식         아시지.
그래         근데… 왜?

| 동식 | 하기 쉬운 일은 꼭 자기가 아니어도 된다고 생각하니까. 자꾸 어렵고 |
|---|---|
| | 위험한 아이템에 집착하는 경향이 있어. 피를 끓게 하나 봐. |
| 그래 | 승부에 집착…하시는군요. |

영업3팀을 보면 파티션을 사이에 두고 고 과장과 업무에 대해 얘기 중인 상식.

| 동식 | (상식 보며) 이젠 그런 정서는 좀 털어버려야 하는데 말야… 과장님 연배에 |
|---|---|
| | 아직 과장 달고 있는 사람 별로 없어. (한숨 쉬며) 고과 관리를 너무 안 하셔. |
| | 지금은 실적이 분명한 일을 해서 결과를 남겨야 하는데 말야. 승진하셔야 한다구. |
| 그래 | (상식을 본다) |
| 동식 | (한숨) 우리가 잘하자. 어쩔 수 없어. 하시겠다는데… 못 하면 또 술 먹고 |
| | 사고 치신다. |

고 과장과 열정적으로 얘기하고 있는 상식의 모습.

## S#6 ── 자원팀, 낮

영이에게 보류된 기획서를 내미는 하 대리.

| 영이 | (당황해서) 보류된 건이요? |
|---|---|
| 하 대리 | 우리 팀에선 통과된 건데 재무팀에서 깠네. 까고 까고 또 깠네. |
| 영이 | (말없이 넘겨 보려고 하면) |
| 하 대리 | 이거! 재무팀 승인받아서 되게 만들어봐. |
| 영이 | (놀란) 네? … |
| 하 대리 | (비웃) 혹시 알아? 잘~하면 다음 분기 영업 계획서에 넣어줄지? |
| 영이 | (난감한 얼굴로 보류 기획서를 내려다본다) … |
| 유 대리 | (E) 혼자서 열라 삽질하겠네요. |

## S#7 ── 탕비실, 낮

유 대리는 파쇄를 하고 하 대리는 복사를 하면서 이야기하고 있다.

| 하 대리 | 재무팀에서 절대 승인 안 해줘. 분기마다 수정해서 올렸는데, 씨알도 안 먹혔잖아. |
|---|---|
| | 재무팀을 어떻게 설득할 거야. |

그래, 복사물 들고 들어오다가 두 사람을 보고 멈칫한다. 인사하면 그래를 흘깃 보는 두 사람, 여전히 안 좋은 감정을 감추지 않는다. 복사 기다리며 엉거주춤 서 있는 그래.

**유 대리**  (신경도 안 쓰고) 근데요. 만에 하나 해 오면 누구 사업이 되는 거예요.

**하 대리**  사업은 무슨. 야! 그럼 너랑 나는 접시 물에 코 박고 죽어야 돼 인마!

**유 대리**  (머쓱) 근데 재무팀에서 넘어온 의견서는 왜 안 주셨어요?

**하 대리**  지가 빵이 쳐 알아내야지! 왜 줘? (들으라는 듯) 정 모르면 들고 오 과장한테
또 튀어 가겠지 뭐. (감정 안 좋은 얼굴로 그래를 흘깃 본다)

**그래**  …


## S#8 — 탕비실 밖 + 복도, 낮

그래, 나오면서 자원팀을 돌아본다. 고민스러운 얼굴로 기획서를 보고 있는 영이가 보인다. 입구에서 들어오던 상식, 그리고 서 있는 그래를 보다 그 시선 끝의 영이도 본다.

**상식**  망부석도 아니고 말야.

**그래**  (깜짝! 돌아보면)

**상식**  (걸으며) 괜히 어설프게 보은하려고 하지 마라. 그것도 능력이 있어야 하는 거야.
능력 없는 놈이 도와준다고 설치는 것만큼 민폐도 없어. (획 가며)
철강팀 자료 곧 넘겨라.

**그래**  (따라가며) 네. 저… 근데 과장님. 사업 기획안은 재무팀에서 처리 안 해주면
가망이 없는 건가요?

**상식**  없지. (한숨 쉬며) 재무팀 넘기가 녹록지 않아요~ 재무팀 실무선 다 통과해도
재무부장한테서 걸려 반려되는 건이 반이야.


## S#9 — 중간 정원, 낮

서류를 들고 다급히 걸어오는 석율의 눈이 휘둥그레진다.

**상식**  (E) 재무부장이 엄청나게 깐깐하고 꼼꼼하게 따지는 사람이거든.

잘 빠진 여자가 앞에서 걸어가고 있다. 혹해서 따라가는 석율.

**상식**  (E) 평소 실적이 아무리 좋아도 그냥 넘어가는 법이 없어.

또각또각 걸어가는 뒷모습에 완전히 사로잡힌 듯 걸어가는 석율. 얼굴을 보고 싶은 강렬한 욕망에 자기도 모르게 발걸음이 빨라지고… 그럴수록 석율의 심장 뛰는 속도도 덩달아 쿵쿵쿵 빨라진다. 그 위로 상식의 얘기 계속.

**상식**     (E) 완전히 준비가 되어 있지 않으면 십중팔구 깨져서 나와.

거의 다가간 석율, 자기도 모르게 그녀의 어깨 위로 손을 내밀어 가볍게 건드리며

**석율**     저기요…
**상식**     (E) 근데… 이상하게 나는 그분의 그런 일 처리가 엄청,

멈춰 서서 천천히 돌아보는 여자 위로

**상식**     (E) 섹시해!

동시에 하회탈 같은 김선주 부장의 얼굴, 그리고 동시에 "헉!" 하는 석율. 벼락 소리가 나며 머릿속도 벼락을 맞은 것같이 쩍 갈라지는 고통을 느낀다.

**김선주 부장**     (웃는 얼굴로 나직하고 나른하게) 응~ 누구?
**석율**     (후들후들) 아… 아뇨.
**석율**     (E, 패닉) 오… 오래된 하회탈이 하나… 있더라구요.


# S#10 — 섬유팀, 낮

일하고 있는 성 대리 뒤에 앉아서 쇼크 상태로 주저리주저리 떠드는 석율.

**석율**     너무 큰 괴리감이 준 순간적인 공황과 쇼크? 여기여기 벼락을 맞아 머리가 쩍!
         갈라지는 고통? 그런 상태거든요, 지금 제가.
**성 대리**     (돌아서서 석율 손에 서류 한 무더기 주며) 재무부장님 봤구나.
**석율**     (무심결에 받아 들며) 재… 재무부장님이요?
**성 대리**     응, 하회탈이라며? (또 서류 한 무더기 얹으며) 괜찮은 분이야. 합리적이고,
         (또 한 무더기 얹으며) 신입들 의견도 들어줄 준비가 되어 있… 음… 한마디로
         열린 사람이지! 우리 한석율 씨처럼. (또 얹는다)
**석율**     (멍~) 아…
**성 대리**     (일어나며) 그거 처리 좀 부탁해. (휙 나간다)

**석율**    (그제야 손에 잔뜩 든 서류 보며) 어…


## S#11 ── 철강팀, 낮

"위딩이랑 넘버 확인 제대로 했지?" "B/L 드래프트 온 거 어디 갔어." "아니아니 그건 업체로 보내야지. 바이어한테 연락하고." 주변의 일하는 소음 속에서 여전히 아무 일도 못 얻고 책을 보며 앉아 있는 백기. 여전히 바쁘게 전화 통화 하며 일하는 강 대리의 통화 소리도 들린다.

**강 대리**    (E) 네, 부장님. 네고 들어갔는데 하자가 있어서 서류 수정 중이에요. 네.

백기, 강 대리의 소음과 주변의 바쁘게 일하는 소음을 애써 무시하며 눈을 감지만 점점 더 크게 들리는 소음들… 그때

**그래**    (Off) 강 대리님.

눈을 뜨는 백기, 돌아보면 서류 들고 강 대리에게 인사하고 있는 그래. 백기와 눈이 마주치는 그래. 가볍게 목례한다.

**그래**    요청하신 서류입니다. 그리고 김 대리님이 이태리향 500톤 선적 서류
          네고 들어갔는지 여쭤보셨어요.
**강 대리**    고마워요. 네고는 내일쯤 돼야겠네요. 아, 인보이스 패킹• 준비되면
          김 대리님 보고 전화 한 통 해달라 전해줘요. 그래 씨가 연락해주든지.
**그래**    네 알겠습니다. (꾸벅하고 가면)

끓어오르는 백기, 도저히 못 참겠다는 듯 일어난다.

**백기**    대리님, 저희 팀은 영업 계획서 작업 안 합니까?
**강 대리**    진행 중이니까 장백기 씨는 걱정하지 말아요.
**백기**    제가 왜 걱정하지 말아야 합니까? 저도 철강팀입니다.
**강 대리**    (그제야 본다)
**백기**    도대체 저한테… 왜 이러시는 겁니까?
**강 대리**    (가만히 보다가) 장백기 씨는 꽤나 일 크게 만드는 스타일이군요.
          주목받고 싶어 하는 스타일이거나.
**백기**    (울컥) 대리님.


•    commercial Invoice와 Packing list의 줄임말로, 무역 거래 전반에 쓰이는 중요한 선적 서류이다.

**강 대리**    왜 이러는 거냐? 이게 대답이 됐으면 좋겠군요. 나는 아직 장백기 씨가
충분히 교육받았다고 생각하지 않아요.

**백기**    (구겨지며) 네?

강 대리, 옆에 있는 서류 파일철들을 뒤져 하나를 찾는다. 포스트잇에 뭔가 써서 파일철 안에 붙인 후 준다.

**강 대리**    그래도 하겠다고 하니까 이거 해 와요.

**백기**    (보면)

**강 대리**    내가 지금, 업무를 준 겁니다. (서류 들고 나간다)

백기, 나가는 강 대리를 보다가 자리로 가서 앉는다. 파일을 보다가 천천히 넘겨 보는 순간, 표정 일그러진다. 업체 리스트 쭉 있고 그 위에 붙은 포스트잇. "엑셀로 표 만들어놓으세요." 파일을 확! 덮어버리는 백기, 분을 참지 못하고 벌떡 일어나 돌아서다가 서류를 들고 복도를 지나가는 영이와 눈이 마주친다. 바라보는 두 사람…

## S#12 — 중간 정원, 낮

백기, 영이 나란히.

**백기**    (영이의 상처 난 얼굴 보면서) 얼굴은 왜 그래요?

**영이**    (못 들은 척) 자원팀 있을 때 혹시 이거 본 적 있어요? (서류를 내민다)

**백기**    (보고) 탄소 배출권• 아이템이네요? 보류된 건인데?

**영이**    네. 다음 분기 영업계획서에 들어갈 건으로 해보라시는데, 왜 보류됐는지
알 수가 없어서요.

**백기**    (영이를 보다가) 그래서, 하겠다고 했어요? 통과시키겠다고?

**영이**    (본다)

**백기**    자원팀 분들이 영이 씨한테 듣고 싶었던 말은 그게 아닐 텐데요…?

**영이**    (본다)

**백기**    그냥 져줘요. 죄송합니다. 못 하겠습니다. 도와주세요. 하세요.

**영이**    (본다)

**백기**    (시선 받다가 졌다는 듯 한숨 푹~) 제가 알기론 그때 실무팀 의견은 통과했는데
재무부장님이 부정적이셨대요.

**영이**    재무부장님이요…?

•    certified emission reductions. 지구온난화를 유발 및 가중시키는 온실가스를 배출할 수 있는 권리. 정해진 기간 안에
이산화탄소 배출량을 줄이지 못한 각국 기업이 배출량에 여유가 있거나 숲을 조성한 사업체로부터 돈을 주고 권리를 사는 일을
말한다.

| 백기 | 가장 빠른 답을 얻으려면 재무부장님을 찾아가야겠죠. |
| 영이 | (난감하다) … |
| 백기 | 만나기 쉽지 않을 거예요. 보류 이유 알고 싶단 걸로 면담 신청해봤자 실무팀과 얘기하라고 하실 겁니다. 지난번에도 그러셨어요. |
| 영이 | 네? |
| 백기 | (웃으며) 인턴 때 저도 한 번 다른 보류 건으로 시도해본 적 있거든요. |
| 영이 | (힘없이 웃으며) 아… |
| 백기 | 그냥 져주세요. |

영이, 대답 없이 하늘을 본다… 먹구름이 낀 하늘이다.

| 영이 | 비가 올 것 같네요… |
| 백기 | (보며) 그렇네… |
| 영이 | 지나가는 비일 것 같아요. |
| 백기 | (하늘을 보다가… 그대로 문득) 끝나고 술 한잔할까요? |
| 영이 | (본다) |
| 백기 | (영이를 휙 보며) 상사 뒷담화 타임. |
| 영이 | (픽 웃는) |


## S#13 — 영업3팀, 낮

바쁜 영업3팀 분위기. 창밖으로는 비가 내리고 있다.

| 그래 | (통화하는) 리스크팀이죠? 네… 서류 확인하셨습니까? 이란 쪽 상황은 저희 주재원이 주시하고 있습니다. |
| 상식 | (다가와서) 장그래, 아까 말한 자료 어디다 뒀어? |
| 그래 | (통화하며 얼른 자료를 찾아 건네고) 네, 미팅은 그날 3시… 알겠습니다. (끊는데 전화가 오고) 원인터 영업3팀 장그래입니다. 네, 서류 준비 다 됐습니다. 오 과장님 검토 끝나면 결재 올리겠습니다. (다시 전화 걸며) 아… 네… 원유 처리 방법 이메일 부탁드린 거 (이메일 확인하며) 아, 네 왔네요. 네 감사합니다. (끊으면 다시 울리는 전화, 받으며) 네, 원인터, |
| 석율 | (E, 느끼한) 비도 오는데, 퇴근하고 술 한잔할까? |

그래, 멈칫, 뒤돌아보면 석율, 휴대전화 들고 씩 웃으며 밖에 서 있다.

| 그래 | (찡그리며) 바쁩니다. (전화 끊으면) |
|------|------|
| 석율 | (들어오며 상식에게 인사하고 동식에게 구령) 태성! |
| 동식 | (창피한) |
| 석율 | (그래에게) 원래 이런 날엔 술 마시면서 상사한테 받은 스트레스도 풀고 그래야 하는데, 참 너나 나나 그런 쪽으로는 풀 스트레스가 없네. (동식에게 넉살 좋게) 안 그렇습니까? 선배님?! |
| 그래 | 가십시오. |
| 석율 | (상식에게 넉살 좋게) 과장님, 동기들끼리 술 한잔 안 해보고 어디 진정한 상사맨이라고 할 수 있겠습니까? |
| 상식 | (흘깃 본다) |
| 석율 | (동식에게) 안 그렇습니까? 선배님? |
| 그래 | 가십시오! |
| 동식 | (일하며) 하고 싶은 말이 뭐야? |
| 상식 | 장그래, 오늘 대강 마무리하고 가서 한잔해. 그 친구 말이 맞아. |
| 그래 | 아닙니다. |
| 석율 | (그새 전화 중) 장백기 씨, 오늘 끝나고 동기들끼리 한잔 꺾읍시다! |
| 그래 | (당황해서 보면) |


## S#14 — 술집 안, 밤

문을 열고 들어오는 석율과 그래,

| 석율 | 거참, 제일 술 마시고 싶은 두 사람이 까내네. 아직 참을 만한가 보지? |
|------|------|

구시렁대며 앉을 자리를 찾아 죽~ 가다가 갑자기 홱! 돌아선다.

| 석율 | (심드렁하게) 나갑시다. |
|------|------|
| 그래 | (의아) 왜요? |
| 석율 | 역시 여긴 여자랑 같이 와야 돼. 딱 봐! 맨 스타일이 아니잖아. |
| 그래 | (피곤한) 한석율 씨. |

석율, 벌써 문 쪽으로 갔다. 그래, 어쩔 수 없이 따라가고. 석율, 문을 홱 여는데 밖에서 마침 문을 열려던 백기, 그 뒤에 영이. 깜짝 놀라는 네 사람.

| 석율 | (백기와 영이를 번갈아 보며) 뭐야? 뭐야? 뭐야? 술 안 마신다면서? |
|------|------|

| 백기/영이 | (당황) |
|---|---|
| 그래 | (영이를 보는) … |

## S#15 ─ 술집 외경, 밤

## S#16 ─ 술집 안, 밤

맥주잔에 소주 콸콸 따르고 숟가락으로 휘저으며 척척 소맥 말고 있는 석율. 약간 어색하게 앉아 있는 세 사람… 그래, 영이를 본다. 석율, 소맥을 한 잔씩 척척 주고.

| 석율 | 안영이 씨도 참, 그런 고민이 있음 나 한석율과 의논해야죠. |
|---|---|
| | 장백기 씨도 지금 제 코가 석 잔데 카운슬링이 가당키나 해요? |
| 백기 | (어이없는…) |
| 석율 | 우리 백기 씨 얼굴 좀 보세요. 얼마나 난처해? 거절도 못 하겠고, |
| | 그렇다고 해줄 말은 없고. 사람 그렇게 곤란하게 하는 거 아냐. |
| 백기 | (점점…) |
| 영이 | (어색하게 백기를 본다) |
| 그래 | 저라면… 재무부장님을 일단 찾아가볼 것 같아요. |
| 백기/영이 | (본다) |
| 백기 | (냉하게) 그렇게 쉬운 일이 아녜요. 회사엔 엄연히 절차라는 게 있으니까. |
| 석율 | 그래 친구, 내 보기엔 엄청 어려운 분이야. (다시 쇼크가 떠오른 듯) 뒤판과 |
| | 앞판이 완전 달라. 문제와 답이 다르다구! 고차방정식도 이런 난해가 없어요! |
| 일동 | (뭔 소린가 싶어 본다) |
| 석율 | 근데 (갸웃) 우리 성 선배님 말로는 괜찮은 분이라잖아. 합리적이고… |
| | 열린 사람이라며. 신입 말도 잘 들어준다며. |
| 그래 | 오 과장님도 그렇게 꽉 막힌 분은 아니라셨거든요. |
| 백기 | 남의 일이라고 참 쉽게 말하네… |
| 그래 | (백기를 본다. 약간 굳은 얼굴이다) |
| 백기 | (술 마시면서) 이해합니다. 장그래 씨하고는 공유가 안 되는 얘길지도 모르니까. |
| 일동 | (약간 긴장해서 본다) |
| 백기 | (마시며) 절차란 건, 장그래 씨가 생각하는 것보다 훨씬 중요한 걸지도 모르죠. |
| | 일종의 약속이니까요. 많은 사람들은 그 약속을 믿고 준비하고 계획하고 |
| | 실행하거든요. |
| 그래 | (보는) … |

| | |
|---|---|
| 백기 | 최소한, 약속을 믿고 사는 사람들이 바보가 되는 일은 없어야 하는데. |
| | (그래를 보고 싱긋 웃는다) |

그래, 백기를 본다. 백기도 그래를 본다… 긴장된 공기가 흐르는데…

| | |
|---|---|
| 영이 | 해보죠, 뭐. |
| 일동 | (본다) |
| 백기 | (조금 당황해서) 영이 씨… |
| 영이 | (웃으며) 해볼게요. 신입 패기 쩐다고 예쁘게 봐주실지도 모르잖아요. |
| 백기/그래 | (보면) |
| 석율 | 오케이~! 난 예쁘게 봐준다에 한 표! |


## S#17 ── 재무부장실, 낮

| | |
|---|---|
| 김선주 부장 | 나가. |
| 영이 | (당황) 네? |

하회탈처럼 웃으며 쳐다보고 있는 김선주 부장 앞에 당황해서 서 있는 영이.

| | |
|---|---|
| 김선주 부장 | 일하는 거 안 보여? |
| 영이 | 아… 죄송합니다. |
| 김선주 부장 | 자원개발2팀 신입사원 안영이라고 했지? |
| 영이 | 네. |
| 김선주 부장 | 대리, 과장, 차장 건너뛰고 나한테 바로 와서 물어야 할 게 뭔지 모르겠는데… 그러면 안 되는 거야. 선임들만 욕먹잖아. 그치? |
| 영이 | 죄… 죄송합니다. |
| 김선주 부장 | 나가. |
| 영이 | (당황해서 보는) |


## S#18 ── 자원팀, 낮

패배자의 모습으로 앉아 있는 영이. 문자 온다. 백기. "가지 말라니까." 영이 뒤에서 어이없이 보며 비웃듯 있는 하 대리와 유 대리.

| 유 대리 | *거기가 어디라구.* |
| --- | --- |
| **하 대리** | *고개 빳빳이 들고 또각또각 가더니만.* |
| 유 대리 | (속닥) *근데 쟤 지금 우는 건 아니죠?* |
| **하 대리** | *뭐? (갸웃하고 보는데)* |

갑자기 심호흡하는 영이. 인트라넷 로그인 한 후 빠르게 타이핑하는 영이의 손. 의아한 표정의 하 대리와 유 대리. 정 과장도 빼꼼 돌아보며 둘에게 입 모양으로.

**정 과장**　*뭐 하냐?*

영이, 메일 보내기 버튼을 탁! 누른다.

## S#19 ─ 재무부장실, 낮

컴퓨터 작업을 하고 있는 김선주 부장. 모니터에 메일 알림이 뜬다. 열어보는 김선주 부장, 묘한 표정…

## S#20 ─ 자원팀, 낮

영이, 뭔가를 기다리듯 손가락으로 책상을 탁탁 치면서 앉아 있다. 그때 띠링~ 하며 영이의 모니터에 뜨는 사내 메신저. 김선주 부장 "내 방으로" 메시지 와 있다. 살짝 미소 짓는 영이, 다시 기획안 챙겨 일어난다. 자원팀 3인방, 의아하게 영이를 보면

| 영이 | *재무부장실 다녀오겠습니다.* |
| --- | --- |
| **정 과장** | *뭐? (당황해서 하 대리를 본다)* |
| **하 대리** | *(역시 당황한 얼굴로 영이를 보면)* |

꾸벅, 하고 고개 빳빳이 들고 유독 또각또각 걸어가는 영이. 남은 셋, '허!' 하며 보는.

## S#21 ─ 재무부장실, 낮

똑똑, 문 두드리는 소리.

**김선주 부장**　들어와.

문이 열리고 영이, 들어온다. 정중하게 인사한다.

**김선주 부장**　(특유의 하회탈 얼굴로) 어서 와. 앉아.
**영이**　(앉는다)
**김선주 부장**　사과 메일 잘 받았어. 명문장이야. 잘못에 토 안다는 사람, 좋아.
**영이**　죄송합니다.
**김선주 부장**　(흥미롭게 보며) 탄소 배출권 건을 한다고? 왜? 1년 반 동안 우리 재무팀에서 계속
　　　　　　보류된 건인 거 알고 있지?
**영이**　알고 있습니다.
**김선주 부장**　그런데 자원팀은 그 건을 신입한테 살리라고 준 건가?
**영이**　(대답 없고)
**김선주 부장**　왜?
**영이**　…
**김선주 부장**　(보다가 파일 뭉치 내밀며) 탄소 배출권 건에 대한 재무팀 점검 자료야.
**영이**　(본다)
**김선주 부장**　내일까지 왜 이 기획안을 반려했는지, 재무팀 입장에서 보고서 써서 제출해.
**영이**　!
**김선주 부장**　회사의 일이 아이템의 긍정적 측면만 보고 추진할 순 없는 거야.
　　　　　　부정적 측면은 더 섬세하고 보수적으로 점검해야 하지. 자네 팀이 그렇게
　　　　　　가능성 있다고 판단한 아이템이 어떤 위험 요소를 갖고 있는지 분석해.
**영이**　(보면)
**김선주 부장**　절차 무시하고 들이닥친 신입에겐 후한 제안 같은데…
**영이**　알겠습니다.
**김선주 부장**　내일 아침, 출근하면 볼 수 있게.
**영이**　네.
**김선주 부장**　재무팀 입장에서.
**영이**　재무팀 입장의 보고서와 그것까지 고려한 추가 보고서를 올리겠습니다.
**김선주 부장**　(보는)


## S#22 ― 중간 옥상 일각, 낮

하 대리, 정 과장, 유 대리. 손에 각각 커피 혹은 담배.

| 하 대리 | 아~ 진짜, 재무부장님. |
|---|---|
| 정 과장 | 안영이 소문 들은 거지. 그 양반 어떤 사람인지 알지? 아마 자기 신입 시절 떠올리며 즐거워하고 있을걸? |
| 유 대리 | 근데 진짜 쟤 살려내면 어떡해요? 인턴 때도 섬유팀에서 2년 묵힌 거 살린 전과 있잖아요? |
| 정 과장 | (머리 벅벅) 그러니까 말야! 그걸 살리길 바라야 돼 실패하길 바라야 돼? 하 대리 넌 어때? |
| 하 대리 | (인상 쓰는) |

## S#23 — 철강팀, 낮

굳은 얼굴로 시계를 보고 있는 백기. 백기 뒤로 강 대리 여전히 열심히 일하고 있다. 시계, 6시가 됐다. 백기. 굳은 얼굴로 가방을 싼다. 일어나 강 대리에게 간다.

| 백기 | 퇴근해보겠습니다. |
|---|---|
| 강 대리 | (보지도 않고 일하며) 그래요. |

그런 강 대리를 쳐다보다가 확 돌아 가는 백기.

## S#24 — 자원팀 앞 통로, 낮

백기, 오다가 자원팀에서 나온 영이가 탕비실 쪽으로 가는 게 보인다. 따라가는 백기, 탕비실 쪽 통로로 들어서서 뒤를 돌아보면, 앉았다 일어났다 하며 정신없이 일하고 있는 그래가 보인다. 다 문 입에 힘이 들어가는 백기.

## S#25 — 탕비실, 낮

커피를 따르는 영이, 들어오는 백기.

| 백기 | 야근인 모양인데 커피예요? 밥을 먹어야지. |
|---|---|
| 영이 | 아, 퇴근이에요? |
| 백기 | (피식 웃으며) 쪽팔리지만. |
| 영이 | 오늘 재무부장실에서 당한 망신만 하겠어요? |

| 백기 | 결국 해낸 거군요. |
|---|---|
| 영이 | (웃으며) 아직 모르죠. 안 된 이유를 알아야 보고서 수정도 가능한데… 솔직히 아직까진 잘 모르겠어요. |
| 백기 | … (주머니에서 뭔가를 꺼내주는데, 후시딘이다) 어제 숙취 해소제 사다가 같이 샀어요. |
| 영이 | (의아하게 보며) |
| 백기 | (상처 보며) 그깟 상처쯤 개의치 않아 할 분이니까. 따지 앉으면 손톱으로 긁어낼 분. |
| 영이 | (웃으며 받는다) 고맙습니다. |
| 백기 | 탄소 배출권 건, 도와주지 못해 미안해서요. |
| 영이 | 백기 씨가 도와줄 문제가 아니에요. |
| 백기 | 알죠. 아는데, 교통사고 목격자의 양심 같은 거죠. 안 도와주는 건 마지막 남은 나의 자존심이구요. (웃는) |
| 영이 | (웃으며) 언제 적 드라마 대사예요? |
| 백기 | (웃는) |

## S#26 ― 몽타주, 밤

#자원팀. 거의 빈 사무실에서 영이, 서류를 넘겨보고, 계산기를 두드리고,
#영업3팀. 일하고 있는 그래.
#통로. 서류를 들고 다급히 지나가며 인사하는 그래와 영이.
#탕비실. 영이, 컵라면으로 대충 끼니를 때우고,
#화장실. 이를 닦고 세수를 하고 종이 타월도 닦으며 거울을 보는 영이. 얼굴의 상처를 보다가 주머니에서 연고를 꺼낸다. 보다가 상처에 살짝 바른다.
#자원팀. 자료를 분석하고, 분석하고, 또 분석하고. 책상 위에 너저분하게 쌓여 있는 자료들. 무수하게 붙어 있는 포스트잇들. 텅 빈 화면을 보며 피곤해진 영이, 창 쪽으로 가서 창밖을 보며 한숨을 푹 내쉰다. 영업3팀 쪽을 돌아보는 영이, 일에 몰두하고 있는 그래. 영이, 휴대전화를 들어 그래에게 문자 "잠깐 안 쉴래요?" 그래 쪽 보면, 일하다가 문자 확인하는 그래, 영이를 돌아본다. 손 살짝 들며 웃는 영이.

## S#27 ― 중간 정원, 밤

커피 들고 걸어오는 영이와 그래.

| 그래 | 주제넘게 제가 괜히 부추겨서 미안해요. 백기 씨 말이 맞는 건데… |
|---|---|
| 영이 | 오히려 잘됐죠. 골을 넣으려면 일단 공을 차야 한다구요. |

| 그래 | (웃는) 그렇다면 뭐. |
|---|---|
| **영이** | 우리 둘 다 지금 보류 아이템을 들고 끙끙대는 거네요. |
| 그래 | 사실 김 대리님은 과장님 말렸어요. 이미 위에서 결정 난 거니까. |
| **영이** | 오 과장님은 그걸 어떻게 뚫으시겠다는 걸까요? |
| 그래 | 차장님, 부장님, 전부 찾아가서 끝까지 설득하시겠다는 거죠. |
| **영이** | (본다) |
| 그래 | 상대방 입장에서 다시 생각해서, 무조건 일이 되게 만들려는 거. |
| | 그게 오 과장님의 남다른 전력투구인 것 같아요. |
| **영이** | (정색하고 그래를 가만히 본다) … |
| 그래 | (당황) 왜… 왜요? |
| **영이** | 장그래 씨 팀은 굉장히 좋은 팀이군요. (미소) |

## S#28 ─ 자원팀, 밤

자리로 돌아오는 영이, 너저분한 자리를 내려다본다…

> [Flashback] S#27
>
> 그래 (영이 보고) 상대방 입장에서 다시 생각해서. 무조건 일이 되게
> 만들고 싶어 하는 것. 그게 오 과장님의 남다른 전력투구인 것 같아요.

**영이** 일이 되게 하는 거라고…?

감시 생각하다가 펼쳐진 서류와 자료들을 착착 챙겨 밀어두고 책상을 정리하는 영이, 가방을 챙기고 불을 끄고 나간다.

## S#29 ─ 원인터 외경, 아침

## S#30 ─ 재무부장실, 낮

**영이** 제가 경솔했습니다.

**김선주 부장** 잘 안 돼?

**영이** 아예 모르겠습니다. 그럴듯하게 쓸 수도 있겠지만, 그런 기만을 하고 싶지
않았습니다. 무례했습니다. 다시 사과드립니다.

**김선주 부장**　실망인데? 그래도 당신 정도면 그 시간을 들여 그런 허망한 결론만을 내릴 것 같지는 않은데…

**영이**　쓰지 못한 것과 별개로 느낀 지점은 있습니다.

**김선주 부장**　그래?

**영이**　먼저, 같은 기획서라도 부서의 입장에 따라 해석이 다를 수 있겠다라는 것입니다. '가능성이 있다'라는 영업부서의 말은 재무부서에게는 조금 더 따져봐야 한다는 말로 이해될 수 있고, 마찬가지로 '긍정적 반응'이란 아직 아무것도 결정된 게 없다는 걸로 읽힐 수 있다는 겁니다.

**김선주 부장**　또?

**영이**　사업 예산을 집행하는 재무팀의 메커니즘에 대해 알게 된 것이 제일 큰 소득입니다. 내 머릿속의 피상적 매출 예상액이 재무팀에서 보다 더 타당한 근거를 안고 다시 설정되는 과정에서, '그럼에도 불구하고' 할 수·있는 사업과 '그래도' 할 수 없는 사업이 있다는 것, 그리고 그것의 판단이 모두 등급화된다는 것입니다.

Ins. 각 기획안에 A등급, B등급, C등급, 보류, 반려 도장 찍히는.

**영이**　앞으로 제 기획안이 보류, 거부된다면 뭐가 잘못됐는가를 고민하지 않고, 무엇을 만족시키지 못했는가를 고민할 것 같습니다.

**김선주 부장**　보고서보다 낫네.

**영이**　…

**김선주 부장**　돌아가봐, 벌은 생각해볼게.

**영이**　네. (돌아선다)

**김선주 부장**　(Off) 전공이 뭐지?

**영이**　(돌아보며) 정치, 외교학과입니다.

**김선주 부장**　그래, 어울려. 회계 공부는 따로 했나?

**영이**　하고 있습니다.

**김선주 부장**　그래, 빨리 배워둬…

**영이**　네.

**김선주 부장**　회계는 경영의 언어니까.

**영이**　감사합니다.

김선주 부장, 손을 획획 하면 영이, 꾸벅 인사하고 간다.

**김선주 부장**　(미소 보이며) 제법이란 말이지.

## S#31 ─ 자원팀, 낮

자리에 돌아오는 영이, 모른 척 신경 쓰고 있는 하 대리에게 다가간다.

**하 대리**     뭐야? 할 말 있어?

**영이**     대리님 기획서는 문제가 없었습니다.

**하 대리**     (기가 막힌) 또 평가질이냐?

**영이**     재무팀도 우리 팀도. 양쪽 다 자기 입장에 충실한 보고서들이었습니다.
다만 다른 문제가 있었다고 생각합니다.

**하 대리**     (험악하게 보는) 다른 문제? 뭐?

**영이**     되는 일로 만들려고 하지 않은 점입니다.

**하 대리**     ! …그게 무슨 말이야! 어?!

**영이**     기획서만 올리셨죠?

**하 대리**     (어이없이) 그럼, 뭐가 또 필요해?!

**영이**     이 정도 타당성 있는 기획이라면 지원 부서를 설득하고 이해시키는 과정이
필요하다고 생각합니다. 그것도 영업의 몫이구요.

**하 대리**     (험악해진) 뭐?! 설득…? 니가 뭘 안다구 나불대?!

영이, 멀리서 일하는 상식 모습 봤다가

**영이**     실패에 대한 책임 부담 때문에 기획서를 충실히 쓰는 데만 만족하고
그 이상의 노력을 안 하는 건… 사업 놀이나 마찬가지라고 봅니다.

**하 대리**     (분노) 뭐?! 너 지금 뭐라 했어? 놀이?!

**영이**     …

**하 대리**     (노려보며) 너 지금 니가 한 말에 책임질 수 있어?

**영이**     …

**하 대리**     책임져라. 만일 못 하면 내 사표 걸고 너 우리 팀에서 내보낼 거야.

**영이**     …

## S#32 ─ 철강팀, 낮

포스트잇 뗐다 붙였다. 모니터 화면 계속 바뀌고. 바삐 일하는 강 대리.

**강 대리**     (돌아보지도 않은 채) 백기 씨, 엑셀 정리 다 안 됐습니까?

**백기**     여기 있습니다. (돌아가 자리에 앉는다)

흘깃 쳐다보던 강 대리, 자료 훑어보는 얼굴이 점점 차가워진다.

**강 대리**   장백기 씨 좀 봐요.

**백기**     (일어나 간다) 문제 있습니까? 시키신 대로 정확히 만들었습니다.
          데이터 추가도 완료했구요.

**강 대리**   이 듣도 보도 못한 양식은 뭡니까? 이 줄 간격하며 셀 속성. 신입 교육 때
          원인터 통일 양식 안 배웠어요?

**백기**     (당황) 우선 대리님께서 데이터 확인해주시면 양식은 후에 수정할 생각,

**강 대리**   (OL, 차갑게) 바빠 죽겠는데 뭐 하자는 겁니까?

**백기**     (확 굳은 얼굴로 보면)

**강 대리**   누가 마음대로 그렇게 일 처리하래요. 장백기 씨, 순서 모릅니까?

**백기**     …

**강 대리**   데이터 확인? 그건 기본이에요. 지금 나더러 이거 갖고 틀린 그림 찾기
          하라는 겁니까?

**백기**     …

**강 대리**   그리고, 1차적으로 데이터 입력하고 그 후에 2차로 양식 수정하고.
          그런 순서는 대체 어느 회사에서 써먹는 프로세싱입니까?
          다른 회사서 일하고 싶으면 지금 당장 나가도 좋습니다. (나간다)

**백기**     (… 주먹이 쥐어질 정도로 분을 참는)


## S#33 ─ 거래처 회의실, 낮

그래와 동식이 상대사 직원들과 미팅 중이다. 서로 가벼운 의견차를 보이고 있다.

**그래**     (Na) 이란 건 관련 거래처 미팅. 저쪽 팀 오전 미팅이 길어져 늦게 시작한 데다
          약간의 의견차가 있다. 12시까지 들어가서 오 과장님께 보고해야 하는 나와
          12시에 바이어 만날 김 대리님은 마음이 바쁘다.

## S#34 ─ 거래처 앞 도로, 낮

동식과 건물을 나오고 있는 그래.

| | |
|---|---|
| 그래 | (Na) 정작 확인해야 할 사항들은 결국 눈으로 훑고 거래처를 나왔다. |
| 동식 | (휴대전화로 인터넷 검색하며) …이란 상황이 문젠데… 좋아지겠지? |
| 그래 | …주변 상황이 바뀌면 서류 재검토해야 하는 거죠? |
| 동식 | (보며) 왜? 바뀔 거 같아? |
| 그래 | …글쎄요… |
| 동식 | (한숨 쉬며) 딜레마인 거 맞아. 낙관도 비관도 확실한 건 없지만 과장님은 이란 상황을 낙관적으로 판단하고 계시는 것 같아… 그래도, 대안은 있어서야 할 텐데… (택시 잡으며) 얼른 끝내고 들어갈게. |

## S#35 ─ 영업3팀 사무실, 낮

그래와 앉아 서류를 넘겨 보는 상식.

| | |
|---|---|
| 상식 | 다시 확인하기에는 시간이 없는데… 됐겠지. 어차피 이전과 크게 달라진 조건은 없으니까. |
| 그래 | …다시 확인해보시죠, 찜찜하시다면. |
| 상식 | 찜찜했어? 회의하면서. |
| 그래 | 과장님께서 찜찜하시다면 확인해보시는 게 맞는 것 같습니다. 감이 좋다고 말씀하셨던 것처럼 감이 흐리면 살펴보시는 게… |
| 상식 | (보면) |
| 그래 | (본다) |
| 상식 | …(시계 보고 전화한다) 부장님 죄송합니다. 좀더 체크해야 할 사항이 있어서 보고를 미뤄야겠습니다. 죄송합니다. 예예 죄송합니다. 네. |

점프. 회의 테이블에 앉아 서류 체크하고 있는 상식과 그래.

| | |
|---|---|
| 상식 | 이상 없지? 바뀐 거 없지? |
| 그래 | 네, 동일합니다. 바꾸기로 한 거 다 바꿨구요. |
| 상식 | 후… |
| 그래 | 죄송합니다. 괜한 말씀드려 번거롭게 했습니다. |
| 상식 | 됐어, 사업하면서 가장 위험한 게 뭔지 알아? 경주마가 되는 거야. |

앞만 보고 달리는. 그러다 박살 난다고. 적절한 데서 잘 끊었어.

**동식**  (급하게 들어오며) 과장님 아직 안 들어가셨네요?

**상식**  타이밍 좋네. 느낌 좋을 때 가자. (전화하고) 부장님 미팅 잡아줘요. 네…
(전화 끊고) 가자!

가뿐한 분위기로 나서는 세 사람. 전화가 울린다. 돌아와 급하게 당겨서 받는 그래.

**그래**  네 영업3팀입니다 (조금 듣는) …! (막 나가고 있는 상식 쪽을 확! 돌아보며 다급히) 과장님!

상식과 동식, 멈추고 돌아보면

**그래**  이란 주재원인데요… EU가 금수 조치를 내렸답니다!

**상식/동식**  !

**동식**  (상식을 보며) 과장님…

**상식**  …


## S#36 ─ 소회의실, 낮

**김 부장**  이란 원유 금수 조치, EU 합세쯤은 오 과장도 예측했겠지.

**상식**  예.

**김 부장**  그럼 이 사태가 장기화될 거란 것도?

**상식**  예.

**김 부장**  (본다. 파일 덮으며) 그럼 얘긴 끝났군. 이 건은 접어.

**그래**  (상식을 본다)

**상식**  할 수 있습니다.

**그래/동식**  (당황해서 상식을 본다)

**김 부장**  (누르고) 어떻게? 금수 조치 장기화에 따른 공급 리스크가 불을 보듯 뻔한데?
리스크 확대 불가피란 걸 알고도, 할 수 있다고?

**리스크팀 차장**  오 과장, 무조건 할 수 있다고 되는 상황이 아냐. 이란 원유를 들여올 방법이
없는 상황이라고.

**상식**  터키를 통하면 됩니다.

**일동**  (멈칫한다)

**김 부장**  어디?

**상식**  터키는 이란과 국경을 접하고 있고, 오랜 우방에 EU 회원국도 아닙니다.
게다가 이란에서 절대적인 양의 에너지를 수입하고 있어서 금수 조치에

동참이 쉽지 않습니다.

**동식**　(표정이 확 갠다) !

**그래**　(뭐가 뭔지… 하듯 보는)

**상식**　터키의 업체를 통해 우회 수입할 수 있습니다. 더구나 터키에는 저희와 오래 거래했던 업체가 확보되어 있는 상태구요.

**동식**　(재빨리) 규젤 말씀입니다.

**상식**　이란과도 라인이 많은 곳입니다. 중간수수료가 발생하지만 이란 측에 요구할 수 있을 겁니다.

**김 부장**　터키라… (떨떠름하게 상식을 본다) 리스크팀 생각엔 어때?

**리스크팀 과장**　좋은데요?

**리스크팀 차장**　네, 부장님 저도 좋은 것 같습니다. 터키라면 저희 인프라가 꽤 됩니다.

**김 부장**　…

리스크팀 차장과 과장, 고개를 맞대고 속삭이며 끄덕거린다. 동식, 설핏 미소. 그러나 여전히 말 없는 김 부장… 그런 김 부장을 보는 동식.


## S#37 — 고깃집 안, 밤

상식의 "건배!" 소리와 함께 가득 채워진 세 개의 소주잔이 부딪힌다. 쭈우욱 소주 들이켜는 상식, 그래, 동식.

**상식**　전무님 승인만 기다리면 돼. 절차만 남은 거야. 수고들 했어!

그래, 웃는데. 동식만 표정이 무겁다.

**상식**　(동식 보고) 왜 그래?

**동식**　예? 제가 왜요?

**상식**　찜찜한 표정인데?

**동식**　아… 아녜요.

**상식**　뭐야, 말해봐.

**동식**　…부장님은 괜찮으실까요?

**상식**　…

**동식**　중국 건, 엄청 힘주셨던 건이잖아요.

순간, 정적이 흐르는데… 주인이 머리 고기를 한 접시 가져온다.

| | |
|---|---|
| 그래 | 안 시켰는데요. |
| 상식 | 내가 시켰어. |

상식, 머리 고기 접시 옆에 담배를 놓는다. 동식, 그런 상식을 보다가 그 옆에 소주를 따라 놓는다. 그래, 지갑을 꺼내 2만 원을 머리 고기 접시 밑에 밀어 넣는다. 동식이 "응?" 하며 보면 상식, 그래의 돈 밑에 돈을 더 꽂은 후 오래된 노트와 이란 관련 자료 뭉치를 테이블 위에 올리고는 바로 아래에 쓰레기통을 끌어다 놓는다. 마지막으로 자료 뭉치 위에 휴대전화를 올려두며

| | |
|---|---|
| 상식 | 쓰레기가 될지 좋은 자료가 될지 곧 결정 나겠지. |
| 동식 | (마른침을 꿀꺽) |
| 그래 | (손때 묻은 자료 뭉치를 본다) |

이때 삐리리리! 정적을 깨는 오 과장의 휴대전화 벨소리. 김 부장. 한동안 보는 상식, 천천히 전화기를 귀에 가져간다.

| | |
|---|---|
| 상식 | 네… |
| 그래/동식 | (긴장해서 본다) |
| 김 부장 | (E) 중국 건으로 추진해. |
| 상식 | … |


## S#38 — 고깃집 외경, 밤


## S#39 — 고깃집 안, 밤

끊긴 전화 바라보며 고개 숙인 상식. 동식과 그래, 말없다. 정지 화면 같은 침묵을 깨고 이란 관련 자료 뭉치를 턱 집어 드는 상식. 쓰레기통에 자료 뭉치를 버리려는데, 동식의 손이 턱! 서류 뭉치를 잡는다.

| | |
|---|---|
| 동식 | (그래에게 자료 뭉치 건네며) 잘 챙겨. 우리 팀 재산이다. |
| 그래 | 네. |
| 상식 | (넋 빠져 있는) |
| 동식 | 자… 일어나시죠, 과장님. (일어나는데) |
| 상식 | 가긴 어딜 가. 괴기 먹고 가야지. |
| 동식/그래 | (확 보며) 네? |

| 상식 | (불판에 불을 탁! 켜고) 기획은 원래 헛방이 70퍼센트야. 그러니까 이제부터 시작이라고. 지금까진 워밍업. 예고편만 보고 극장 나갈 거야? |
|---|---|
| 동식 | (당황) 과장님… |
| 상식 | (OL, 탁 보며) 불판 달았다. 불판 달았어. |
| 동식/그래 | (본다) |
| 상식 | 불판이 달았으면 고기를 꾸워줘야지. 고기 부위만 바뀐 거라고. (밖에 대고) 사장님! 여기 머리 고기 내 가시고 한우 줘요! 한우! |
| 동식 | (철퍽 앉으며) 좋아요! A등급 아이템이니까 우리도 A등급 고기 먹죠! 사장님! 특A등급 한우로! |
| 상식 | (휘둥그레) 야! 인마! 그건 너무하잖아! 쾌 잡았다고 껍데기까지 벗겨 먹을라들면 안 되는 거야 자식아! |
| 동식 | 장그래! 넌 뭐 먹고 싶어?! |
| 그래 | (양반 다리로 털썩 앉으며) 양곱창은 안 되나요?! |

상식, 어이없이 보고 동식 크게 웃는다. 그래도 웃고.


## S#40 ── 고깃집 상식 집, 밤

취한 상식, 냉장고 문 열고 보리차를 병째 벌컥벌컥 마신다.

| 상식 아내 | (확 뺏어 들고) 병째…! 오늘은 또 뭔 핑계로 마셨대? |
|---|---|
| 상식 | 아, 조오타~ |
| 상식 아내 | (애들 방 쪽 보며 손가락으로 쉿!) 혼자만 아주 기분이 째지지? |
| 상식 | 그래! 기분 좋아서 마셨다! 왜 마시면 안 되냐? 내가 이제 특A등급 한우를 구울 거거든! 으하하하. (웃는) |

물병 빼앗아 들이켜다가 뺨이며 앞자락이며 줄줄 흘리는 상식. 그걸 또 손으로 얼굴에다 북북 문지른다. 그 뺨을 아내 뺨에 문지르는 상식. 싫다고 난리 치는 상식 아내. 그런 아내의 얼굴을 잡고 뽀뽀하려고 들이대는 상식. 난리통이다.

| 그래 | (Na) 과장님은 어떠셨을까? |

## S#41 —— 그래 집 방, 밤

책상에 앉아 자료 뭉치를 보고 있는 그래. 상식의 기획안, 깨알 같은 메모들.

그래　　　(Na) 손수 모아놓으신 신문 기사들과 깨알 같은 메모들…
　　　　　급변하는 국제 정세를 전하는 뉴스를 가위로 오리며

장롱 속에서 기보 뭉치 꺼내 와서 그 옆에 놓고 보는 그래.

　　　　　[Flashback] 일일이 기보 기사 가위로 오리며 메모를 적는 어린 그래.

그래　　　(Na) 나와 같은 생각을 하셨을까?


## S#42 —— 원인터 외경, 낮


## S#43 —— 영업3팀, 낮

바쁘게 움직이는 영업3팀. 상식, 전화 통화를 하고 있다.

그래　　　(Na) 오 과장님은 아무 일 없었던 듯 다음 날 바로 새로운 일에 착수하셨다.
상식　　　(전화 끊으며) 동식아 중국 측 사정이랑 국제 정세 다시 체크했지?
동식　　　(프린트 걸면서) 네.
그래　　　(오 과장의 자료 뭉치를 작은 상자에 담아 책상 밑에 둔다)
그래　　　(Na) 내 자리에는 작은 상자가 하나 생겼다.
상식　　　(그래 보며) 원경제연구소에서 발행되는 리포트들 모두 취합했어?
그래　　　(프린트된 서류를 착착 추리고 있다) 네.
그래　　　(Na) 내 상자 안이 채워질수록, 그만큼 나도 배우게 되겠지.
상식　　　자, 그럼 보여보자!


## S#44 —— 소회의실, 낮

자료를 보면서 심각한 표정의 영업3팀.

| 33 | 상식 | 갑갑해졌는데. |
|----|------|------|

| | 동식 | 처음 기획 때보다 중국 사정이 너무 달라졌어요. |
| | 그래 | (멀뚱멀뚱 보고 있으면) |
| | 동식 | (그래 표정 보며) 최근에 중국이 수출업체 쿼터 제한 폭을 늘려버렸어. 희토류는 중국이 전 세계 공급량의 90퍼센트 이상을 차지하고 있어서 이렇게 되면 수입이 힘들어. |
| | 그래 | 다른 나라는 왜 개발 안 하나요. |
| | 동식 | 희토류 채굴은 환경 파괴가 엄청나거든, 중국이 쿼터제를 두는 것도 그 때문이야. |
| | 상식 | 오늘 연구소 리포트 보면 당분간 엎드려 있으란 소린데… |
| | 동식 | 부장님은 아침에도 진행사항 체크하고 가셨어요. 밀어붙이실 것 같던데요. |
| | 상식 | 그러라 하시면 총 맞으러 가야지. |
| | 동식 | 저도 같이 가죠. 이건 딜레이 하는 게 맞는 것 같습니다. |
| | 상식 | 혼자 갈게. 속 말씀 내보일 때 듣는 귀가 많으면 불편해서. |

## S#45 ─ 김 부장실, 낮

| 김 부장 | 야, 오 과장, 동원할 수 있는 거 다 해봐. 내가 백업해준다니까. |
|------|------|
| 상식 | 백업으로 커버가 될 거 같지가 않습니다. 국제 정세가… |
| 김 부장 | 어려우니까 사업이지! 그런 변수 없는 무역이 어딨어? |
| 상식 | … |
| 김 부장 | 야, 이란 건 때는 국제 정세 무시하고 밀어붙였잖아. 이건 왜 머뭇거려?! |
| 상식 | … |
| 김 부장 | 이거 내 이름으로 보고된 거 알지? 너 엄살 부리면 안 되는 거야! |
| | 니 거 깠다고 장난치면 안 되는 거라고. |

## S#46 ─ 옥상, 낮

마른 담배를 무는 오 과장.

| 김 부장 | (E) 니 거 깠다고 장난치면 안 되는 거라고. |
|------|------|

후우우~ 하고 입김을 내뱉는다. 담배를 다시 담뱃갑에 톡! 넣는.

| 상식 | 진행한다. |
|---|---|
| 동식 | 과장님, 아직은… |
| 상식 | 진행하자. |
| 그래 | (프린트물 내밀며) 대리님, 리포트 올라온 것들입니다. |
| 동식 | (리포트 보면서) 이것 봐요, 과장님 죄다 슈퍼 사이클 끝내고 내수 위주로 돌아섰다고 말하잖아요. 상황 안 좋습니다. |
| 상식 | 돼야 하는 일이야. 내일 바로 중국 쪽 연락 넣어서 미팅 잡아. 그쪽이 오든 우리가 가든. |
| 동식 | 과장님, 재점검하죠. 연구소 리포트도 계속 들어오니… |
| 상식 | 부장님이 추진하던 아이템이야. 해야 돼. 하길 바라시고. |
| 동식 | 지금은 상황이 달라졌잖아요. |
| 상식 | 그래, 달라졌지. 시간이 많이 흘러버렸어. 내가 보류 아이템을 다시 꺼내드는 바람에 말이야. |
| 동식 | (당황해서 보면) |
| 상식 | 부장님 실적이 되었든 뭐가 되었든 그 안전한 아이템의 진행을 늦춘 건 나고, 그 때문에 외부 환경이 바뀌어 상황이 안 좋아진 책임 또한 나야. |
| 동식 | 우리 팀 책임이죠. |
| 상식 | 이거 해결 못 하면 부장님 힘들어지신다. 해야 돼. |
| 동식 | (고민스러운 표정이다) |
| 상식 | 중국 측과 계속 연락해서 추이를 살펴. 연구소 리포트와 중국 현지 제보들 다 조합해. |
| 동식 | 알겠습니다. |
| 상식 | 장그래는 제안서를 토대로 달라진 부분 정리해서 보고서 작성해줘. (돌아보며) 가만있어봐, 재한테 맡겨도 되나? |

상식, 동식을 쓱 돌아보면 동식, 슬그머니 일어나서 나간다.


## S#48 ─ 영업3팀, 낮

열심히 보고서를 작성하고 있는 그래… 잠시 멈칫한다.

> [Flashback] S#5
> **동식**　　과장님 연배에 아직 과장 달고 있는 사람 별로 없어. (한숨 쉬며)

고과 관리를 너무 안 하셔. 지금은 실적이 분명한 일을 해서
결과를 남겨야 하는데 말야. 승진하셔야 한다구.

동식      우리가 잘하자.

그래      (Na, 후 한숨 내쉬고) 물론이다. 이제는 마땅히 한 명의 몫을 해내야 한다.

김 부장      (Off) 자네 혼자인가?

놀라 보면 다가오는 김 부장.

그래      (일어나며) 아, 부장님.

김 부장      다들 외근 나간 건가?

그래      예, 모두 방금 나가셨습니다.

김 부장, 상식의 책상 위에 놓인 보고서를 본다. 그래, 슬쩍 보면 점점 심각한 얼굴이 되어 보고 있는 김 부장.

김 부장      오 과장 들어오면 나 좀 보자고 해.

그래      예…


## S#49 ─ 회의실, 낮

김 부장      야, 아까 당신 이야기보다 훨씬 위험하잖아. 지금 중국 쪽 전부 재설정 들어가서
조정하고 있는 거 몰라?

상식      지금 보완해서 진행하려고 합니다.

김 부장      이거 처음에 기획안 만들 때, 내가 주의점 많이 이야기했을 텐데.

상식      그때, 세 개 아이템 중 부장님께서 선택하신 아이템입니다.

김 부장      (버럭) 그 말이 아니고! 당신이 끌고 온 아이템 중 가장 안정적이라고 주장한 것에
대해 내가 한번 해보자 한 거 아냐?

상식      (당황) 지금 진행 중인 중국 건은 부장님께서 아이디어 주신…

김 부장      아이디어지! 아이디어! 아이디어가 보고서야, 기획서야, 제안서야?

상식      잘할 수 있습니다, 부장님. 부장님께 피해 안 가게…

김 부장      (버럭!) 이 친구가 사람을 뭘로 만들고 있어?

상식      죄송합니다.

김 부장      어쨌거나 오 과장 아이템 잘 추진해봐. 바로바로 보고하고, 그리고 보고서에 있
는 내 아이디어란 부분 지워버려. 무슨 보고서에 그런 자질구레한 것까지 넣어?

| | |
|---|---|
| 상식 | 그럼 중국 쪽 백업은… |
| 김 부장 | 당신들은 선 없어? 백업은 무슨. 회사가 백업이지. 뭘 또 찾아? |

돌아서 있는 부장을 쳐다보는 상식…

| | |
|---|---|
| 상식 | 잘 알겠습니다. |

## S#50 ― 영업2팀 앞 통로, 낮

무거운 얼굴로 걸어오는 상식, 영업2팀에서 급히 나오던 고 과장과 마주친다.

| | |
|---|---|
| 상식 | 어, 어디 가? |
| 고 과장 | 부장님 호출! 갑자기 지금 시작한 사업 자료 좀 보자시네. |
| 상식 | ! …왜? |
| 고 과장 | 빤하지 뭐~ 지가 먹겠다는 거지. 지난번 보고회 때, 우리 사업 슬쩍 운 한번 뗀 거 가지고 유세 부리려는 게지. 근데, 3팀 기획안 형편없다고 대놓고 말씀하시던데, 잘 좀 해~ |
| 상식 | 뭐라고? |
| 고 과장 | (아주 자신 있게) 자기가 시키는 방향과 자주 엇나간다고. 잘 맞춰드려~ 일에 꽂히면 주변 안 보는 습관 좀 고치란 말야. 상사들 눈앞에서 알짱거리기도 하고. 어디 미안해서 승진하겠냐? |

저벅저벅 걸어가는 고 과장을 보는 상식…

## S#51 ― 영업3팀, 낮

창밖을 보고 서 있는 상식, 그런 상식을 보고 있는 그래. 그때 동식, 다급히 들어온다.

| | |
|---|---|
| 동식 | 과장님! 얘기 들었는데, |
| 상식 | (OL) 바로 나가! 이거 꼭 돼야 한다. (창밖을 보며) 우리만 죽게 생겼다. 가격 생각하지 말고, 희토류 수출 쿼터 갖고 있는 업체 다 알아봐. 장그래, 같이 가! |
| 그래 | 예! |

## S#52 ── 몽타주, 낮

#업체1

**업체 직원1**　억지로 하시려면 할 수야 있지만 쿼터 갖고 있는 업체마다 부르는 값이 다 달라요.

#업체2 외경

**업체 직원2**　(E) 괜히 독박 쓰실 수 있어요. 저희도 사업 아이템 바꾸려구요.

#업체3 외경

**업체 직원3**　(E) 비쿼터요? 큰일 나요~ 밀수잖아요. 그런 미끼 던지는 양아치들을 대기업에서 만날 사람들은 아니죠.


## S#53 ── 업체 밖, 낮

무거운 얼굴로 걸어 나오는 동식과 그래.

**동식**　공식 수출보다 밀수출이 60퍼센트나 많다니…
**그래**　밀수하지 않는 한 충분한 양을 확보하기 어려운 건가 봐요.
**동식**　기다리는 게 약이지만 우리 팀 사정이 그럴 순 없고, (한숨 푹~)
**그래**　저… 부장님은 어떤 분이세요?
**동식**　부장님? 음… 그냥 딱 샐러리맨이지. 아무리 좋은 의미 갖다 붙여봤자 말이야. 그것에 최적화되신 분이야. 눈치 빠르고, 판단 빠르고, 말 빠르고, 행동 빠르고. (그래를 흘깃 봤다가) 직장인이 승진하고 월급 빼면 뭐 있나?
**그래**　대리님도 승진과 월급이 전부라고 생각하세요?
**동식**　아직까지. 그것 말고 다른 걸 찾지 못해서. 일단 과장님부터 아니, 우리 팀부터 살리고 보자.


## S#54 ── 자원팀 + 통로, 낮

컴퓨터로 탄소 배출권 기획안 수정에 여념이 없는 영이. 아무래도 잘 안 풀리는 얼굴이다가 한숨 쉬고 일어나 나간다. 마침 영업3팀에서 나오던 갑갑한 얼굴의 상식이 밖으로 나가는 영이를 본다.

사무실에서 급히 나오는 영이. 마침 엘리베이터가 열리고 하 대리가 내린다. 멈칫하는 영이, 짜증난다는 듯 쯧! 하며 외면하는 하 대리에게 꾸벅한다. 담배를 꺼내 들며 사무실에서 나오는 상식. 영이와 하 대리, 서로 지나치려다가 같은 방향으로 피한다. 짜증 가득한 하 대리에게 죄송하다며 한쪽으로 피하는 영이.

**하 대리**  (지나가며 내뱉는다) 재수 없게.

그대로 확 굳은 얼굴로 멈춰 서 있는 영이. 쳐다보는 상식… 영이, 주먹을 쥐며 참는 얼굴이다. 하 대리, 상식을 보고 꾸벅 인사하며 지나가려고 다가간다. 참는 듯하던 영이가 하 대리 쪽으로 확 돌아서는데, 상식이 옆을 지나가는 하 대리에게 발을 슥 내민다. 발에 걸려 쿠당탕! 걸려 넘어지는 하 대리! 깜짝 놀라는 영이! 상식을 확! 보면

**상식**  아이고! 잘 좀 보고 다니지. 보기완 다르게 하체가 부실하구만.
남자는 하첸데 말야… (중얼중얼하며 엘리베이터 앞으로 온다)

하 대리, 아파 죽고, 놀란 얼굴로 상식을 보는 영이…

## S#56 ― 중간 옥상, 낮

커피 들고 와서 상식에게 내미는 영이.

**영이**  (발 보며) 발은 괜찮으세요?
**상식**  응? (짐짓) 내 발이 왜?
**영이**  (픽 웃는다)
**상식**  그러기에 우리 팀 오라니깐 왜 말은 안 들어서 개고생이야.
**영이**  (웃는다)
**상식**  탄소 배출권, 그기 좋지. 근데 국내 사업으론 맞추기 힘들지?
**영이**  네. 아무리 꿰어 맞춰봐도 재무팀 통과할 만한 수익 구조가 안 나오네요.
**상식**  (끄덕이다가 툭) 근데 러시아어는 언제 배웠어? 꽤 하는 모양이던데?
**영이**  대학 때요. 교환학생으로 1년 다녀왔어요.
**상식**  아~ 나도 주재원으로 2년 있었어. (주절주절) 그때 러시아어 많이 배웠는데. 어릴 때부터 러시아를 좋아했거든. 러시아 영화 중에 백야라고 있거든? 화이트 나잇. 캬~ 미하일 바리시니코프 알아? 러시아 무용수.

| | | |
|---|---|---|
| 영이 | (끔벅끔벅 본다) |

**영이**　　(끔벅끔벅 본다)

**상식**　　내가 중딩 때 그 러시아 영화 보고 감동받아서 꼭 러시아에 가보겠다고. 러시아 키로프 극장 알아? 거기서 미하일 바리시니코프가, 블라지미르 비쏘츠키 모르지? 캬~! 진짜 멋진 러시아 혁명 가수 있어. 야생마. (노래 부른다) 브돌 아브리바, 뽀낟 쁘라빠스츄, 빠 싸모무 끄라유 / 야 까녜이 스바이흐 나가이까유 스티가유, 빠고냐유— 캬~ 러시아 영화는 비장미가 있어.

**영이**　　미국 영화로 알고 있는데요…

**상식**　　(멈칫) 어? 미국이야? 러시아가 아니고? (씩 웃으며) 내가 너무 막 갖다 붙였나?

**영이**　　(웃다가) 과장님은 희토류 쿼터 제한 때문에 막히셨다면서요?

**상식**　　응, 망할. 중국이 그새 변덕을 부릴 줄 누가 알았나. 내가 부모님 집보다 더 자주 들락거리는 나란데 낌새도 못 느꼈다니까.

**영이**　　등잔 밑이 어둡다는 말도 있잖아요.

**상식**　　(한숨 쉬다가) 그러게 말이야… (하다가 영이를 본다)

**영이**　　?

**상식**　　등잔 밑이 어두워? …그럼 이만. (후다닥 다급히 간다)

**영이**　　(피식 웃다가) …! 갖다 붙여? (역시 다급히 내려간다)


## S#57 — 자원팀, 낮

다급히 컴퓨터 앞에 앉는 영이. 탄소 배출권 기획안을 뚫어져라 쳐다보다가 씩 웃는다.

**영이**　　(혼잣말로) 고맙습니다, 과장님.


## S#58 — 영업3팀, 낮

검색 창에 "희토류"를 넣어서 기사 검색을 탁! 클릭하는 상식.

**상식**　　(혼잣말로) 등잔 밑이 어둡다…


## S#59 — 통로, 낮

김 부장, 들뜬 고 과장과 얘기하면서 영업2팀 쪽으로 오다가 영업3팀 자리에서 모니터 보고 있는 상식을 본다. 검지로 입술을 쓸고 있는 상식의 번득이는 표정을 감지한 김 부장.

상식에게로 걸음을 옮기는 김 부장을 쳐다보면서 자기 자리로 가는 고 과장.


## S#60 — 영업3팀 + 영업2팀, 낮

일어서는 상식 옆으로 다가서는 김 부장.

상식          네, 뉴스가 있습니다.
김 부장      뭔데?
고 과장      (신경 쓰여 보고 있고)
상식          희토류 말입니다. 방법을 찾은 것 같아요. 한국광물자원공사가 북한과
            희토류 개발을 추진하고 있답니다.
김 부장      뭐?!
상식          총 매장량 6000만 톤 정도로 추정하고 있습니다. 개발이 본격화되면
            수급에는 문제가 없을 듯합니다.
김 부장      … (어깨 툭 치며) 기획실에 연락해서 미팅 잡아. 영업3팀 전부 참석하고.
고 과장      (띵! 보는. 커지는 불안감)
김 부장      (영업2팀으로 걸음 돌리며) 한 시간 후에 미팅 시작하자구.
상식          예!
고 과장      (다급한 얼굴로 김 부장과 상식을 바라본다)


## S#61 — 영업2팀, 낮

김 부장, 영업2팀으로 다가서면,

고 과장      (다가오면서) 저… 부장님 이거 진행은
김 부장      (갈등하며) 음… (상식을 돌아본다)

김 부장을 보고 있는 상식.

김 부장      (고 과장을 보고) 일단 하고 있어. 영업3팀 아이템 체크 끝나면 부를게.
고 과장      (당황해서) 저희 아이템으로 전무님께 보고 들어가시는 거 아닌가요?
김 부장      누가 영업2팀 아이템으로 보고한다고 했어? 영업3팀 아이템은

내 기획에서 출발한 거잖아.

**고 과장**          …!


## S#62 — 계단, 낮

기획실 송용춘 차장과 만난 고 과장.

**고 과장**      차장님, 저희 부장님 갑자기 마음이 바뀌셨어요.
**송 차장**      아… 그 양반 참. 그냥 밀어주시지.
**고 과장**      그러니까. 미치겠네요.
**송 차장**      요식 행위야… 영업2팀의 아이템도 보고되는 거야.
**고 과장**      제가 지금 우리 팀 거 보고 안 될까 봐 이러는 거 아니잖아요.
                부장님이 밀어주는 아이템이어야 한다구요, (다급) 부장님 좀 움직여주세요.


## S#63 — 회의실 가는 통로, 낮

상식, 동식, 그래, 저벅저벅 걸어가는 세 사람.

**그래**        (Na) 이런 본격적인 미팅은 처음이다.


## S#64 — 회의실, 낮

회의실 분위기 위로. 그래, 발언자가 바뀔 때마다 이를 봐 가며 노트북으로 기록하고 있다.

**기획팀1**      북측과는 그저 흑연공단 운영협의 때문에 만났달 뿐, 공식 인정은 않고 있습니다.

Ins. 1 해당 연구서와 부처 간 핫라인으로 연결되는 모습.

**그래**        (Na) 연구소와 정부 관할 부처와 공사의 핫라인을 연결하고 바로 체크 후 내용을
                검토한다.
**기획팀2**      경색 국면이긴 하지만 접촉은 꾸준히 하고 있답니다.

Ins. 2 서로 딜이 오가면서 악수하는 장면.

| | |
|---|---|
| **그래** | (Na) 기획실에선 회사 연관 인맥을 동원, 최신 정보를 받는다. |
| **김 부장** | 그렇겠지. 지금 경협 카드 쓸 분위기가 아니잖아. |
| **상식** | 정치적 타이밍을 보겠지요. |
| **그래** | (Na) 그렇게 수집된 정보는 오 과장님과 부장님의 안목으로 질서가 잡히고 흐름이 정리된다. |
| **기획팀1** | 희토류 관련주가 출렁이고 있습니다. |
| **기획팀2** | 북한과 희토류 개발을 할 것이다라는 확신은 시장이 공유하고 있다고 보입니다. |

Ins. 3 기록하고 있는 그래.

| | |
|---|---|
| **그래** | (Na) 당연히 회의의 모든 내용은 기록되고 그것은 내 몫이다. |
| **김 부장** | 3팀은 오전, 오후 매일 경과 보고서 올려. 이만 끝내지. |
| **상식** | 네. |

김 부장, 일어나면 정리하는 사람들.


## S#65 ─ 회의실 밖, 낮

나오는 김 부장에게 다가오는 송 차장.

| | |
|---|---|
| **송 차장** | 부장님. |
| **김 부장** | 어, 송 차장. |
| **상식** | (나오며 인사) 아, 차장님. |
| **송 차장** | 어. |
| **김 부장** | (송 차장에게) 무슨 일인가? |

목례하고 가는 상식, 동식과 그래도 따라가는데.

| | |
|---|---|
| **송 차장** | 저녁에 시간 좀 내실 수 있으신가요? |

동식, 김 부장과 송 차장을 돌아본다.

| | |
|---|---|
| **김 부장** | 할 이야기라도 있는 거야? |
| **송 차장** | 식사 같이하시죠. |
| **김 부장** | 그럴까? 두 시간 정도는 괜찮으니까. |

43　　　동식, 바라보고 있다.

**상식**　　　(E) 신경 쓰지 마.


## S#66 — 영업3팀 + 영업2팀, 낮

**동식**　　　부장님 우리 아이템으로 완전히 마음 굳히셨는데, 다시 자기네 걸로 돌리겠다는
　　　　　거잖아요. 연말 승진 생각하시나 본데… 뭘로 보나 이번엔 과장님 타이밍이잖아요.
　　　　　너무하시네 진짜.

**상식**　　　(연구소 리포트 주며) 이거나 정리해. 쓸데없는 일 신경 쓰지 말고.
　　　　　장그래, 회의록 빨리 정리해서 나한테 보내주고.

**그래**　　　예.


고 과장의 고래고래 소리 지르는 소리.

**고 과장**　　　이거 정리하라는데 얼마가 걸리는 거야? 늘어놓지 말고 알기 쉽게
　　　　　키워드로 정리하라고! 아니, 왜 일들을 이렇게 처리해~?


그래, 파티션 너머 영업2팀을 바라본다.

**그래**　　　(Na) 영업2팀 고 과장님의 외침은 절절했다.

　　　　　[Flashback] S#53
　　　　　**동식**　　　직장인이 승진하고 월급 빼면 뭐 있냐?

**고 과장**　　　이건 빼! 되는 보고서! 응? 이거 넣으면 되겠냐? 생각 좀 하자고!

**그래**　　　(Na) 뭐 하나 쉬운 일상이 없다.


## S#67 — 철강팀, 밤

백기, 엑셀 줄맞춤 수정 마무리해서 강 대리 자리에 딱 놓는다. 돌아서려고 하는데 보이는 분기 영업 계획서. 한 장씩 들춰보는 백기, 점점 놀라는 표정. 쓱 와서 보는 석율.

**석율**　　　오~ 강 대리님 실력 장난 아닌데!

| 백기 | (깜짝, 돌아보면) |
|---|---|
| 석율 | (감탄하며 서류 보면서) 이건 재무팀에서 깔래야 깔 수가 없겠네. 퍼펙트~ 완벽해! 뭐 물론 우리 성 대리님은 다른 쪽으로다가 인품이 휜칠하시지만. |
| 백기 | (당혹감. 석율을 못마땅하게 보면) |
| 석율 | 왜? 술 한잔할래요? |

## S#68 — 자원팀, 밤

모니터 앞의 영이, '러시아 산림 건과 연계한 탄소 배출권' 기획서를 마무리한다. 출력을 클릭. (점프) 영이, 프린터에서 마지막 장이 출력되면 자리로 갖고 와 보다가 스테이플러 찍어 책상 위에 두고 나간다. 나가는 영이 뒷모습을 보며 하 대리 들어온다. 하 대리 눈에 띤 영이 책상 위 '러시아 산림 건과 연계한 탄소 배출권' 기획서. 하 대리, 불량한 태도로 한 장 획 넘겨 보다가 점점 정자세로 본다.

| 하 대리 | … (한숨 푹) 진짜 얘, 골 패는 애네! |

들어오던 정 과장과 유 대리, 하 대리 본다.

| 정 과장 | (와서) 뭐야, 얼굴이 왜 그래? |
|---|---|
| 하 대리 | … |
| 정 과장 | 안영이 뭐 또 어쨌어? |
| 하 대리 | (한숨 쉬며 기획안 주면서) 다음 분기 영업 계획서에 추가해야겠어요. 에이 짜증 나! |
| 정 과장 | 어? 뭔데? (후루룩 보고 둥그레져서) 뭐야? 국내 탄소 배출권을 러시아 산림 건에 갖다 붙였어? 이게 가능해? |
| 하 대리 | (짜증) 아, 뭐, 대강 읽어보니까 가능하네요. |
| 정 과장 | (넘겨서 본다) 이거~ 괜찮은데?! 재무팀 통과하겠는데? |
| 하 대리 | 그러니까요. 에이! 독한 녀… (차마 욕을 완성 못 하고) |
| 유 대리 | 아… 나 진짜 이제 알겠네. 섬유3팀 조 대리가요 쟤 무섭다고 그랬잖아요. 아, 나도 쟤 좀 무섭다. 이 진짜 시르다. 그쵸! |
| 하 대리 | (머리 벅벅 긁으면서) 아, 몰라! (나가고) |

정 과장, 영이 기획서를 자기 자리 영업 계획서 파일철 안에 반쯤 밀어 넣고

| 정 과장 | 가자. 회식 늦겠다. (나간다) |

들어오는 영이를 흘깃 보며 휙 가는 정 과장.

**유 대리**      (툭) 식당 어딘지 알지? (휙 간다)

영이, 자리로 가서 정리하려다가 기획서가 없어진 걸 안다. 두리번거리다가 정 과장 책상 위에 영업계획서 파일철 안에 반쯤 삐져나와 있는 자신의 기획서를 발견한다. 다가가서 파일철을 열어보고 살짝 미소 지으며 닫는다.

**그래**      (Off) 잘됐어요?
**영이**      (돌아본다. 그래 보며) 그런 것 같네요. (미소)
**그래**      (미소로 보는)


## S#69 ── 식당 안, 밤

김 부장 앞에 펼쳐진 고 과장의 파일철들.

**김 부장**      그래, 좋아. 좋다구. 완성된 아이템이야. 가면 돼. 내 말은 이건 확정이라 생각하자 이거지. 오 과장 사업 만드는 중이잖아. 힘 실어주자고.
**고 과장**      부장님, 아직 신경 써주실 게 많습니다. 확정이라뇨.
**송 차장**      이거 부장님 사업으로 밀어주시죠.
**김 부장**      허…참.
**고 과장**      부장니~임.
**김 부장**      (E) 오 과장 불러.


## S#70 ── 식당 룸 밖 + 안, 밤

쪼르르 놓인 신발을 바라보는 상식, 동식, 그래.

**동식**      왜 하필 고 과장님 있는 식당에서…
**상식**      (흠~ 숨을 가다듬으며) 부장님. (문을 쓱 열면)
**김 부장**      어~ 왔어.

상식, 고 과장, 서로 바라본다.

상식, 테이블 위에 놓인 파일을 본다. 고 과장, 시선을 느끼며 자신들의 파일을 등 뒤로 쓱 숨긴다.


## S#71 ── 식당 안, 밤

김 부장　　　자 일단 한 잔씩들 해.
상식　　　　예.

상식, 고 과장, 고개를 돌려 술을 한 잔씩 마신다. 문 쪽에 자리 잡은 그래 옆에 놓여 있는 희토류 파일철. 마시고 잔을 놓으면서 서로 말이 없는 사람들… 잠시 후 침묵을 깨고 김 부장이 입을 연다.

김 부장　　　우리 쉽게 가자. 2팀 거 먼저 밀어줄게 그리고 3팀 거…
고 과장　　　(기쁜) 네, 감사합니다.
상식　　　　네.
그래　　　　(당황)
동식　　　　…
김 부장　　　사이즈 키운다. 당장 대북 정책 기조가 나올 때까지 기다리기도 해야 하니까.
　　　　　　그사이에 잘 준비해서 크게 가자고. 원래 자원은 깨작깨작 젓가락질하는 거 아냐.
상식　　　　예 알겠습니다.
김 부장　　　불만 없지?
상식　　　　예.
고 과장　　　예.
김 부장　　　(E) 자, 건배하자고!
일동　　　　예!

이때, 문이 드르륵 문이 열리고, 최 전무.

김 부장　　　(놀라서) 전무님! 아니, 전무님 어쩐 일이십니까?
최 전무　　　자원개발팀들 회식 나왔거든. 익숙한 목소리들이 들리길래 긴가민가하면서
　　　　　　열어봤지. (씨익 웃는다)
김 부장　　　저녁 먹던… 중이었습니다.
최 전무　　　저녁을 아주 요란하게 먹는구만. (앞에 파일을 보고) 희토류?
김 부장　　　(긴장한 채 보며) 네.
최 전무　　　자원팀이 할 걸 왜 영업3팀이 만지고 있어? 이건 자원팀 아이템이잖아.

| | |
|---|---|
| **상식** | (굳은 얼굴로 긴장해서 보면) |
| **최 전무** | (뒤에 마 부장 보고) 마 부장, 지난번에 한번 희토류 얘기하지 않았어? |
| **마 부장** | 네? … 아! 네! (상식을 슥 보며) 안 그래도 제대로 보고서 올리려고 준비하던 참입니다. |
| **상식 일동** | ! |
| **영이** | (당황해서 상식을 보는) |
| **최 전무** | 그래, 자원은 자원팀에서 해야지. (김 부장에게) 겹쳐서 하나로 가는 게 어때? |
| **김 부장** | 네… |
| **최 전무** | (일어나고) 전문가들 두고 왜 고생들 해? 3팀에 어울리는 일 찾으라고. 계산하고 갈 테니 천천히 먹고 가. (간다) |

방 안의 모든 사람들, 선 채로 인사하고. 마 부장, 정 과장, 하 대리, 유 대리 그리고 안영이. 전무의 뒤를 따라 나간다. 나가면서 그래와 눈이 마주치는 영이… 착잡한 마음으로 고개를 드는 상식, 동식 그리고 그래. 김 부장, 어둡게 고개를 든다.

| | |
|---|---|
| **상식** | (뒤에서) 부장님 앉으시죠. |
| **김 부장** | 밥 먹고 가라. (고 과장을 돌아보면) 고 과장 가지. |

다들, 빠지고 조용한 식당 안… 누구도 말이 없는데…

| | |
|---|---|
| **상식** | (앉으며) 먹자. 배고프다. (음식을 우걱우걱 먹기 시작한다) |

동식과 그래도 말없이 앉아 음식을 먹기 시작한다. 찝찝, 우적우적… 침묵 속에서 음식 먹는데 몰두하는 세 사람.

| | |
|---|---|
| **그래** | (Na) 우리는 아무 말 없이 먹기 시작했다. 어떤 허기가 우릴 덮쳐 뭐라도 채우지 않으면 안 되었다. |

갑자기 숟가락을 딱 놓고 맥주잔에 소주를 따르는 상식… 벌컥벌컥 마신다. 그런 상식을 보는 그래…

| | |
|---|---|
| **그래** | (Na) 왜 취하지 않으면 안 되는지 알게 된 하루, 그리고… 아무것도… 위로조차도 할 수 없는 신입이라… 죄송합니다. |

조용히 술을 따르는 동식. 그래 잔에도 따라준다. 술을 마시는 동식, 그래도 마시고…

Episode 7

## S#72 — 몽타주, 밤

#먹자골목. 소리 지르고, 토하고 하는 사람들. 비틀비틀 가다가 쓰러지는 직장인의 모습들.
#술집 밖 간이 탁자. 술 마시는 백기와 석율. 완전히 취해 엎어진 백기.
#버스 정류장 앞 혹은 도로 옆 거리. 취해서 비틀거리며 걸어오는 상식. Dis.
#집 근처 거리. 취해서 아무도 없는 거리를 비틀비틀 걷는 상식. Dis.

## S#73 — 상식 집 앞, 밤

문 앞에 취한 채 서 있는 상식, 벨을 누르려다가

**상식**　　　(혀 꼬인) 디지게 혼날 텐데.

비밀번호, 누르면 손가락 삑사리 나면서 오류! 삑! 누르면 오류 삑!을 반복한다.

**상식**　　　우씨! 이 마눌님이 비번을 바꿨나아~?

가물가물한 눈으로 또 비번을 누르는데 삑~! "우씨~!" 하는데 문이 벌컥 열리고 자다 나온 듯한 상식 아내, 화가 잔뜩 난!

**상식 아내**　　(소리 죽여 버럭) 지금 몇 시야?!

## S#74 — 집 안, 밤

상식, 우다다 거실을 가로질러 달려가 화장실로 직행한다.

## S#75 — 화장실, 밤

또깍, 불을 켜며 변기로 달려간 상식, 변기를 잡고 머리 박은 채 욱욱 토하다가 손을 휘적휘적 거리며

**상식**　　　불은 왜 껐어? 불 켜! 불!

기가 막힌 상식 아내, 가서 상식을 당겨 뒤로 확 앉히며

**상식 아내**  불 켰다! 밝냐? 밝아? 도대체 왜 맨날 술이야?!

**상식**  (흐릿한 시선으로 아내를 보며) 엉?

**상식 아내**  어떻게 회사만 갔다 하면 술이야아~ 술 좀 안 마시고 다닐 수 없냐구우~!

**상식**  응. 없다.

**상식 아내**  왜 없어?!

**상식**  (까뒤집어진 눈으로 아내를 휙 보며) 맛있으니까!

**상식 아내**  (찌푸리며) 뭐?!

**상식**  (끄윽~ 트림 한 번 내뱉고) 니가, 술맛을, 아냐?! (풀린 눈으로 카메라 정면 보고)
당신들이 술맛을 알아? 아냐구?!

상식 아내, 못 살겠단 얼굴로 확 나가며 불을 탁! 끄면 취해서 카메라를 보고 있는 상식의 얼굴
에서 탁! 암전. 엔딩.

# Episode 8

제8국

## S#1 ── 뒷산 산책로 + 일각 + 동네 전경이 내려다보이는 곳, 낮

트레이닝 복 차림으로 땀범벅 되어서 뛰어 올라가는 그래. 운동 중이다. 여기저기 흩어진 돌바닥들을 밟고 올라가는 발걸음이 날렵하다.

**사범**    (E) 네가 이루고 싶은 게 있거든 체력을 먼저 길러라.

> [Flashback] 기원, 낮
> 바둑판을 앞에 놓고 마주하고 있는 사범과 어린 그래.

        **사범**    평생 해야 할 일이라고 생각되거든 체력을 먼저 길러라.
                     네가 후반에 종종 무너지는 이유, 데미지를 입은 후 회복이
                     더딘 이유, 실수한 후 복귀가 더딘 이유, 모두 체력의 한계 때문이다.
        **그래**    네…
        **사범**    체력이 약하면 빨리 편안함을 찾게 마련이고, 그러다 보면
                     인내심이 떨어지고 그 피로감을 견디지 못하게 되면…
                     승부 따윈 상관없는 지경에 이르지.

동네 전경이 내려다보이는 곳에 서서 거친 숨소리를 내뱉으며 멀리 전경을 본다.

**사범**    (E) 이기고 싶다면 충분한 고민을 버텨줄 몸을 먼저 만들어,
              정신력은 체력의 보호 없이는 구호밖에 안 돼.
**그래**    (다시 후~ 숨을 길게 뱉는다)


## S#2 ── 호텔 커피숍, 낮

우아한 음악이 흐르고 있는 호텔 커피숍이다. 잘 닦인 구두 위로 색깔 맞춘 양말, 똑 떨어지는 정장 바지, 바지에 어울리는 세미 정장 윗옷 차림의 남자. 편안하게 기대앉아 옆의 아무 풍경을 보고 있는 백기.

**안나**    (E. 다소곳이 조곤조곤) 오늘 같은 주말에는 뭘 하세요?

백기, 앞을 보면 가냘픈 청순가련형 여자가 단아한 정장 차림으로 앉아 있다.

**백기**    영화도 보고요, 책도 읽고… 운동도 하구요.

| 안나 | 저는 손뜨개질. |
|---|---|
| 백기 | 아. |
| 안나 | 독립하셨다죠? 저도 스무 살까지 키워주면 그걸로 부모님의 역할은 끝났다고 생각해요. |
| 백기 | (웃으며 커피 들면서) 그렇죠. (마시는데) |
| 안나 | 언제까지 아빠한테 손 벌리겠어요. 그 나이 되면 오빠가 필요하지. |
| 백기 | (마시던 커피를 뿜을 뻔하다 여자를 보면) |
| 안나 | (다소곳이) 대기업 다니시니까 어떠세요? 뭣보다 전세자금대출은 넉넉하겠네요. 큰 전셋집 얻기는 어렵지 않겠어요. |
| 백기 | (멍하게 보면) |
| 안나 | 안나는 결혼이 좀 빨리 하고 싶거든요. 안나는 맞벌이 딱 질색이에요. (고개 돌리며) 모냥 빠지게 (다시 백기한테 고개 확 돌리며) 오빠도 그렇죠? |
| 백기 | (멍~) … (E) 힐링… 힐링이 필요해… |

## S#3 ── 극장 안 매표소 + 라운지, 낮

예술영화 이름 대고 해당 포스터를 무심히 보는 백기. 표를 받아 돌아서서 가다가 매표소 다른 방향에서 오던 여자와 마주친다. 영이다. 편안한 트레이닝복에 슬리퍼 차림. 둘 다 "어?" 놀란.

| 백기 | 어떻게 여기서… |
|---|---|
| 영이 | 집이 근처예요. 백기 씨도요? |
| 백기 | 아뇨, 전 지나는 길에… |
| 영이 | (백기의 옷차림 보며) 어? 선본 옷차림이네요? |
| 백기 | (당황) 아… 아니요. 친구 결혼시…익… |
| 영이 | (슥 보고 피식 웃으며) 아~ 친구 결혼식이 별로 마음에 안 드셨나 봐요. |
| 백기 | (머쓱) 예… 신부가 엄청 별로더라구요. 친구 회사 대출금 제도에 관심도 많고… 결혼식은 호러였고. |
| 영이 | (웃으며) 호러요? (웃는다) |
| 백기 | (웃으며) 초중고대 13년을 뼈 빠지게 공부해서 대기업에 입사하니까 아주 보람차네요. 매주 친구 결혼식 자리가 안정적으로 지원돼요. 하하하. |
| 영이 | (하하하) |
| 백기 | 혼자 왔어요? |
| 영이 | (표 한 장 보이며) 네. (웃는) |

Cut to.

매표소에서 표 두 장을 받아 돌아서는 백기. 뒤 라운지 쪽에 앉아 있는 영이를 보고 웃으며 표 두 장을 까딱 흔들어 보인다.


## S#4 ── 극장 앞, 낮

극장 밖으로 나오는 영이 옆에 혼 빠진 얼굴로 나오는 다크서클 백기.

| | |
|---|---|
| **영이** | 공포영화 못 보면 말을 하지 그랬어요? 오늘 호러 두 탕 뛰셨네요. |
| **백기** | (넋 나가 있으면) |
| **영이** | (웃으면서) 여기 시~뻘건 뼈다귀 선지 해장국 잘하는 집 있는데 갈래요? |
| **백기** | (꾸벅하며, 쉰 목소리로) 내일 봐요… (가면서 손 흔드는데) |
| **영이** | (뒤에서 부르며) 백기 씨! 내가 무서운 이야기 하나 더 해줄까요? |
| **백기** | (의아해서 보면) |
| **영이** | (다가가 탁! 서서) 내일 월요일이에요. (홱 돌아 간다) |
| **백기** | (어이없어 보다가 웃는다) |


## S#5 ── 거실, 낮

소파에 누워 자고 있는 상식. 소파 앞에는 아이들이 레고를 맞추며 놀고 있다. 상식 아내, 청소기를 끌고 가서 소파 위를 막 청소한다. 상식, 아파서 피하다가 소파에서 뚝 떨어진다. 그리고 다시 드르렁~ 아이 셋이 각각 상식의 양팔과 다리를 당기며 "아빠 일어나~" "놀아주세요" 아우성이다. 상식, "그래~ 그래~" 하며 양쪽 팔로 암바를 걸고 다리도 암바를 걸어 아이들을 꼼짝 못 하게 하고 계속 잔다. 아파서 울고불고 몸부림치는 아이들, 상식 아내, 다시 와서 상식의 엉덩이를 세차게 내리치며!

| | |
|---|---|
| **상식 아내** | 안 일어나! 일요일이라고 애들하고 한 번 놀아주는 법이 없어! |
| **상식** | (무겁게 일어나며) 어휴~ 일요일인데 좀 쉬자아~ |
| **상식 아내** | (냉장고로 가서 열며) 쉬고 싶은 걸로 치면 나도 못잖다고요! |
| **상식** | 아~ 요즘 몸이 이상해. 땅으로 빨리는 느낌이야. |
| **상식 아내** | (양파즙을 들고 오며) 술한테 빨린 거겠지 (양파즙을 틱! 주며) 양파즙이라도 마셔. 애들 홍삼 한 번씩들 더 먹이고 당신 것도 해줄게. |
| **상식** | 홍삼은 무슨… (쭉쭉 마시며) 아… 벌써 저녁이야? (한숨 쉬며) 아… 내일 월요일이지… 정말 싫다. 싫어. |

## S#6 — 원인터 외경, 낮

## S#7 — 15층 사무실, 낮

유달리 커피를 많이 나르는 월요일 아침 풍경이다. 피곤한 듯 하품을 쩍 하면서 들어오는 동식,
강 대리와 만난다. 같이 걸어가며

**강 대리**　　피곤해 보여.

**동식**　　　그래? (목 돌리며) 요즘 좀 바빠서 그런가?

**강 대리**　　인력 보충 좀 해달라고 해.

**동식**　　　(웃으며 한숨 쉬듯) 응답 없는 메아리야.

두 사람 가면 뒤에 탕비실 방향에서 커피 들고 오던 그래, 자원팀에서 나오던 영이와 마주친다.
인사하고.

**영이**　　　희토류 건은… 미안하게 됐어요.

**그래**　　　영이 씨가 미안할 일이 아닌데요 뭐…

**영이**　　　오 과장님… 상심이 크시죠?

**그래**　　　(웃으며) 네… 그렇긴 한데… 부장님이 큰 건을 하나 맡기시려나 봐요.
　　　　　　팍팍 밀어주신대요.

## S#8 — 김 부장실, 낮

**상식**　　　(놀란 얼굴로) 아랍 메카폰● 건을 맡으라고요?

**김 부장**　　300만 불짜리야. IT영업팀이 하다 홀딩한 거라 준비도 거의 됐어.

**상식**　　　(별로 좋지 않은 얼굴로) 이번에도 문충기 대표가 옵니까?

**김 부장**　　그럼 누가 오겠어?

**상식**　　　(난호하게) 못 합니다.

**김 부장**　　(인상 확 쓰고 보면서) 뭐?

**상식**　　　그 인간, 어떤지 아시지 않습니까? 제가 할 수 있는 일을 주십시오.

**김 부장**　　(어이없는) 야, 회사에서 봉급 받는 놈들이 할 수 있는 일이 따로 있어?
　　　　　　회사에서 하라는 일이 다 할 수 있어야 하는 일 아닌가?!

**상식**　　　(단호한) 어쨌든 전! 아이들 앞에서 부끄러운 아버지는 되기 싫습니다!

●　　방위 표시 및 나침반 기능을 내장해 전 세계 어디에서나 메카 방향을 제시해줄 뿐 아니라 하루 다섯 번에 걸쳐 진행되는
　　기도 시간을 알려주고, 기도하는 시간에 전화가 걸려오면 수신 거절과 함께 상대방에게 기도 상태임을 알리는 문자 메시지까지
　　발송해주는 기능을 탑재한 휴대전화.

| 55 | 김 부장 | 놀고 있네. 너 집에서 계속 쭉쭉 놀래? |
|---|---|---|
| | 상식 | 예! 계속 쭉~ 놀겠습니다! 차라리 사표 내죠! |
| | 김 부장 | 뭐? 사표?! (노려보다가) 동식이 사고 건, 우리 부서 실적에서 깠잖아. |
| | 상식 | (고집부리듯 입 꾹 다물고 있으면) |
| | 김 부장 | 알았어! 이번 거 따면 인력 충원해줄게! |
| | 상식 | ! |

## S#9 ── 영업3팀, 낮

약간 놀란 얼굴로 보고 있는 동식.

| 동식 | 그래서 하신다고 하셨어요? |
|---|---|
| 상식 | … |
| 동식 | (약간 조바심 내며) 안 하신다고 하셨어요? |
| 상식 | … |
| 그래 | (의아하게 본다) |
| 동식 | (볼멘소리로) 아니… 딴 건 몰라도. 인력 충원해준다면서요? |
| 상식 | … |
| 그래 | (계속 의아하게 보다가) 하면… 되는 거 아닌가요? |
| 동식 | 해야 되는 거지… |
| 그래 | (상식의 일그러진 얼굴을 본다) |
| 그래 | (E) 근데… 왜 고민을 하시는 거지…? |

갑자기 일어나 휙 나가는 상식, "어후~" 하며 따라 나가는 동식. 그래, 어안이 벙벙해서 두 사람을 바라본다.

## S#10 ── 옥상, 낮

고민에 마구 쑤신 머리가 되어 있는 상식, 담배를 물고 있다.

| 상식 | 자식 키우는 입장에서 이런 범죄에 가담하는 게 말이 돼? 이건 백마진이나 횡령이랑 다를 게 없어. |
|---|---|
| 동식 | 다른 거 같은데요. |
| 상식 | (휙 노려보며) 달라. 더 나빠! |

동식      (건성으로) 예~ 과장님이 더 나쁘다고 하면 나쁜 거겠죠. 어쨌든, 결론은요?
            한다고 하셨어요? 안 한다고 하셨어요?

상식      (울컥) 치사한 김 부장!

[Flashback] S#8 보충

**김 부장**      계속 그렇게 말도 안 되는 이유로 똥고집 부리겠단 거지?
            알았어! 앞으로 영업본부에서 펑크 난 거 채워야 되는 할당,
            다 3팀에 몰아줄 테니까, 그거나 메꾸면서 살아! 큰 건은
            쥐도 못 먹겠단 거니까 앞으로 짜잘하고 위험하고 더러운 것만 해!

동식      (놀란) 에에?! 아니 그런 어거지가 어딨어요?!


# S#11 ― 영업3팀, 낮

그래, IT영업팀 직원이 들고 온 서류 상자를 받아 들며 고맙다고 하고 책상 위에 턱 놓는다. 맨 위에 있는 업체 리스트를 들어 훑어본다. 그때, 구겨진 얼굴로 들어오는 상식과 뒤이어 다급한 얼굴로 들어오는 동식.

그래      과장님, IT영업팀에서 메카폰 건 관련 자료 넘어왔습니다.
            근데 업체 리스트까지 다 돼 있던데요?
동식      어, 그럼 당장 업체들에 전화해서 생산 현황 묻고, 모델 확인하고
            브로서 요청해놔. (상식 의식하며 오버해서) 잘못하다간 우리 개털 되게 생겼어!
그래      네?

상식, 상자를 확 노려봤다가 자기 자리로 확 가 앉는다. 구겨진 얼굴로 고민하는.

상식      (중얼중얼) 김 부장 그 인간, 정말 밀어붙일 것 같은데…
            방법을 찾아야 돼 방법을… 딴소리 못 하고 포기하게 하는 방법…

그래, 상식을 의아하게 쳐다보는데 갑자기 상식이 벌떡 일어난다. 깜짝!

상식      야! 동식! 진행비! 우리 진행비 얼마 안 남았지?!
동식      네?

## S#12 ── 김 부장실, 낮

| | |
|---|---|
| 김 부장 | (심드렁하게) 뭐? 진행비가 모자라? |
| 상식 | (비장하게) 예! 정말 하고 싶어도 진행비가 없어서 못하겠네요! |
| 김 부장 | (느긋하게) 그래? 그럴 줄 알고 준비했어. (지갑에서 법인카드 꺼내 내밀며) |
| | 내 꺼 써 내 꺼. 부족하면 간이영수증 끊어와! 다 처리해줄 테니까! |
| 상식 | (멈칫!) |


## S#13 ── 영업3팀, 낮

다크서클 내려온 채 앉아 있는 상식을 보는 동식과 그래.

| | |
|---|---|
| 그래 | (Na) 이상한 일이었다. 일이라면 가리지 않는 오 과장님이… |
| | 이번 일은 왜 이렇게 하기 싫어하시는 걸까? |
| 동식 | (상식을 본 채 한숨 쉬며) 과장님 캐릭터가 남달라서 그래. 캐릭터가. |
| 그래 | 네? |
| 동식 | 문충기 대표는 중동 지역에서 큰 유통회사를 운영하는데 꽤 큰 거래처야. |
| | 타 팀에서도 몇 번 함께 사업을 했고. |
| 그래 | 중요한 파트너군요. 근데 왜 과장님은… |
| 동식 | 문 대표가 좀 유별나서 다들 꺼리긴 해. 우리 회사로선 좀 계륵 같은 존재지. |
| | IT영업팀에서 실적 손해 감수하면서까지 옳다구나! 왜 넘겼겠어? |
| 그래 | (의아한) 까다롭나요? |
| 동식 | (한숨) 아니… 뭐가 됐든 일을 되도록만 하면 되는 건데 (깊은 한숨) |
| | 우리 과장님 캐릭터, 본인 말로는 신념에 딱 걸리네. |
| 그래 | (어리둥절 의아) 신~념이요? 무슨 신념… |
| 상식 | (갑자기 벌떡 일어나며) 그래! 우리 아프자! |
| 그래/동식 | (놀라 보며)네?/에? |


## S#14 ── 옥상, 낮

뜨거운 햇빛이 내리꽂히고 있는 아래… 뚜껑을 연 우유 세 갑 앞에 쭈그리고 앉아 뚫어지게 쳐다보고 있는 상식, 그래, 동식.

| | |
|---|---|
| 그래 | 말씀하신 대로 유통기한 확실히 지난 우유로 사 왔습니다. |

| | |
|---|---|
| **상식** | (비장하게 우유를 보고 끄덕이며) 응. |
| **그래** | 말씀하신 대로 세 시간 동안 햇볕 아래에 두고 푹 익혔습니다. |
| **상식** | 좋아. |
| **동식** | 근데 이거 뭐 하실 거예요? |
| **상식** | (비장하게) 마셔! |
| **그래/동식** | 네?/! |
| **상식** | 식중독 환자들한테 그런 일은 못 시키겠지. |
| **동식** | (울상) 과장니~임… |
| **상식** | 마시자! (우유를 노려보고 있다) |
| **동식** | 어후… 이걸 어떻게 마셔요? |
| **상식** | 마셔, 마셔야 돼~ (그러나 못 마시고 있다) |

그래, 턱 집어 들고 남자답게 꿀떡꿀떡 마신다. 경악하는 동식! 상식, 자기 우유를 확 낚아채듯 들더니 꿀떡꿀떡 마신다. 동식, "에이씨!" 하고 우유를 탁 들고는 눈 꼭 감고 꿀떡꿀떡. 뜨거운 햇빛 아래 우유를 꿀떡꿀떡 마시는 세 사람.


## S#15 ── 화장실 칸 안, 낮

화장실 세 칸이 분할 화면으로, 심각한 얼굴로 쪼르르 앉아 있는 세 사람. 상반신만.

| | |
|---|---|
| **동식** | 아무 신호도 안 오는데요. |
| **그래** | 저두 안 옵니다. |
| **상식** | (초조한) 너 인마 유통기한 지난 거 확실해? |
| **그래** | 네. 확실합니다. |
| **동식** | 과장님 장도 멀쩡하세요? |
| **상식** | 이 빌어먹을 유산균. (화풀이하듯) 야! 너네 내일 아침부터 당장 유산균 음료 다 끊어! |

다크서클이 좀더 진해진 채 절망에 빠져 앉아 있는 상식. 동식, 일한다. 그래는 서류를 보며 메카 폰 기종을 추리다가 상식을 돌아본다.

**그래**　　(Na) 신념이라고 했다. 신념. 대체… 일이 전부인 직장인에게…
　　　　　일에 반하는 신념이란 무엇인가? 아니, 그런 게 있기는 한 건가?

상식 책상 위에 전화기가 울린다. 팔을 뻗는데 안 닿는다. 만사가 귀찮은 상식, 긴 자를 들어 그 대로 스피커폰을 꾹 누른다.

**상식**　　네~ 영업3팀 오상식입니다.
**차 마담**　(E) 안녕하세요. 저는 장원에 차 마담입니다.

화들짝 놀라서 전화기를 쳐다보는 세 사람.

**차 마담**　(E) 신사동에 새로 오픈한 가게예요. 인사드리려고 전화했어요. 저희 장원은,
**상식**　　(OL, 얼른 수화기 들어) 남의 회사에 이게 무슨 짓이요?!

상식, 전화 확 끊는데 휴대전화 울린다. 동식의 책상 위 전화도 울린다.

**여자2**　　(E) 안녕하세요, 오상식 과장님. 방배동에 확장 오픈한 '첫만남'이에요.
**상식**　　(OL, 울컥해서) 필요 없어요! (확 끊어버리는데)
**동식**　　네네 연락드리겠습니다. (끊고) 서초동 럭셔리 라운지에 이상배 이사라는데요,
　　　　　찾아주면 20퍼센트 DC 해준다고,
**상식**　　(OL) 야!
**동식**　　소문 다 난 모양이네요, 지난번 IT영업팀 할 때도요, 전화만 50통이,
**미셸 장**　(OL, E) 실례합니다.

보면, 우아하고 세련된 비즈니스 룩에 남다른 포스의 40대 커리어 우먼이 서 있다. 그 뒤로 역시 검은색 비즈니스 룩을 걸친 여비서가 007 가방을 들고 서 있다. 미셸 장, 또각또각 우아하게 걸 어가서 상식의 앞에 서서 정중하게 인사한다.

**미셸 장**　(품위 있는 커리어 우먼처럼) 오상식 과장님이시죠?
**상식**　　(일어나며) 네, 맞습니다만.
**미셸 장**　(명함을 건네며) 파트너스 코퍼레이션의 미셸 장입니다. (거침없이)

영업3팀의 비즈니스 파트너가 되고 싶습니다.

상식, 명함을 보면, "Partners Cooperation, CEO 미셸 장"

**상식**　　　아… 네, 근데 무슨…,
**미셸 장**　　민 실장.

007 가방을 탁, 여는 민 실장. 브로셔를 꺼내 착, 착, 착, 세 사람에게 준다. 브로셔에는 여러 고급스러운 룸의 전경과 각 레벨별 파티 테이블이 소개되어 있고 진귀한 주종, 고급스러운 술병과 술잔, 각종 놀이 소품(?) 등이 즐비하다.

**미셸 장**　　(OL) 이번에 아랍 알라비유통의 문충기 대표와 비즈니스 하신다지요?
　　　　　　　작년에 영업1팀이 진행한 사업에서 문 대표님 접대, 바로 저희가 맡아서
　　　　　　　계약 성공에 일조했습니다. 수많은 전화 받으셨겠지만 그런 것들 다 무시하세요.
　　　　　　　저희 '파트너스 코퍼레이션'이 오 과장님의 최적의 파트너가 될 것입니다.
**동식**　　　(입이 쩍 벌어지면서 상식을 본다)
**상식**　　　(상황 판단이 안 되는 듯 미셸을 보고만 있다)
**미셸 장**　　민 실장. (손을 착 내밀면)
**민 실장**　　(태블릿 피시를 탁 준다)
**미셸 장**　　접대 아이템도 따로 고민하실 필요 없습니다. (태블릿 피시를 탁탁 짚고 넘겨주며)
　　　　　　　물 쇼, 비 쇼, 불 쇼, 버터플라이 쇼는 물론, 각종 하드코어부터 노멀한 것까지
　　　　　　　모두 준비되어 있죠. 리무진 픽업 서비스부터 VIP가 원하는 그 어떤, 서비스도
　　　　　　　끝까지, 만족스럽게 제공하고 있습니다.

정신 나간 듯 넋을 놓은 상식의 얼굴에서 즙이 빠지는 것 같다. 그래, 멍~한 상태로 상식과 마담을 번갈아 본다.

**미셸 장**　　(쐐기를 박듯 은근하게) 물론, 2차도 확실히 보장합니다.

상식, 몸을 부르르 떨다가 고 과장을 홱! 본다. 고 과장, 순진하게 일하고 있다.


## S#17 ── 중앙 정원, 낮

**고 과장**　　못 하겠다, 동기야.
**상식**　　　(다시 설득하는) 야, 고 과장아,

| | |
|---|---|
| 고 과장 | (OL, 얼른) 우리 황 대리가 신신당부를 했다. |
| 상식 | 황 대리가? 뭘? |
| 고 과장 | (한숨) 혹시 너한테서 메가폰 건 떠안아 오면 지가 사표 낸단다. |
| 상식 | 뭐?! |
| 고 과장 | 걔가 너만큼이나 그런 쪽으로는 융통성이 없잖아. |
| 상식 | 야! 그 자식 돈 거 아냐? 어?! 직장인이 그깟 일로 사표 낸단 소리가 |
| | 그렇게 쉽게 나와?! 회사에서 하라면 해야지, 어떻게 일을 가려가면서 해?! |
| 고 과장 | 반사. |
| 상식 | 난 과장이잖아! 과장. 걔 대리고! 엉?! |
| 고 과장 | 난 동기 너 오 과장도 중요한데, 우리 황 대리가 더 중요한 거 같기도 해. |
| | 미안하다 동기야. (휙휙 간다) |
| 상식 | (허! 어이없이 보며) 저 자식, 말로만 동기 동기. |
| 고 과장 | (멈춰 서서 돌아보며) 근데 동기야. 니가 이번에 눈 한 번 딱 감아라, 응? |
| | 동식이 불쌍하지도 않냐? 요즘 아주 얼굴이 누~렇게 떠서 병든 닭 같더라. |
| 상식 | (인상 쓰며) 뭐? |
| 고 과장 | 부장님이 인력 충원 약속했다면서? |


## S#18 — 영업3팀, 낮

| | |
|---|---|
| 동식 | 문충기가 술 접대에 더티 진상으로 노는 것도 노는 건데, 과장님이 |
| | 절대 안 맡으려는 이유는… 그 인간이 꼭~ 2차 접대를 원해서야… |
| 그래 | 2차라면? |
| 동식 | 그거. |
| 그래 | 아… |
| 동식 | 물론 범법 행원데, 아직도 그런 걸 원하는 바이어들이 꽤 있어요오~ |
| | 우리 과장님은 법이 아니라도, 신념 때문에 절~대 안 하신다니까… |
| 그래 | (의아한) 신념… 그러니까 그 신념이란 게 뭐… |
| 동식 | 몰라 뭐, 여러 가지 말씀하셨는데 인권이 어쩌구 인간의 존엄성이 어쩌구 |
| | 잘 정리는 안 되는데, 아무튼 2차 접대를 안 하겠다는 게 신념인 거지. |
| 그래 | (알아듣는지 모르는지 표정으로) 일보다는 사람이 중요하다는 얘긴가요? |
| 동식 | 어? 어… 뭐 그렇지. 답답해 죽겠어. 조직원이 신념이 어딨냐? 까라면 까는 거지. |
| | 이거면 이번 분기 우리 팀 실적 한 방에 채우는데 말이지… |
| 그래 | … |

## 3

## S#19 ── 중앙 정원, 낮

구겨진 얼굴로 마른 담배를 후~ 피고 있는 상식. 일각에서 천 샘플을 안은 석율이 오다 본다.

| | |
|---|---|
| **석율** | 어?! (씩씩하게) 안녕하십니까?! 오 과장님! |
| **상식** | (흘깃 본다) 어. (다시 담배 피는데) |
| **석율** | (다가서) 과장님, 뭐가 고민이세요? 1차로 끝내세요. |
| **상식** | 뭐? |
| **석율** | 술 맥인다. 꽐라 만든다. 계약서 도장 찍는다. 끝! 쉽잖아요. |
| | 1차에서 혼을 쏙 빼놓으세요. |
| **상식** | (어이없이 보면) |
| **석율** | 메카폰 건 때문에 골치 아프신 거잖아요. 전 모르는 게 없다니까요. |
| **상식** | (어이없이 웃는다) |
| **석율** | 제가 또 그쪽 방면으로 싱크탱크라 더 도와드리고 싶은데요. (한숨) |
| | 요즘 저도 하도 일에 치여서… (넘겨보며) 어?! 장백기 씨! |

상식, 보면 백기 오다가 인사한다. 상식, "어" 하며 백기를 본다. 백기도 상식을 봤다가 다시 인사하고 간다.

| | |
|---|---|
| **석율** | 우리 장백기 씨도 도와주고 싶은데 방법이 없네요. 방법이. 저러다… |
| | 딴생각하는 거 아닌지. |
| **상식** | (멀어지는 백기의 뒷모습을 보는) … |

## S#20 ── 철강팀, 낮

백기 들어오다가 강 대리 자리 보면 자신이 수정한 엑셀 파일이 책상 위에 있다. 가서 파일 열어 보면 다시 수정을 요하는 부분들에 빨간 줄이 그어져 있고 메모. 입이 꽉 다물어지는 백기. 탁 놓고 자리로 돌아갔다가 다시 돌아와 파일을 확 들고 자기 자리로 간다. 컴퓨터를 켜고 굳은 얼굴로 해당 원본 파일을 불러 연다. 무섭게 굳은 얼굴로 말없이 수정을 하는 백기…

> [Flashback] 제7국 S#32
> **강 대리**　　　다른 회사서 일하고 싶으면 지금 당장 나가도 좋습니다.

백기, 수정을 다 끝내고 출력 버튼을 탁 누르고 파일철을 탁 덮는다. 그때 문자 온다. 확인하면,

| 안나 | (E) 안나 집에서는 백기 씨가 마음에 든다고 하세요. 안나도 백기 씨가<br>맘에 들어요. 종합상사는 바쁘다고 하던데 일 열심히 하세요. (이모티콘) |
|---|---|

백기, 짜증스럽게 휴대전화를 엎어두는데 또 띠링~ 하며 문자 오는 소리.

| 백기 | 진짜 이 여자가! (다시 휴대전화를 확! 들어 문자 확인하는데) |
|---|---|

(문자) 헤드헌팅 전문 회사 써치앤브레인 이지현 대리입니다. 현재 이직이나 구직에 대한 생각이 있으시다면 좋은 회사 추천 드리려고 합니다.

| 백기 | (자조적으로 픽 웃으며) 타이밍 죽이네. (휴대전화를 탁! 놓는다) |
|---|---|


## S#21 — 자원팀, 낮

일하는 분위기의 자원팀. 정 과장, 들어와서 영이와 하 대리를 번갈아 보고는 하 대리를 부른다.

| 정 과장 | 야! 하 대리 잠깐 보자. |
|---|---|
| 하 대리 | 네. (나간다) |

정 과장, 일하고 있는 영이를 다시 한번 봤다가 하 대리와 간다.


## S#22 — 휴게실, 낮

| 정 과장 | 탄소 배출권 건, 재무팀 승인 떨어졌어. |
|---|---|
| 하 대리 | (인상이 써지는) |
| 정 과장 | (눈치 슬쩍 보며) 드디어 올 것이 왔다. 누구 사업으로 할까? |
| 하 대리 | … |
| 정 과장 | 니 낄로 해. |
| 하 대리 | (보면) |
| 정 과장 | 원 기획은 너잖아. 안영이 걘 거기다가 러시아 산림만 얹었다고. |
| 하 대리 | 그렇지만 결정적인 한 방을 안영이가 때렸잖아요. |
| 정 과장 | 그러니까 같이해. |
| 하 대리 | 네?! 싫어요. 그냥 개더러 하라고 하십쇼. |
| 정 과장 | 야! 그게 말이 돼?! 걔가 아무리 똑똑해도 신입이야! 걔 혼자 못 해! |

| | |
|---|---|
| **하 대리** | 걔랑 같이 일 못 한다구요! |
| **정 과장** | 야 이 자식아! 난 뭐 안영이 일 주고 싶어 이러는 줄 알아?! |
| | 그거 되기만 하면 큰 건이야! 팀을 생각하라고! |

하 대리, 굳은 얼굴로 정 과장 바라본다.


## S#23 ─ 자원팀, 낮

정 과장 앞에 서 있는 영이, 얼굴 밝다.

| | |
|---|---|
| **영이** | 재무팀 통과가 됐어요? |
| **정 과장** | 어. (불분명한 발음으로) 수고 많았어. 하 대리가 담당할 거니깐 넌 서포트 잘해. |
| **영이** | 네. |
| **정 과장** | 검사 기관 선정부터 해서 하 대리한테 넘겨. |
| **영이** | 네. |
| **하 대리** | (굳은 얼굴로 들어오는데) |
| **영이** | (웃으며) 선배님, |
| **하 대리** | (OL) 나 좀 보자. (나간다) |
| **영이** | (머뭇, 보다가 나간다) |


## S#24 ─ 중간 정원, 낮

| | |
|---|---|
| **하 대리** | 니가 못 한다고 해. |
| **영이** | 네? |
| **하 대리** | 뭘 모른 척 되물어? 내가 너랑 일하고 싶을 거라고 생각했어? |
| **영이** | … (하다가) 제가 서포트 잘하겠습니다. |
| **하 대리** | (열이 확 치솟는다) 야! 무슨 말인지 몰라? 서포트를 잘해줘? |
| | 끝까지 잘난 척을 하겠다는 거냐?! |
| **영이** | 선배님. |

서류 들고 오던 석율이 그러고 있는 하 대리와 영이를 본다.

| | |
|---|---|
| **하 대리** | 니가 못 한다고 해. 니 말대로 그렇게 자원팀 일원이라면 분란 만들지 말고 |
| | 니 선에서 정리해. (홱 간다) |

| | |
|---|---|
| 영이 | … |
| 석율 | (고개를 절레절레하며 보는) |

## S#25 — 영업3팀, 낮

상식, 여전히 구겨진 얼굴로 들어오는데 그래는 서류 확인 작업을 하고 있고 동식은 컴퓨터 작업 하던 중이었던 듯 그대로 꾸벅 졸고 있다. 처다보는 상식.

| | |
|---|---|
| 고 과장 | (E) 동식이 불쌍하지도 않냐? 요즘 아주 얼굴이 누~렇게 떠서 병든 닭 같더라. |
| 상식 | … |

그때, 동식 자리에 울리는 전화, 깜짝 놀라 깨면서 전화 받는 동식.

| | |
|---|---|
| 동식 | 네! 원인터 영업3팀 김동식입니다. 아, 네! 안녕하세요? (사이) 아~ 그거 관세율 바뀌었어요. 관세율 변동은 키타• 홈페이지에서 입력 조회 하면 되는데… 아, 처음이시니까 제가 확인해서 곧 연락드릴게요. |

끊고 얼른 졸던 눈을 비비고 무역협회 홈페이지에 접속하는 동식을 보는 상식.

| | |
|---|---|
| 고 과장 | (E) 부장님이 인력 충원 약속했다면서? |
| 상식 | (심란한 얼굴로 동식을 본다) |
| 그래 | (서류 갖고 동식에게 가서 보이며) 대리님, 한서실업에 수출 실적 증명서 발급받아 첨부하라고 하면 되겠죠? |
| 동식 | (하다 말고 서류 검토하며) 응 그리고, |
| 상식 | (OL) 야, 김 대리. |
| 동식 | 네, 과장님. |
| 상식 | 하자. |
| 동식/그래 | 네?/(본다) |
| 상식 | 하자! 해! 해! 하자구! |
| 동식/그래 | (끔벅끔벅) 네? |
| 상식 | 1차에서 끝장 본다! 장그래! 한석율 좀 오라구 해! |
| 그래 | 네? |

•  KITA. 한국무역협회.

## S#26 — 소회의실, 낮

이동 화이트보드에 적힌 제목 "메카폰 문충기 대표 접대 전략" 아래로 문충기 사진까지 붙어 있고, 그 밑으로는 대작했다가 무너진 각 팀 과장, 대리 들이 적혀 있다. 인물별로 술의 도수와 종류, 각자의 주량, 치사량 등등 정보도. 동식과 그래, 보드판 양옆으로 서서 펜으로 긋고 그리고 적고 하면서 상식에게 브리핑하고 있다. 전쟁에 나가는 이들처럼 진지하고 비장한 분위기의 영업3팀.

| | |
|---|---|
| 그래 | 따라서 종합해보건대, 문충기 대표의 계약서 사인이 이루어진 시점은 100퍼센트, 2차 접대 이후입니다. |
| 상식 | (사령관처럼) 1차에서 사인한 적이 단 한 번도 없나? |
| 그래 | 없습니다. |
| 상식 | (꿀꺽 마른침을 삼키고 다시) 좋아. 그럼 1차에서 문충기 대표가 취했다면 사인할 수 있는 확률은? |
| 동식 | 꽐라가 됐을 경우 그의 성격 중 호기로움과 화통함과 허세성이 증폭될 가능성이 크기 때문에, 1차에서 꽐라가 되고 적당히 기분만 맞춰준다면 계약서에 사인할 가능성은 77퍼센트입니다. |
| 상식 | 오케이! |
| 동식 | 그러나 문제는 문 대표가 좀처럼 맛이 가지 않는다는 겁니다. |
| 상식 | 주량이 얼마래? |
| 그래 | (다이어리 넘겨 보며) 40도짜리 양주를 1.5시간 안에 세 병은 먹어야 맛이 간다는 계산이 나왔습니다. |
| 상식 | (사령관처럼 미간을 모으고 듣는다) |
| 동식 | 따라서 접대 현장에서 문 대표가 2차 진출에 성공하지 못할 확률은, (본다) |
| 상식 | 계속해. |
| 동식 | 제로 퍼센트입니다. |
| 상식 | (미간에 힘이 확! 입이 꾹! 양손을 깍지 껴 턱을 받치고 두 사람 보며) 어떡하든 1차에서 반드시 사인을 받아내야 한다. 절대 우리가 먼저 취하면 안 돼! (그래에게) 한석율은 언제 온대?! |
| 그래 | (시계 보고) 이제 곧 올 때가, |

그때 석율이 문을 열고 쑥 들어온다.

| | |
|---|---|
| 석율 | 늦어서 죄송합니다! 일 처리가 길어졌습니다! |
| 상식 | (씩 웃는) |

## S#27 ─── 통로 + 소회의실, 낮

영이, 프린트물 들고 걸어가는데 전화 온다. 보면 발신자 '···'. 굳은 얼굴로 전화 들고 두리번거리다가 탕비실 쪽으로 가는데 사람들이 들어가는 게 보인다. 다시 통로로 나오면서 전화를 받는다.

영이        예, 저예요. (통화할 데를 찾아 두리번거리다가 소회의실을 본다)


## S#28 ─── 소회의실, 낮

보드판 앞에 매직펜을 든 석율이 있고 나머지는 앉아서 석율을 보고 있다.

석율        일단은 자리 배치가 중요합니다. (쓱쓱 그리며) 문 대표가 상석, 과장님이 그 옆에,
           김 대리님이 반대편, 장그래가 대리님 옆에 앉을 겁니다.

그때 회의실 문이 열린다. 홱 쳐다보는 4인방, 당황한 영이.

영이        아, 죄송합니다. (닫으려는데)
석율        아! 안영이 씨, 안 바쁘면 잠깐만 들어와봐.
영이        (약간 머뭇거리다가 전화에 대고) 이따 통화해요. (끊고 들어간다)
석율        잠깐 앉아봐. 문충기 역이야.
영이        (어리둥절해서 앉으면)
석율        과장님이 1차 술을 따르면 문 대표가 마십니다. 대리님이 이어서 따르세요.
           문 대표가 마시는 동안 과장님은 전화받는 척하면서 나가세요.
           그러면 어수선한 틈에 장그래가 술을 또 따라.
상식        그러니깐, 우리가 한 잔 마실 때 그놈은 석 잔을 마시는 거군.
석율        그렇습니다. 그러나, 이런 식으로 계속 갈 수는 없습니다. (쓱쓱 그리며 속사포처럼)
           양주는 처음부터 두 병을 준비하세요. 한 병은 레알 양주, 다른 한 병에는
           홍차가 들어 있죠.

Ins. 1 실험 테이블: 가설 1
똑같은 양주 병을 양손에 나눠 들고 씨익 웃는 조교 석율. 옆에는 문충기 차림의 영이가 서 있다.

석율        (E) 문 대표가 여러분에게 양주를 따라준 후, 그래가 그 인간한테 술을 따라주는
           사이 김 대리님은 홍차 든 잔들과 바꿔치기!

석율, 현란한 솜씨로 잔을 바꿔치기 하는데, 실수로 잔이 휙 뒤집어진다. 문충기가 된 영이, 석율을 홱 본다.

**석율**     또한, 물수건과 발밑에는 술을 버리는 휴지통이 필습니다.
**상식**     물수건?

Ins. 2 실험 테이블: 가설 2

**석율**     (E) 입을 닦는 척하며 마신 술을 뱉는 데 쓰입니다.

입에 머금은 술을 물수건에 뱉는 석율. 그러나 물수건에서 뚝뚝뚝 물이 떨어진다. 당황하는 석율을 쯧쯧 하며 쳐다보는 문충기 역의 영이, 그 위로.

**영이**     (E) 물수건으로는 생각보다 많은 술을 뱉어낼 수도 없고, 흡수되기 전에
            뱉어버리면 범람이라는 못 볼 꼴을 보게 됩니다.

문충기 영이, 비웃으면서 석율의 손에서 물수건을 탁 치우고 같은 모양의 마른 수건을 탁 올린다.

**영이**     (E) 물수건 트릭의 위력은 흡수력에 달렸습니다.
**일동**     (놀란 얼굴로 영이를 보고 있다)
**영이**     따라서 물수건과 같은 종류의 마른 수건들을 많이 준비해두세요.
**일동**     (멍~하게 영이를 보고 있다)
**영이**     주머니 안에 빈 술잔 서너 개는 필습니다. 마신 척 바꿔치기에 쓰입니다.
            무조건 취한 척하고, 자리가 로테이션 되도록 서로 30분에 한 번씩
            전화 걸어주시는 거 잊지 마시구요. 폭탄주의 위력은 보통 술의 일곱 배가량이죠.
            몇 잔 만들 줄 알면 분위기도 확 살고 훨씬 더 좋아해요.
**일동**     (놀라서 끔벅끔벅)
**상식**     (신나서) 봐봐, 이제 알겠지? 내가 계속 안영이가 왔어야 했다고 한 이유.
**그래**     (쿨럭…)
**석율**     (재빨리) 저는 충성주, 레인보우주, 골프주, 카푸치노주, 폭포주 등
            40여 개의 폭탄주를 마스터했습니다!
**상식**     좋아. 장그래, 한석율한테 폭탄주 만드는 법 좀 배워 와. (동식과 나가면)
**석율**     (영이에게 확 와서) 안영이 씨, 대체 정체가 뭐야?
**그래**     (끔벅끔벅)
**영이**     (말없이 미소)

## S#29 — 중앙 정원, 낮

| | |
|---|---|
| **영이** | (의아한) 신념이요? (웃는다) |
| **그래** | (의아한) 왜 웃어요? |
| **영이** | 골동품 가게에서 오래되고 낡은 시계를 본 느낌이라서요. |
| **그래** | 네? |
| **영이** | 그 말이요. 신념. |
| **그래** | … |
| **영이** | (그래 표정 보고 당황해서) 아 아뇨, 비웃는 게 아니라… |
| **그래** | 네. |
| **영이** | 요즘엔요, 대학에서도 교수님들이 강의 중에 사회 정의 얘기하면 손발이 오그라든다고 하는 시대라서요… |
| **그래** | … |
| **영이** | 그러고 보면 과장님의 시절은 그 말이 밥 먹었니?처럼 흔한 말이었겠죠. 오 과장님은 아직 낭만적이시네요. (미소) |
| **그래** | (웃으며) 아니면 영혼 없는 일개미가 되지 않기 위한 몸부림이거나… |
| **영이** | (그래를 보는) |

## S#30 — 옥상 정원, 낮

마른 담배 피는 상식과 동식…

| | |
|---|---|
| **동식** | 그런데요… 과장님… 정말 2차는 준비하지 않으실 거예요? |
| **상식** | (초조한 듯 담배만 뻑뻑 피는 듯…) |
| **동식** | 과장님, 만일 |
| **상식** | (OL) 안 돼. 혀를 깨물고 죽어도 2차는… 못 간다. (담배를 다시 넣으며) 문충기 관련한 자료는 다 찾아 와. 영수증 한 장까지 싹 긁어 와. 이눔 시키 어떡하든 1차에서 계약하게 만들 거야. |

## S#31 — 몽타주, 낮

#전투적인 자세로 컴퓨터에 문충기를 검색하는 상식.
#계약서, 회사 재무제표, 대주주 단체 관련 서류, 잡지, 경제 신문 등 자료를 열렬하게 보는 상식.
#유리창 밖으로 날이 저문다.

# S#32 —— 철강팀, 밤

퇴근 준비하는 백기, 외근에서 돌아온 강 대리가 자리로 가며

**강 대리**　업체 리스트 수정한 파일 주세요.

**백기**　(말없이 갖다주고 돌아서려는데)

**강 대리**　수정사항 있으면 바로 말할 테니까 잠깐 서 있어요.

백기, 얼굴 확 굳고… 강 대리, 쓱쓱 넘겨 본다.

**강 대리**　응. 잘했네. 더 손댈 거 없을 거 같아요.

**백기**　(일그러지는 얼굴을 애써 감추며 돌아서려는데)

**강 대리**　이것도 해놔요. (파일 준다)

**백기**　(돌아서서 본다. 파일 받아 열어보려는데)

**강 대리**　계약 관련 서류들인데, 추려서 오타 체크하고, 입력된 거 잘못된 거 없는지
　　　　　　확인하고 내일 오전에 우편 보낼 수 있게 준비해줘요.

확 굳는 얼굴로 보는 백기를 못 본 듯 다시 돌아앉아 일하는 강 대리. 백기, 갑자기 파일을 다인
(실무직 여직원)에게 가서 세게 탁! 놓는다. 깜짝 놀라서 보는 다인.

**백기**　들었죠? 내일 오전까지 해놓으셔야겠네요.

**다인**　(당황해서 보며) 네?

**강 대리**　장백기 씨! 지금 뭐 하는 겁니까?

**백기**　(강 대리를 똑바로 보고) 저는 사업을 만들려고 왔습니다. 정산해주고, 표 만들고,
　　　　　　업체 리스트 만들고 오타 체크하려고 이 회사에 들어온 게 아닙니다. 이런 일은
　　　　　　인턴 때 충분히 했고, 지금은 실무직 사원이 할 일이라고 아는데요.

**강 대리**　(강하고 차가운 얼굴로 본다)

탕비실에서 나오다가 그런 백기 보고 멈칫 서는 영이.

**백기**　다른 팀 신입들, 어떻게 일하는지 안 보이십니까?
　　　　　　벌써 다들 다음 분기 영업 계획서에 이름을 올렸습니다. 심지어 장…
　　　　　　(말 삼키고) 대리님은 제가 왜 그렇게 마음에 안 드십니까?

**강 대리**　장백기 씨는 우리 팀에서 지금까지 아무것도 배운 게 없습니까?

**백기**　제가 지금까지 배운 건 참을성밖에 없습니다. 그리고, 지금은 배울 때가 아니라
　　　　　　써먹을 때라고 생각합니다! (가방 들고 나가다 영이를 보지만 그냥 휙 간다)

## 7

다인      (강 대리 눈치를 보는데)

강 대리    그 파일 장백기 씨 책상에 다시 갖다놓으세요.

냉정하게 자기 자리에 앉아서 다시 일하는 강 대리.


## S#33 — 15층 엘리베이터 앞, 밤

백기, 먼저 나와서 엘리베이터 하향 버튼을 누른다. 가방 들고 뒤따라 온 영이.

영이      장백기 씨.

백기      위로 필요 없습니다.

백기, 열린 엘리베이터 탄다. 닫힘 눌러 닫히는 문. 영이, 쳐다보는데…

상식      (Off) 장백기 씨는 왜 저렇게 화가 났어?

영이      (돌아보고 인사한다)

상식      (하향 버튼 누르며) 퇴근인가?

영이      네.

상식      저녁 먹고 갈 건데 같이해. A등급 한우 먹자. (양심 품고 가슴 탕탕 치며)
         이 안에 부장님 카드 있다.

영이      (웃으며) 장그래 씨는요?


## S#34 — 로비 안, 밤

들어오던 그래, 화난 얼굴로 나오는 백기와 만난다.

그래      아, 퇴근이에요?

백기      (자가운 얼굴로 그래를 보다가) 네. (차갑게 간다)

그래      … (멀어지는 백기의 뒷모습을 돌아본다)

동식      (Off) 저 봐, 굶을까 봐 허겁지겁 오잖아.

돌아보면 상식, 영이, 동식, 다가오고 있다. 웃으며 다가오던 영이가 갑자기 얼굴이 확 굳으며 멈
춰 선다. 그래, 의아하게 보는데 옆에서 가던 남자의 놀란 혼잣말.

**우현**          안영이…

그래, 돌아보면, 놀란 얼굴로 영이를 보고 있는 우현.

**동식**          어? 안영이 씨! 뭐 해? 빨리 와!
**영이**          저… 전 머… 먼저 가보겠습니다. (확 돌아서서 다급히 간다)
**동식**          어? 안영이 씨!

우현 옆을 확 지나서 돌아보지도 않고 그대로 나가버리는 영이, 그런 영이를 따라 돌아서는 우현. 상식, 우현을 보고 약간 의아한 표정이다. 각각의 표정으로 우현을 보는 상식과 그래.


## S#35 ─ 원인터 앞 거리, 밤

뒤를 돌아보면서 빠른 걸음으로 가는 영이. 잠시 후 원인터 밖으로 나오는 그래와 상식과 동식. 그래, 멀어지는 영이를 본다.


## S#36 ─ 버스 정류장, 밤

아직 진정되지 않은 얼굴로 의자에 앉아 있는 영이…

　　　　[Flashback] S#34
　　　　**우현**          안영이…

　　　　놀란 얼굴로 영이를 보고 있는 우현.

영이, 약간 괴로운 듯 미간이 조여진다. 그래가 다가온 줄도 모른다.

**그래**          영이 씨.
**영이**          (깜짝 놀라 보며) 어? 장그래 씨.
**그래**          (옆에 앉는다)
**영이**          (조금 당황해서) 저녁… 먹으러 안 갔어요?
**그래**          과장님이 담에 먹자시네요.
**영이**          아… 네… 아! 미안해요. 혹시 나 때문에,
**그래**          (OL) 혹시나 그렇게 물으면 아니라고 하시라는데요…

영이            ···
그래            (웃으며) 사모님 전화 오셨어요.

그때 버스가 오자 일어나는 영이.

영이            먼저 갈게요. 내일 봐요. (인사하고 탄다)

그래, 영이 간 자리에 놓여 있는 서류봉투가 눈에 들어온다.


## S#37 ─ 버스 안, 밤

앉는 영이, 출발하려던 버스가 멈춘다. 문 열리고 죄송하다며 다급히 타는 그래. 영이를 보고 다가와서 서류봉투를 내민다. 놀라 보는 영이.

영이            아··· 이런. (당황한) 고마워요. (버스 돌아보며) 미안해요. 어쩌죠···
그래            괜찮아요. 다음 정거장에서 내리면 되죠.

영이, 어색하게 웃다가 다시 창밖을 본다··· 그대로 다시 깊은 생각에 잠기는 영이.


## S#38 ─ 지하 주차장, 밤(과거)

1년 전, 화가 나 파르르해진 얼굴로 어떤 차를 향해서 걸어가는 영이. 차 안의 우현, 다가오고 있는 영이를 보고 내린다.

영이            왜 그러셨어요?! 왜 저한테 한마디 묻지도 않고 그러셨어요?!
우현            (본다)
영이            그렇게 해주시면 제가 고마워라도 할 줄 아셨어요? 평생 은인이라고
              생각할 줄 아셨습니까?!
우현            니가 그런 일로 흔들리는 게 싫었다.
영이            흔들려요?! 누가 그래요?! 그 사람이 그럽니까? 돈을 주지 않으면
              내가 힘들어진다고요?!
우현            (차분하게) 안영이,
영이            (OL) 집어치워요! (눈물이 흐른다) 팀장님은 위선자예요. 제가 얼마나 비참해질지
              알면서 하신 일이에요. 이 상황을 즐기고 계신 거, 다 보입니다!

| 우현 | (화난) 안영이! |
| 영이 | (흥분한 채 노려보다가 뒤로 확 돌아 걸어간다) |
| 우현 | 안영이! |

우현을 뒤로하고 더 이상 울지 않으려고 빨개진 눈으로 이를 꽉 물며 걷는 영이.


## S#39 ─ 버스 안, 밤(현재)

자기도 모르게 눈물이 고이는 영이, 흐를까 봐 얼른 닦는다. 영이를 보는 그래… 그래를 까맣게 잊고 있는 영이다. 멍하니 창밖을 보며 눈물을 닦고 있는 영이와 그런 영이를 보고 있는 그래가 창에 비친다.


## S#40 ─ 도로, 밤

도로를 달리는 버스.


## S#41 ─ 버스 안, 밤

여전히 멍하게 밖을 보고 있는 영이, 전화가 온다. 보면 또 '…'. 울리는 전화를 뚫어져라 쳐다보고 있던 영이, 차가운 얼굴로 받는다.

| 영이 | …네. (말없이 듣다가) 이제 제발 그만하세요, 아버지. |

전화를 꺼버리는 영이… 문득 생각나, 확 하고 옆을 보면 없는 그래. 두리번거리는데 버스 안에 없다.


## S#42 ─ 거리, 밤

걸어가는 그래. 그때 문자 온다. 영이다.

| 영이 | 미안해요. 언제 내렸어요? 인사도 못 했네. |
| 그래 | (웃으며 문자 보내는. E) 잘 가요. 내일 봅시다. |

살짝 한숨을 쉬고 걸어가는 그래.

## S#43 — 원인터 외경, 아침


## S#44 — 철강팀, 아침

출근하는 백기, 빈 철강팀을 바라보다가 안으로 들어선다. 책상 위에 놓인 어제의 그 파일철을 본 백기, 기가 막힌다. 참는 얼굴로, 양복 상의를 벗어 의자에 걸고 앉아 마음을 가다듬고 수정하려다가, 울컥! 파일을 덮어 확 집어 던진다.

> [Flashback] S#32
> **백기**　　다른 팀 신입들, 어떻게 일하는지 안 보이십니까? 벌써 다들 다음
> 　　　　분기 영업 계획서에 이름을 올렸습니다. 심지어 장… (말 삼키고)
> **강 대리**　장백기 씨는 우리 팀에서 지금까지 아무것도 배운 게 없습니까?

어금니를 깨무는 백기. 헤드헌터의 문자를 다시 열어 뚫어지게 본다. "헤드헌팅 전문회사 써치앤브레인의 이지현 대리입니다. 관심 있으실 회사가 있어서 추천드리려고 합니다." 백기, 단호한 표정으로 통화 버튼을 누른다.


## S#45 — 영업3팀, 낮

계약서, 도장, 간장약들과 술 안 취하는 약 등을 가방에 넣는 그래.

**동식**　　(급히 들어오며) 과장님 아직도 안 오셨어?
**그래**　　아직이요.
**동식**　　말도 없이 어디 가신 거야~? 시간 다 됐는데…
**그래**　　(동로 쪽으로 보고) 아! 오십니다.
**상식**　　(허겁지겁 들어온다)
**동식**　　과장님, 준비 다 됐습니다.
**상식**　　약 갖고 와.

그래, 준비돼 있던 물 담긴 컵 세 개와 그 옆에 약들을 담은 쟁반을 착 갖고 온다. 모두 입에 약을 털어 넣고 물을 꿀꺽! 마신다.

**상식**      (비장한 얼굴로) 가자.


## S#46 ─ 술집, 밤

세 사람 들어서면, 반갑게 맞는 미셸 장과 민 실장.

**미셸 장**   어서 오세요. 문 대표님은 리무진으로 모시는 중입니다. 곧 도착하실 겁니다.
            저희 애들은 두 시간 전부터 올 스탠바이입니다.
**동식**      좋습니다. 꼭 해냅시다.
**미셸 장**   (끄덕하는데)
**민 실장**   오셨습니다.

세 사람, 돌아보면 문이 천천히 열린다. 자기도 모르게 마른침을 삼키는 그래.

**그래**      (Na) 드디어 그가 왔다···

코끼리처럼 크고 묵직한 몸집의 남자가 천천히 들어온다. 한 발씩 내딛을 때마다 쿵쿵쿵 울리는 듯한 착각이 들 정도. 내공이 느껴진다. 문충기를 보는 상식. 천적을 만난 듯한 긴장감 속에 미소를 짓는다. 그런 상식을 보는 그래.

**그래**      (Na) 신념이란 말이 조롱거리가 된 시대에,
**상식**      반갑습니다, 문 대표님. (명함 주며) 원인터내셔널 영업3팀 과장 오상식입니다.
**문충기**    (느긋하게 받으며) 안녕하시오.
**그래**      (Na) 오 과장님에게 그 케케묵은 단어를 꺼내 들게 한 남자.
**동식**      (명함 주며) 김동식 대리입니다.
**그래**      (명함 주며) 사원 장그래입니다.
**문충기**    (셋을 보며 여유 있게 웃는다)

속마음을 감추고 문충기를 보는 상식, 그래, 동식과 여유 있게 시선을 받는 문충기.

**그래**      (Na) 과연, 오 과장님은 자신의 생각대로 신념을 지켜낼 수 있을까?
**문충기**    (노래, E) ♬찬찬찬!

**문충기**    (노래) ♬ 그러나 마음 줄 수 없다는 그 말~ 사랑을 할 수 없다는~ 그 말 쓸쓸히~
　　　　　　창밖을 보니 주루룩 주루룩 주루룩 주루룩~ 밤새워 내리~는 빗무~울

노래를 뽑고 있는 문충기. 많이 놀아본 가락으로 훌륭한 노래 솜씨다.

**그래**    (Na) 승부는 생각보다 싱겁게 끝났다.

옆에서 탬버린 치며 장단 맞춰 미친 듯이 놀아주고 있는 상식과 동식과 그래. 동식은 넥타이 머리에 매고 소화기를 들고 노래를 따라 하고 있고, 상식은 양 바짓단을 양말 속에 넣어 고쟁이를 만들어 접대 유희하고 있다. 그래는 알아서. 그 와중에 화채 그릇에 담긴 폭탄주를 그릇째 들어 꿀꺽꿀꺽 마시는 문충기.

**그래**    (Na) 영업3팀 술 접대 역사 이래 가장 주도면밀했던 계획은,
　　　　　지금까지 듣도 보도 못한 희대의 술고래 앞에서 시작도 못 하고 무력화됐다.

#술을 돌리고 전화를 받는 척하며 일어나려는 상식을 불러 앉히는 문충기.
#물수건에 술을 뱉으려는데 빤히 쳐다보고 있는 문충기 때문에 꿀꺽 삼키는.
#탁자 아래에 술을 뱉으려고 구부리는데 저만치 바닥에 굴러다니고 있는 쓰레기통들.
노래 부르는 문충기와 장단의 몸부림을 치고 있는 세 사람과 아가씨들.

**문충기**    (노래) ♬ 다가선 나를 향해 웃음을 던지면서 술잔을 부딪히며 찬찬찬!
**그래**    (Na) 속성으로 배운 폭탄주 제조는 실전에선 아무짝에도 쓸모가 없었고

#폭탄주 만들던 그래는 실수를 연발하고,
#문충기, 보란 듯이 다양한 폭탄주들을 만들어 세 사람에게 돌린다.

Ins. 1 골프주
Ins. 2 레인보우주

와인을 밑에 깔고 그 위에 양주를 채우고, 그리고 그 위에 와인을 몇 방울 떨어뜨리며 박수를 유도하고.

Ins. 3 충성주

잔을 쌓아놓고 머리를 쾅! 박는 문충기, 그러고도 끄떡없다. 문충기가 주는 폭탄주를 다 받아 마시고 완전히 취한 동식.

**그래**　　　(Na) 어느 게 홍찬지 어느 게 양준지 구분도 안 되는 지경의 김 대리님도,

노래하는 문충기 옆에서 취한 채 혼신의 힘을 다해 춤추고 술 마시고 기분 맞춰주느라 몸부림치고 있는 상식… 그런 상식의 몸부림을 보고 있는 그래…

**그래**　　　(Na) 그럼에도 불구하고 끝까지 1차에서 계약서에 사인을 받아내고야 말겠다며 몸부림치는 오 과장님도, 나도,
**문충기**　　　(노래) ♫ 그러나 마음 줄 수 없다는 그 말~ 사랑을 할 수 없다는~ 그 말
**그래**　　　(Na) 시계가 새벽 4시를 가리킬 무렵 깨달았다.
**문충기**　　　(노래) ♫ 쓸쓸히~ 창밖을 보니 주루룩주루룩 주루룩주루룩~!
**그래**　　　(Na) 우리는 완전히 패배했다는 걸…
**문충기**　　　(노래) ♫ 밤새워 내리~는 빗무~울

문충기, 마지막 구절 "무울~!" 하며 요란한 제스처를 치는 통에 테이블 위에 펼쳐둔 계약서와 펜이 획~! 날아가 구석에 처박힌다.

**그래**　　　(Na) 과장님의 가슴에도 밤새워 빗물이 주루룩주루룩 내릴 것이라는 걸.


## S#48 ── 호텔 밖, 밤

**문충기**　　　(노래, E) ♫ 밤새워어~ 내리~느~은 빗무~울…

비틀거리는 문충기를 미모의 여자와 함께 부축해 서 있는 그래, 몰골 말이 아니고. 완전히 지친 상식, 취하고 초췌한 모습으로 옆에 서 있다. 동식은 완전히 취해서 한쪽 구석에서 토하고 있다.

**상식**　　　(취한 채 꼬여서) 오~올라가시면 됩니다.
**문충기**　　　(혀 꼬인 그러나 만족스런) 그래… 역시 오 과장 센스가 좋아~ (가려는데)
**상식**　　　(꼬여서) 자~암깐마~안요.

계약서를 동그랗게 말아 문충기의 양복에 넣고는 90도로 꾸벅 인사한다.

**상식**　　　(고개 숙인 채) 꼭 부탁드립니다아~

| 문충기 | (혀 꼬부라진 소리로) 걱정 마, 걱정 마아~ (취해서 히죽히죽 웃으며 여자의 부축을 받은 채 손을 휘저으며 간다) |

한참 뒤 고개를 드는 상식, 널브러져 있는 동식에게 비틀거리며 걸어간다. 그래도 따라간다. 상식, 동식을 일으키며 혀 꼬부라진 소리로

| 상식 | 수고했다. 동식아. (지갑에서 몇만 원을 꺼내서 그래에게 주면서) 동식이 보내고 빨리 들어가. 한두 시간이라도 눈 붙이게. |
| 그래 | (정신 차리려고 애쓰며) 과장님은요…? |

상식, "응~" 하고 손 흔들며 비틀비틀 걸어간다. 그 뒷모습을 먹먹하게 바라보는 그래, 어깨를 떨어뜨린 채 걸어가는 상식의 바지 한쪽 자락이 양말 안으로 말려들어 간 채다. 우스꽝스럽고 짠하다.

| 그래 | (Na) 과장님은 실패했지만… (호텔을 돌아보며) 우리 영업3팀은… 살았다. |

아주 천천히 F.O. 되면서 상식만 보이다가 완전히 암전. 잠시 후 그 위로

| 동식 | (E, 중얼거리듯) 살기는 개뿔~ 망했다… 망했어. |

## S#49 ─ 호텔 외경, 아침

| 충기 | (E, 알 수 없는 뭉개지는 비명 소리) 으어어어어~! |
| 그래 | (E, 깜짝 놀라서) 네?! |

## S#50 ─ 영업3팀, 아침

두 시간밖에 못 자고 나온 동식과 그래의 처참한 몰골.

| 동식 | (멍한 얼굴로 그래 보며) 망했다고… |
| 그래 | (너무 놀라 보며) 아… 아니, 어떻게 그… 그런 일이… |
| 동식 | (한숨 푹) |

## S#51 ─ 호텔 안, 아침

침대 위의 문충기, 넋 나간 얼굴로 옆에 누운 날씬한 중년의 여자를 바라보고 있다. 믿기지 않는 듯 눈을 비비고 다시 봐도 여전히 중년 여자다. 충기, 주변을 보면 두 사람의 옷이 아무렇게나 던져져 있는데

| | |
|---|---|
| **여자** | (Off, 나른한 소리로) 깼어요? |
| **충기** | (놀란 얼굴로 다시 확 본다) |
| **여자** | (자다 깬 얼굴로 누운 채 보며) 놀랐어요? |
| **충기** | (멍해서 보다가 꿀꺽 삼키고 겨우 소리 내) 다… 당신이 여길 어떻게… |
| **여자** | (방긋 웃는다) |
| **상식** | (E) 내가 보냈어. |

## S#52 ─ 영업3팀, 낮

입구에 서 있는 상식을 보고 있는 놀란 얼굴의 그래. 상식, 아무렇지도 않은 듯 자리로 가서 가방을 놓고 겉옷을 벗는다.

| | |
|---|---|
| **동식** | (한숨 쉰다) 과장님… |
| **상식** | 자식아, 그럼 내가 뭐 그놈 원하는 대로 호락호락 해줄 줄 알았어? |
| **그래** | (아직도 어리둥절하다) 어떻게 와이프를… |
| **상식** | (썩소 날리며 앉아 삐끼며) 자료, 모든 건 자료 속에 있어. 응? 앉으나 서나 자료 조사. 자료 속에 왕도 있는 법이야. |

[Flashback] S#31 보충
전투적인 자세로 자료를 보는 상식. 넘기는 자료들이 빠르게 바뀐다.
문충기가 사인한 계약서, 최근 경제 분야 무가지에 난 문충기 인터뷰 기사.
문충기가 모레 입국한다는 소식과 함께 부인과 동행이라는 기사가 있다.

| | |
|---|---|
| **상식** | (E) 최근에 무가지 경제지에 실린 문충기 기사에 마누라랑 같이 입국한다는 애기가 있지. 20주년 결혼기념일을 한국에서 보내게 돼서 기쁘다며 애처가 흉낼 내더군. 무심코 기념일을 보는데 우리 접대날이랑 똑같은 거야. 순간 피가 거꾸로 솟았지. |
| **동식** | 에? |
| **상식** | 신성한 결혼기념일날 그런 짓을 하겠단 거 아냐? 그놈이! |

| | |
|---|---|
| 동식 | (아아아아아아~ 한숨만) |
| 상식 | 근데, 거꾸로 피가 솟으면서 아이디어도 솟았어. 동식이 니가 말한 2차 대비 방법이 말야! |
| 동식 | (한숨) 과장님, 제가 언제 2차 대비라고 했습니까? 2차 준비라고 했죠. |
| 상식 | 난 그놈의 불쌍한 와이프에게 잊지 못할 결혼기념일을 선물하기로 했어. |
| 동식 | 그리고, 과장님의 그 (힘주어) 신.념.도 지키고요? |

#카페나 공원 등 적당한 일각. 문충기의 아내를 만나는 상식, 뭔가를 열심히 얘기한다. 의아한 듯 상식을 쳐다보는 문충기의 아내.

| | |
|---|---|
| 상식 | (E) 접대날 그녀를 만나 우리가 마련한 작은 선물 계획에 대해서 말해줬지. |
| 동식 | (체념) 과장님의 계획이겠죠. |
| 상식 | 이후엔 니들이 아는 것처럼 모든 게 퍼펙트하게 들어맞았지. |
| 동식 | 퍼펙트하게 망한 거라구요. 이게 무슨… 해괴망측한 짓이세요. 부인 접대받고 싶은 남자가 세상에 어디 있다고. |
| 그래 | 그러니까 과장님은 계약을 버리고 신념을 선택하셨군요. |
| 상식 | (긍정도 부정도 아닌 묘한 표정으로 그래를 보는데) |
| 동식 | (울컥) 부장님께 대체 뭐라고 하실 건데요오~! |

## S#53 ─ 김 부장실, 낮

거칠게 허공으로 던져 흩어지는 서류 종이들. 몇 개는 상식의 얼굴에 퍽 맞는다. 화가 머리 꼭대 기까지 난 김 부장이 성난 코뿔소처럼 쿠릉쿠릉거리고 있다.

| | |
|---|---|
| 김 부장 | 야, 이 미친놈아! 너 제정신이야?! |
| 상식 | (남의 얘기 듣듯 서 있는) |
| 김 부장 | (끓어오르는 화를 어떻게 할 수가 없다) 야, 오상식. 너 그렇게 하려면 나가 죽어! 줘도 못 먹는 새끼! 니가 무슨 (말을 잇기도 싫다) 후~! |
| 상식 | (접…) |
| 김 부장 | 너! 내가 영업본부에 있는 한, 영업3팀 인력 충원은 꿈도 꾸지 마 새꺄! 그리고 말했지? 펑크 난 본부 실적, 3팀에서 다 메꿔! 다! 몽땅! 전부! |
| 상식 | (큼…) |

## S#54 —— 헬기 옥상, 낮

옥상 문을 열고 나오는 상식, 손에는 시원한 맥주 한 캔이 들렸다. 이글거리는 햇빛이 쏟아진다. "후~" 넥타이를 헐겁게 풀고 난간 쪽으로 걸어간다. 손수건을 꺼내 땀을 닦으며 멀리 풍경을 본다. 후우~ 하며 웃는 상식.

| 상식 | (다시 땀을 닦으며) 아~ 덥다! |

바닥에 털썩 앉는다. 캔 맥주를 딴다. 거품이 뽀골 올라온다. 꿀꺽꿀꺽 마시는데 전화 온다. 받으면

| 막내아들 | (E) 아빠~ |
| 상식 | (받으며) 응~ 우리 막둥이, 미래의 상사맨! |
| 막내아들 | (E) 아빠, 오늘은 일찍 들어오시는 거예요? |

이하 상식과 막내아들의 통화가 분할 화면으로 보여진다.

| 상식 | 그렇지~! |
| 막내아들 | 그럼 양념통닭 사 오세요. |
| 상식 | 양념만? 후라이드는? |
| 막내아들 | 그럼 후라이드 사 오세요. |
| 상식 | 후라이드만? 양념은? |
| 막내아들 | (고민 중인 듯…) 그럼 반반 사 오세요. |
| 상식 | 그럼 반반치킨 두 마리 사 갈까? |
| 막내아들 | (뭔가 계산이 안 맞는 듯 고민스럽게 눈알을 굴리다가) 그럼 양념 한 마리, 후라이드 한 마리 사 오시면 되잖아요. |
| 상식 | (짐짓) 아~! 그렇지! |
| 막내아들 | 아빠 바보! |
| 상식 | 떼끼! 이놈! 아빠한테 바보가 뭐야?! |
| 막내아들 | 아빠 사랑해요.. 아빠 안농! (냉큼 끊는다) |
| 상식 | 응? 허허허허~ 허허허허~ (웃으며 맥주를 마시는데, 땀은 계속 난다. 수건으로 닦으며) |
| | 왜 이렇게 땀이 나? (담배를 꺼내 물고는 몇 번 빨아보는 시늉을 하는데 시답지 않다) |
| | 휴~ 왜 이렇게 맥이 빠져? |

맥주를 든 채 그대로 맥없이 앉아 있는 상식… 잠시 후 상식의 고개 천천히 떨어진다. 이내, 입에 물고 있던 담배 툭! 바닥에 떨어지고 맥주 캔도 손에서 뚝 떨어진다. 맥주가 줄줄 쏟아진다. 고개 숙인 상식의 얼굴에서 식은땀이 줄줄 흐른다. 잠시 후, 툭툭 코에서 코피가 흘러 바닥에 떨어진

다. 문자 오는 소리가 들린다. 상식, 문득 눈을 뜨면서 코를 슥 닦으면 손등에 묻어나는 코피. 놀라서 "어? 피?" 하고 손수건으로 닦으며 문자 확인해보면, "아빠, 한 마리는 반반 치킨 한 마리는 양념치킨으로 사 오세요. ―1번 아들"

| | |
|---|---|
| **상식** | (힘없이 허허허허 웃으며 코피를 닦는데) |
| **그래** | (옥상 들어오며) 어? 과장님! 여기 계셨어요? (다가오며) |
| | 전화를 안 받 (상식 코 밑에 피를 본다) 어?! 코피 흘리셨어요? |
| **상식** | 어? 어. (대수롭지 않게 닦으며 바닥의 피도 발로 슥슥 닦는다) |
| **그래** | 괜찮으세요? |
| **상식** | (대수롭지 않게) 괜찮아. 몇 분 정도 눈 감았다가 떴더니 피를 다 보네? |
| **그래** | 조셨어요? |
| **상식** | 졸았는지 졸도를 했는지. 요새 무리했더니 혈압이 올랐나. (가면서) |
| | 동식이한텐 떠들지 마. 그 자식 잔소리 시끄럽다. |

바닥에 떨어져 흐르는 맥주 캔을 보는 그래.


## S#55 ― 자원팀, 낮

영이가 메일로 받은 시황 자료를 보면서 다이어리에 뭔가를 적고 표시를 한다. 들어오던 하 대리, 지나치다가 영이의 모니터 화면을 본다. 울컥! 화가 뻗는!

| | |
|---|---|
| **하 대리** | 야, 안영이. |
| **영이** | (일어나며) 네. |
| **하 대리** | (열받은) 니가 왜 EU-ETS* 거래 관련 자료를 찾아보고 있어? |
| **영이** | (당황한) |
| **하 대리** | (화가 나서 확) 너 진짜! |


## S#56 ― 옥상 정원, 낮

화난 하 대리 앞에 고개를 살짝 떨어뜨리고 서 있는 영이.

| | |
|---|---|
| **하 대리** | 너 지금 뭐 하자는 거야! 선배 말이 말 같지가 않아? 엉?! |
| **영이** | … |


* 유럽 탄소 배출권.

정원 쪽으로 오던 석율, 둘을 봤지만 싸한 분위기에 다가가지 못하고 선다.

| | |
|---|---|
| **하 대리** | 내가 빠지라고 했지?! 이제 대놓고 개기는 거야? 니 꺼라 이거야? 권리 있다 이거야?! |
| **영이** | 그게 아닙니다 선배님. |
| **하 대리** | 도저히 손 못 떼겠으면! 그래, 가져가! 나? 안 해도 돼! 빌어먹을 니 그 잘난 이름, 센터에 보란 듯이 박아서 성공해보라구! |
| | (열받아서 옆에 있는 풀을 발로 확 차면서 돌아서 간다) |

영이, 그대로 숙이고 서 있다… 석율, 조금 쳐다보다가… 한숨 쉬고 다가오며

| | |
|---|---|
| **석율** | 쫄지 마요. |
| **영이** | (보고) 아, 한석율 씨. |
| **석율** | (진지하게) 저 못난 사람들, 왜 저러는지 아는 사람은 다 안다구. |
| **영이** | (보는) |
| **석율** | 남자들 참 찌질하죠. 잘난 여자 앞에 서면 더 찌질해지나 봐. |
| **영이** | (희미하게 웃는다) |
| **석율** | (진지하게) 당신 잘못한 거 없으니까 당당하라구. 인턴 때 2년 묵은 아이템 해낼 때, 당신이 얼마나 전사 같았는지 전설처럼 회자되고 있잖아. 그때의 안영이로 돌아가요. 쫄지 말고 당당하게. 세게. 그게 안영이다운 거지. |
| **영이** | (석율을 가만히 본다) |

## S#57 ─ 자원팀 앞 통로 + 자원팀, 낮

15층 안으로 들어온 영이, 자원팀을 본다. 앉아 있는 하 대리가 보인다. 깊게 숨을 들이 마시고 성큼성큼 걸어 하 대리 뒤에 선다. 하 대리 돌아본다. 인상 확 쓰며,

| | |
|---|---|
| **하 대리** | 뭐야? |
| **영이** | 선배님 말씀대로 하겠습니다. |
| **하 대리** | (눈에 힘이 들어간다) |
| **영이** | 말씀대로, 업무에서 빠지겠습니다. |
| **하 대리** | ! (약간 당황하는 얼굴로 보는) |
| **영이** | 대신 |
| **하 대리** | (인상 쓰고 보면) |
| **영이** | 그 건 하시는 동안 하 대리님 허드렛일을 담당하겠습니다. |

## S#58 — 철강팀, 밤

굳은 얼굴로 모니터를 보고 있는 백기. 모니터에는 거의 완성된 이력서, 맨 마지막 한 칸, 경력사항 란에 "원인터내셔널 자원팀 인턴" 밑에서 깜박이고 있는 커서를 보고 있는 백기.

**헤드헌터**    (E) 그 회사 이력서는 오늘 자정까지 넣어주시면 됩니다.
**백기**        …
**강 대리**    (Off) 장백기 씨.

본능적으로 노트북을 덮으며 돌아보면 통로 쪽에 서 있는 강 대리. 약간 긴장한 얼굴로 강 대리를 쳐다보는 백기…

**강 대리**    (책상 쪽으로 가며) 아까 검토해달란 서류는 아직 멀었습니까?
**백기**        …곧 마무리해서 내일 보실 수 있도록 해놓겠습니다.

대답 없이 가방을 챙기는 강 대리… 백기도 몸을 돌려 그대로 가만히 있는데… 강 대리가 갑자기 챙기던 가방을 그냥 두고 돌아선다.

**강 대리**    장백기 씨, (덮은 백기의 노트북을 본다) 나가겠단 생각이라면 말리진 않겠습니다.
**백기**        !
**백기**        (일어나 돌아서서 본다)
**강 대리**    철강은 보수적인 사업입니다. 장기간에 걸쳐서 한 가지 아이템이
               조금씩 사업시장에 맞게 변형되지요. 그렇기 때문에 우리 팀원은 당장의
               화려한 언변이나 포장에 능한 사람보다 멀리까지 묵직하게 끌고 갈 수 있는
               기본기를 갖춘 사람이어야 합니다.
**백기**        (울컥) 그래서, 지금까지 제게 그 기본기를 가르치신 거란 말씀을
               하고 싶으신 겁니까?
**강 대리**    (본다)
**백기**        그렇다면 저는 더더욱 잘못된 대우를 받았군요. 말씀하신 그 기본은
               학교, 인턴, 신입 교육 때 충분히 다졌습니다.
**강 대리**    (차분하게 본다)
**백기**        (치밀어 오르는 감정을 애써 누르며 본다) 제게 기본을 가르친다는 건 핑계일 뿐이고,
               그냥 저를 싫어하시는 거라고 생각되는데요.

| 강 대리 | (쳐다보다가 가방을 든다) 내일 봅시다. (가버린다) |
|---|---|
| 백기 | (그대로 서 있다가 확 따라 나간다) |

## S#59 ─ 15층 엘리베이터 앞, 밤

강 대리, 하향 버튼을 누르는데 백기 확 나오며

| 백기 | 오늘은 들어야겠습니다! 대체, 제가 왜 그렇게 싫은 겁니까?! |
|---|---|
| 강 대리 | (보다가) 장백기 씨, 이건 누가 싫고 좋고의 문제가 아닙니다. |
| | 그런 관점에서 당신을 판단할 만큼, 당신을 잘 알지도 못하구요. |
| 백기 | 그럼 도대체 뭡니까? |
| 강 대리 | 팀에 배치받고 장백기 씨가 가장 먼저 한 일이 뭔지 기억하지 못합니까? |
| 백기 | (약간 당황해서 생각하는) |

[Flashback] 강 대리 앞에 보고서를 내미는 백기

| 백기 | (자신감에 차서) 대리님! 제가 철강팀에서 수익을 낼 만한 |
|---|---|
| | 아이템을 개발해봤습니다! |
| 강 대리 | (말없이 백기를 본다) |

| 백기 | 사업 아이템 보고서를 제출한 것 말입니까?! |
|---|---|
| 강 대리 | 교육에는 배운 걸 확인하는 시간까지 포함된다고 생각합니다. |
| | 철강팀과 관련해 신입인 장백기 씨가 읽어야 할 파일은 산더미입니다. |
| | 그러나 장백기 씨는 오자마자 사업 보고서부터 들이밀었습니다. |
| | 철강팀 아이템 관련 파일들을 읽기도 전에 말이죠. |
| 백기 | ! |
| 강 대리 | 스스로를 드러내고 돋보이고 싶은 의욕이 앞서면 조급해지는 법이죠. |
| 백기 | (모욕적이다. 흥분한) 강 대리님이 생각하는 기본이라는 게 |
| | 그렇게 중요한 거면, 왜 처음부터 말씀해주시지 않았습니까?! |
| 강 대리 | 잘못된 것을 스스로 확인할 수 있는 기회는 여러 번 줬습니다. |
| | 다른 팀에선 어떤지 몰라도, 그게, 내 방법입니다. |
| 백기 | 기회요? 오타 체크하고 양식 만들고 실무직 업무가 기횝니까? |
| | 더 배워야 하는 건 업무를 함께 진행하면서도 배울 수 있는 거 아닙니까! |
| 강 대리 | (차갑게 본다) …아직도 멀었네. |

열린 엘리베이터에 타는 강 대리, 닫힘을 누르고 백기 눈앞에서 닫히는 문. 화가 머리끝까지 오

## S#60 ── 철강팀, 밤

분노에 찬 얼굴로 급히 들어오는 백기, 모니터 다시 켜고 이력서에 "원인터내셔널 철강팀 입사"
라고 마저 채운 후 주저 없이 메일 '보내기'를 탁! 누른다. 그대로 모니터를 노려보고 있는 백기.

## S#61 ── 엘리베이터 앞, 밤

굳은 얼굴로 나오는 백기, 마침 엘리베이터 열리고 영이 내린다.

| | |
|---|---|
| 영이 | 퇴근이에요? |
| 백기 | (쳐다보다가) 네. |
| 영이 | 그럼. (꾸벅하고 가려다가) 장백기 씨 조언 받아들이기로 했어요. |
| 백기 | 네? |
| 영이 | 백기 씨 말대로 제가 지기로 했어요. 강한 창을 이기는 방법은, |
| | 방패도 더 강한 창도 아닌 것 같더라구요. |
| 백기 | … (자조적으로 피식 웃으며 고개를 숙였다가… 다시 들며) 안영이 씬 안영이 씨 방법을, |
| | 전 제 방법을 찾은 거군요. |
| 영이 | (의아하게 본다) |

## S#62 ── 원인터 외경, 낮

## S#63 ── 영업3팀, 낮

초췌한 얼굴의 상식, 얼굴에는 식은땀이 흐르는 얼굴로 양파즙 쭙쭙 빨고 있는 상식. 동식이 파
일 뭉치 들고 상식의 자리로 온다. 테이블에 파일 놓는 동식.

| | |
|---|---|
| 동식 | 양파즙 말고 홍삼 같은 걸 드셔야 하는 거 아녜요? |
| 상식 | 애들 홍삼 다 먹이고 다음 달에 사준대. (쓰레기통에 버린다) |
| 동식 | (걱정) 근데, 땀은 왜 이렇게 흘리세요. 이상해요. 병원 가보셔야 하는 거 아니에요? |
| 상식 | (손수건으로 닦으며) 더워 그래. 잠깐 쉬자. (의자 뒤로 고개 젖힌다) |

그래, 상식을 보면 여전히 땀을 비오듯 흘린다. 얼굴도 창백하다. 갑자기 몸을 일으키는 상식. 순간 휘청. 고개 휘저으며 정신 차리고.

**상식**　　　안 되겠다. 나 잠깐 밖에 좀 나갔다 올게. 연락 오는 거 있으면 받아놔.

나가는 상식을 걱정스런 눈으로 보는 동식과 그래.


## S#64 ── 원인터 로비 밖, 낮

좀 지친 얼굴로 나오는 상식, 갑자기 쏟아지는 햇빛이 힘들어서 손으로 막으며 해를 본다. 조금 빙글빙글.

**상식**　　　아~ 왜 이러지…

비틀비틀 걸어간다. 멀어지는 상식 뒤로 통화 소리, 타자하는 소리, 프린트 출력되는 소리, 업무하는 소리 등등이 깔리고


## S#65 ── 영업3팀, 낮

상식의 빈자리가 보인다.

**고 과장**　　　(Off) 오 과장은 대체 어딜 가서 아직 안 오는 거야?!

영업3팀으로 들어오는 고 과장.

**동식**　　　(조금 걱정스러운) 아까 어지러우셔서 잠깐 바람 쐬러 나가셨는데…
　　　　　　전화도 안 받으시고 그러네요.
**고 과장**　　　어지러워? (찌푸리며) 요즘 무리한다 싶더니만 (나가려다가 멈춰 선다)
　　　　　　어지럽기만 하대? 뭐 다른 증상은 없대?
**동식**　　　다른 증상 뭐요?
**고 과장**　　　40대가 위험한 거거든. 친구 놈 중에 딱 오 과장같이 일만 하고
　　　　　　건강 안 챙기다가 젊은 나이에 풍이 온 친구가 있어.
**동식**　　　에이~! 과장님도. 40대에 무슨 풍이에요.
**고 과장**　　　현장 나갔다가 혈압으로 쓰러져서 아예 간 놈도 있다구요~

| 그래 | ! |
|---|---|
| 동식 | 과장님도 참… |
| 그래 | 저… 과장님 어제 잠깐 졸도하셨었어요. 코피도 흘리시고. |
| 동식/고 과장 | (그래를 확 본다) 뭐? |
| 동식 | 그걸 왜 이제 말해! |

## S#66 ─ 거리 횡단보도 앞, 낮

다급한 얼굴로 돌아다니는 그래와 동식. 가게도 들어갔다 나왔다 한다. 그래는 계속해서 전화하고 있다. 횡단보도 앞, 휙휙 요란하고 기분 나쁜 소음과 함께 빠른 속도로 지나가는 차들.

| 동식 | 아직도 안 받으셔? |
|---|---|
| 그래 | (초조한) 네, 신호는 계속 가는데… |
| 동식 | 진짜 어디 쓰러져 계신 거 아냐?! |
| 그래 | 전화 계속 걸어보겠습니다. |

동식, 횡단보도 앞에서 신호 바뀌자마자 급하게 건너는데 차가 끼~익! 굉음을 내며 멈춰 선다. 깜짝 놀라는 그래! 불안한 표정으로 동식이 건너는 걸 본다. 삐빅, 삐빅 소리와 4, 3, 2, 1 카운트하며 붉은색으로 바뀌는 신호등을 초조한 얼굴로 보는 그래.

> [Flashback] 제1국 S#57, 아버지의 장례식장
> 아버지의 영정 사진 앞에서 울고 있는 엄마와 앉아 있는 그래.

| 그래 | (초조한) 과장님… 대체 어디 계신 겁니까…? |
|---|---|

## S#67 ─ 영업3팀 앞 통로, 낮

걸어오던 김 부장. 의아하게 본다. 마침 영업2팀에서 나오던 고 과장에게

| 김 부장 | 3팀은 전부 어디 갔어? |
|---|---|
| 고 과장 | (걱정) 오 과장 찾으러요. 잠깐 나갔다 온다던 사람이 아직 안 오네요. |
| 김 부장 | (기가 막혀 찌푸리며) 어디 가면 간다고 말을 해야지. |
| 고 과장 | 오 과장이 요즘 스트레스가 심했는지, 몸 상태가 안 좋나 봐요. |
| 김 부장 | (멈칫) 안 좋아? 많이 안 좋아? |

| 고 과장 | 어젠 코피에 졸도까지 했다는데 지금도 어디 쓰러져 있는 건 아닌지, |
|---|---|
| 김 부장 | (OL, 버럭) 이 사람아! 근데 뭐 하고 있는 거야?! 자네 팀도 내보내서 찾아봐! |
| 고 과장 | 네? 아! 네! (후다닥 가면) |
| 김 부장 | (상식에게 전화 건다) 아니, 이 사람이 진짜… (안 받는다. 걱정으로 화난) |
| | 왜 전화를 안 받아! (다시 걸면서 걸어간다) |

## S#68 ── 병원, 낮

액정 화면에 김 부장 뜨고 부우웅~ 진동하면서 울리고 있는 전화. 그 옆에 누워 있는 상식의 이마 보인다. 빨갛게 그을린 지친 피부. 식은땀. 감은 눈. 축 처진 손가락. 그때 드르렁드르렁 코 고는 소리. 병원 침대다. 링거를 맞으며 세상모르고 자고 있다. 그러다가 갑자기 눈을 번쩍 드는 상식!

| 상식 | (벌떡 일어나며) 어이구, 이게 몇 시야? (휴대전화 보고) 전화는 또 왜 이렇게 많이 |
|---|---|
| | 왔어? 어라? 고 과장에 부장님까지? (전화한다) 어, |
| 동식 | (E, OL, 버럭) 과장니~임! |
| 상식 | (찡그리며 귀에서 휴대전화 떼는) |

## S#69 ── 김 부장실, 낮

김 부장, 상식의 검진 결과서 보고 있는데 똑똑. 들어오는 상식을 보자마자 와락 화를 낸다.

| 김 부장 | 당신 뭐야? (검진 결과서를 들어 보이며) 예전 종합검진에서 재검받으란 거, 왜 안 받아? |
|---|---|
| 상식 | 아… 그게, |
| 김 부장 | (OL) 이런 거 다 고과에 반영되는 거 알잖아! 서류 채워지지 않으면 |
| | 나도 어쩔 수 없는 거 알아, 몰라? |
| 상식 | (꾸벅) 죄송합니다. |
| 김 부장 | 이런 큰 조직의 일이라는 게 누구 한 명의 땀방울로 되고 안 되는 시절이 아냐. |
| | 오히려 그렇게 되면 회사로선 더 위험해. 당신 아니어도 될 일은 돼야 한다고. |
| 상식 | 네, 알고 있습니다. |
| 김 부장 | 첫째가 지금 몇 살이야. |
| 상식 | (당황) 첫째가… 음… 6학년… |
| 김 부장 | 나 당신 애들 돌잡이 다 본 사람이야. 솔직히 우리 업무 특성상 가정에 |
| | 시간 더 할애하란 소린 못 하겠어. 그런데 애비가 돼서 건강 관리 안 하는 건 |
| | 인정 못 해. 열심히 일한다는 거엔 당신 자신도 포함돼야 한다고. |

| 상식 | … |
|---|---|
| 김 부장 | (검사서 상식에게 주며) 재검받고. 다음 사업은 중동 아이템으로 큰 거 찾아봐. 이번에는 내가 정말 확실하게 밀어줄 테니까. |
| 상식 | 네, 감사합니다 부장님. |
| 김 부장 | 이거 가져가! (책상 아래서 선물 상자 꺼내서 내민다) 말린 장언데 바이어 주려고 사둔 거야. 가서 챙겨 먹어. |
| 상식 | ?! (받으며) 감사합니다. |

그때 울리는 김 부장 책상 위의 전화. 김 부장, 받으며

| 김 부장 | 네, 김부련입니다. (나가보라고 손을 휘휘~) |
|---|---|
| 상식 | (상식, 꾸벅하고 나가는데) |
| 김 부장 | 네? 아, 네… 네?! (흠칫 놀라는 표정으로 나가는 상식을 보는!) |

## S#70 — 영업3팀, 밤

장어를 들고 들어오는 상식을 본 동식과 그래, 벌떡 일어나며 동시에

| 그래/동식 | 과장님! |
|---|---|
| 상식 | (손 저으며) 됐어. 알았어. 미안해. |
| 그래 | 과장님… |
| 동식 | 아~ 진짜! 식겁했잖아요~ (장어 보며) 그건 뭐예요? 부장님이 주셨어요? |
| 상식 | 응. (자리에 앉으며) 말린 장언데 (상자 꼭 쥐곤) 좀 나눠줄까? |
| 동식 | 그냥 다 드세요~ 드시기만 하세요오~ 넷째는 만들지 마세요오~ |
| 김 부장 | (Off, 버럭) 야! 오상식! |

깜짝 놀라 보면 빠른 걸음으로 거침없이 다가오는 김 부장. 장어를 책상 밑에 얼른 내려두고 발로 스윽 안으로 밀어 넣는 상식.

| 김 부장 | (버럭) 야! 너 대체 일을 어떻게 한 거야?! |
|---|---|
| 상식 | 네? (당황하며 장어를 더 안쪽으로 밀어 넣는다) |
| 동식/그래 | (영문을 모르지만 긴장한 얼굴로 보는데) |
| 김 부장 | (좋아 죽는) 야~ 오상식이~ 싫다고 내숭 떨더니~ 영혼까지 다 갖다 바쳤구나? 뭘 어떻게 했길래 문 대표가 계약을 두 배나 하겠다는 거야? |
| 동식/그래 | (깜짝 놀라) 에? (상식을 확 돌아본다) |

| 상식 | (역시 어리둥절한 표정이다) |
|---|---|
| 김 부장 | 카드 아직 반납 안 했지? 소고기 먹어! 소고기! (기분 좋아서 간다) |
| 동식 | (믿기지 않는 듯 끔벅끔벅 상식을 보며) 지금… 마누라 접대가… 통했단 거예요?<br>문충기가 그렇게 로맨티스트였어요? |
| 상식 | (역시 어리둥절하지만 뭔가 숨기는 듯한 태도로 큼 하며) 그랬나 보지 뭐. (장어 들며)<br>퇴근이나 하자! |
| 동식 | 고기는요? |
| 상식 | 안 돼~ 나 오늘 장어 먹어야 돼. (그래에게) 내 책상 위에 문가 놈 자료들<br>좀 추려서 치워두고 가. (획 간다) |

동식, 칫! 하며 따라가고. 그래, 웃으며 상식의 책상 위에 널린 자료들 중 문충기 관련 자료들을
추린다. 재무제표, 결산 보고서, 주주 지분 대주주 단체 등의 자료들을 보던 그래, 문득 멈춘다.
자료의 이모저모와 단체의 실질적 소유주는 강미라. 문충기의 아내라는 연결 상황이 화살표 같
은 걸로 표시되어 있고 상식의 글씨로 "결국 문충기의 아내가 회사의 실질적, 최종적 결정권자"
라고 메모되어 있다. 메모를 빤히 보는 그래.

       [Flashback] S#52
       **그래**       그러니까 과장님은 계약을 버리고 신념을 선택하셨군요.

기사 내용을 보고 있는 그래의 입가에 웃음이 흐른다.

**그래**       (E) 그러니까 과장님은… 사실은… 님도 보고 뽕도 따신 거군요…

하하하 웃기 시작하는 그래. 하하하하. 눈물이 날 정도로 정신없이 웃는 그래.


# S#71 — 원인터 앞 전경, 낮(며칠 뒤)


# S#72 — 사내 커피숍, 낮

테이블에 놓여 있는 회사 팸플릿 및 백기 이력서 등 서류. 백기는 손에 서류를 들고 천천히 살펴
보고 있다. 헤드헌터와 함께다.

**지현**       실무 면접은 건너뛰고 곧바로 임원 면접을 보고 싶어 합니다.
       그쪽 상무가 백기 씨를 상당히 마음에 들어 하시나 봐요.

| 백기 | (과하지 않은 웃음, 계속 서류 본다) |
|---|---|
| 지현 | 외국계 회사다 보니 수평적인 분위기예요. 잔업은 없는 편이구요.<br>업무량은 개인이 조율하는 분위기예요. (태블릿 피시 넘겨 보며) 그리고…<br>아! 백기 씨의 다양한 경력을 마음에 들어 하니까 부담 없이 얘기하시면 될 거예요. |
| 백기 | (서류 테이블에 놓고는) 원하는 부서에 배치가 가능한가요? |
| 지현 | (웃음) 아마도요. 저희도 최선을 다하겠습니다. |

## S#73 — 커피숍 밖, 낮

이 쑤시며 지나가는 상식, 동식, 그래. 그래, 커피숍 안에서 헤드헌터와 얘기 나누고 있는 백기가 보인다. 쳐다보며 가던 그래의 시선에, 일각에 서서 백기를 보고 있는 강 대리가 시야에 들어온다. 강 대리의 굳은 얼굴을 보던 그래, 다시 백기를 본다.

| 상식 | (Off, 중얼거리듯) 저 친구, 성급하네… |
|---|---|
| 그래 | (깜짝! 상식을 본다) |
| 동식 | 인력 충원 얘긴 왜 아직 없어요? 부장님이 중동 전문가 붙여주신다면서요? |
| 상식 | 해주실 거야. 곧 온대. |

## S#74 — 15층 통로, 낮

느릿느릿 통로를 걸어오는 한 남자.

## S#75 — S#73과 같은 거리, 낮

| 동식 | 누가 온대요? |
|---|---|
| 상식 | 몰라. |

## S#76 — 15층 통로, 낮

남자의 걸어가는 뒷모습.

## S#77 — 현관 앞, 낮

로비로 들어서는 세 사람.

**동식**  아~ 철강팀 강 대리나 자원팀 하 대리가 왔으면 좋겠는데…
**상식**  역시 빠릿빠릿하게 일하려면 아무래도 대리급이지?
**동식**  과장님은 누가 왔으면 좋겠어요?
**상식**  안영이. (그래를 싸~하게 보며) 애초에 안영이가 왔어야 했는데, 안영이가…
**그래**  저는,
**상식**  고!

엘리베이터가 열리고 기분 좋게 타는 상식. 동식 웃으며 타고 그래도 탄다.


## S#78 — 영업3팀, 낮

웃으며 들어오는 세 사람. 동시에 멈칫한다. 상식의 책상 뒤에 서 있는 남자의 뒷모습. 의아한 세 사람… 그리고 돌아서는 박 과장.

**상식/동식**  !
**박 과장**  (웃으며) 여~ 오 과장님, 안녕하세요? 이제 한팀이네.
**상식**  (자기도 모르게 굳는 얼굴이다)

그래를 흘깃 보는 박 과장. 그런 박 과장을 쳐다보는 그래. 엔딩.

# Episode 9

제9국

## S#1 — 영업3팀, 낮

능글맞게 웃으면서 쳐다보고 있는 박 과장.

| | |
|---|---|
| **상식/동식** | ! |
| **박 과장** | (웃으며) 여~ 오 과장님, 안녕하세요? 이제 한팀이네. |
| **상식** | (자기도 모르게 굳는 얼굴이다) |

그래를 흘깃 봤다가 웃으며 동식의 어깨를 툭툭 치며

| | |
|---|---|
| **박 과장** | 아~ 김 대리! 잘해보자고~ 언제 봐도 일 잘하게 생겼단 말이지~ |
| | (일부러 뒷덜미를 기분 나쁘게 힘줘서 잡는다) |
| **동식** | ! |
| **박 과장** | (그래를 흘깃 본다) |
| **그래** | (숙이며) 장그래라고 합니다. |
| **박 과장** | 아~ 니가 그 낙하산 계약직? |
| **일동** | ! |
| **박 과장** | (거침없이) 고졸이라며? 운 좋네? (웃으며 상식에게) 얘 어떻게 들어온 거예요? |
| | 끗발도 별로라며? |
| **상식** | (본다) … |
| **박 과장** | (동식 자리 가리키며) 내 자린 저기죠? (가면서 그래 흘깃 보고 히죽) 잘해보자. |
| | (자리로 가서 가방을 탁! 놓고 앉는다) |

그래와 동식, 상식을 보면 굳은 얼굴로 서 있다.

| | |
|---|---|
| **김 부장** | (E, 화난) 무슨 소리야? |

## S#2 — 김 부장실, 낮

인상 쓰는 얼굴로 쳐다보고 있는 김 부장.

| | |
|---|---|
| **상식** | 다른 사람으로 보내주십시오. 어려우면 인력 충원은 없던 일로 해주시든지요. |
| **김 부장** | (보던 서류 파일철을 탁 접으며) 야, 오 과장. 왜 이래? 애처럼? |
| **상식** | 영업3팀에 도움이 될 사람을 달라는 말씀을 드리고 있는 겁니다. |
| **김 부장** | 그게 박 과장이야. 이 회사에서 박 과장만한 중동통이 또 없어? |

Episode 9

내가 자원본부 있을 때도 실적 하나는 기차게 내는 놈이었어.

**상식**    (후…)

**김 부장**    이래저래 100퍼센트로 맞는 사람이 어딨어? 서로 맞춰가면서 지내는 거지.
일만 생각하라고, 일만.

**상식**    …

## S#3 — 탕비실, 낮

속 타는 듯 '후~' 하는 얼굴로 들어오는 상식. 복사하고 있는 정 과장을 만난다.

**상식**    야, 정 과장.

**정 과장**    (흘깃 본다) 네?

**상식**    박 과장 니가 추천했다면서?

**정 과장**    에? 아~ 네. 그 친구 실력 좋잖아요.

**상식**    이거 왜 이래. 누가 똥 치우는 거 몰라서 그래?

**정 과장**    똥이라뇨?!

**상식**    (물 받으며) 귀 닫고 사는 거 아냐. 나도 들을 만큼 듣는다고. 너 지난번에
데리고 있을 때 고생한 거 내가 모를 줄 알아?

**정 과장**    적당히 능력 있는데 자원본부랑 안 맞는 거 같아서 그래요. 저희 팀 있을 때도
내가 리더십이 좀더 좋았다면 그 친구가 그랬겠나 싶은 거죠.

**상식**    이렇게까지 자기를 죽여서라도 보내고 싶은 정도의 사람이라고 들리는군.

**정 과장**    (뜨끔해서 더듬는) 아, 뭐… 무슨 그런.

상식, 물을 꿀꺽 마신 후 쓰레기통에 컵 던지고 나가버린다.

## S#4 — 영업3팀, 낮

박 과장, 그래를 앞에 세워놓고 구경하듯 보고 있다. 자리를 옮긴 동식은 신경이 쓰이지만 모른
척하고 키보드를 치고 있다.

**박 과장**    고졸도 아니고 검정고시야? 야~ 너 진짜 개천에서 용 났구나.

**동식**    (손을 멈춘다)

**그래**    …

**박 과장**    여기 오기 전엔 뭐 했어? 신기하네. 입사 PT는 어떻게 통과했어?

김 대리, 과제 미리 빼돌리고 그런 건 아니지?

| | |
|---|---|
| **동식** | (일그러지는 얼굴로 천천히 돌아본다) |
| **박 과장** | 뭐 할 줄 아는 건 당연히 없을 테고, 어디 보자. 응. 예쁘장하게 생겼으니까 얼굴마담 하면 되겠네. |
| **동식** | (확 군은 얼굴로 그래와 박 과장을 번갈아 본다) |
| **박 과장** | (빙글빙글 웃으며) 영업직은 얼굴도 실력이니까 너무 주눅 들지 말고. 여자 친군 있지? 사진 좀 줘봐. |
| **동식** | (가만히 있는 그래를 화난 얼굴로 보는데) |
| **상식** | (Off) 사귀는 건 천천히 하고 자리 정리부터 해. |

박 과장, 보면 상식이 굳은 얼굴로 들어오고 있다.

| | |
|---|---|
| **박 과장** | 에이~ 오 과장님. 부하 직원들 있는 데서 해라가 뭡니까, 해라가. 제가 좀 그렇잖습니까? |
| **상식** | …전에 부서에서는 어땠지? |
| **박 과장** | 그야 당연히… |
| **상식** | (책상 위 수화기를 들며) 어, 이 과장. 박 과장 당신 팀에 있을 때 호칭 어떻게 했어? |
| **박 과장** | (뜨끔) |
| **상식** | 알겠어. (수화기 내려놓고) 내가 무리한 건 아닌데 말이지? |
| **박 과장** | (능글맞게) 아~ 네네~ 뭘 또 확인까지… |
| **상식** | (그래 보며) 넌 왜 계속 서 있어? |

자리에 앉는 그래를 보는 동식의 표정이 굳어 있다.


## S#5 — 옥상 정원, 닛

마른 담배 입에 물고 서 있는 동식. 짜증 난 듯 담배 구긴다. 앞에 그래, 커피 마시고 있다.

| | |
|---|---|
| **동식** | 왜 아까 그냥 맹하게 있었어? |
| **그래** | 네? |
| **동식** | 하기야 장그래 씨가 어떻게 당하겠어 그 양반을. (짜증) 아니 왜 하필 박 과장님을 보낸 거야?! (그래 보고 다시 후~) 깝깝~해졌다 우리. |

동식을 쳐다보는 그래에서.

## S#6 — 원인터 외경, 낮

상식           (E) 장그래, 회의 자료 준비해줘.


## S#7 — 영업3팀, 낮

바쁘게 일하고 있는 영업3팀. 턱을 괴고 낭창하게 앉아서 모니터를 보고 있는 박 과장. 그래, 박 과장에게 자료를 준다.

그래           회의 자룝니다.
박 과장        (한 손으로 턱을 괸 채 흘깃 본다)
상식           우리 그동안 진행한 중동 관련 아이템 자료야. 할 만한 게 있는지 봐.
박 과장        무슨 벌써 일을… 나 온 지 사흘밖에 안 됐어요~ 아직 팀 분위기 파악도 못 했는데.
상식           (본다)
박 과장        (상식 흘깃 봤다가) 뭐 이렇게 페이퍼가 많아. 이걸 언제 다 읽으라고.
              (건성으로 자료 넘기며) 아… 이런 건 (무시하는) 열라 빡세기만 할 거 같고.
              들이는 품에 비해 팔릴 쪽은 별거 없고. 야, 고졸! (낄낄) 이건 니가 뽑은 거냐?
              (웃으며 그래를 본다)
그래           …
동식           (욱해서 본다)
박 과장        오 과장님, 이거 안 돼요~ 중동 여기가 의욕만 갖고 되는 데가 아니라니깐.
상식           (보다가) 그럼 박 과장이 할 만한 아이템 라인 좀 잡아와봐.
박 과장        (의자를 빙글빙글 돌리며) 아~ 참 과장님. 제 말을 뭘로 잡수시나.
              업무 분위기 파악 좀 하자니까요. 고스톱을 쳐도 중간에 낀 놈은 판돈도
              좀 보고 판세도 보고 하는 거 아닙니까? 어후~ 참!

탁 일어나서 건들건들 나가는 박 과장. 화를 참는 동식과 굳은 얼굴로 보는 상식. 조용히 보는 그래.


## S#8 — 철강팀 + 통로, 낮

출장 준비 중인 강 대리, 가방에 넣을 서류 등을 정리하고 있다. 강 대리의 뒷모습을 쳐다보고 서 있는 백기의 표정이 무겁다.

[Flashback] 제8국, 커피숍 안 백기의 추가 상황

헤드헌터와 이야기를 하고 있던 백기. 창밖으로 강 대리가 지나가는 걸 보고 멈칫한다.

가방을 들고 갑자기 돌아서는 강 대리 때문에 백기, 깜짝 당황하는데

**강 대리**　　내일 올 겁니다. 무슨 일 있으면 바로 전화하세요.
**백기**　　…알겠습니다. (인사하면)

강 대리, 백기를 다시 한 번 봤다가 나간다. 강 대리가 멀어지는 걸 보던 백기, 자리로 와서 선 채 휴대전화로 전화한다.

**백기**　　네, 장백기입니다. 면접 날짜 정해졌나요? (듣고는) 네. 평일이네요.
　　아닙니다. (회사 다이어리를 열어 달력을 편 후 10월 20일쯤에 동그라미를 치며)
　　하루 휴가 낼 수 있습니다.

다이어리에 있는 원인터의 CI를 흔들리는 눈빛으로 보는 백기, 그때 자원팀 쪽에서 날아드는 하 대리 말소리.

**하 대리**　　(Off) 야! 누가 너한테 이런 거 챙겨달랬어?!

백기, 자원팀 쪽을 보면.


## S#9 ── 자원팀, 낮

인상 확 쓰고 앉아 있는 하 대리 옆에서 커피를 내밀고 있는 영이.

**하 대리**　　시키지도 않은 일 하지 마! 저리 치워!

하 대리, 컴퓨터 작업 하던 문서의 인쇄를 누른다. 프린트 용지 없음 버튼에 불 들어오는 건 본 영이, 프린터로 가서 용지를 채운다. 프린트가 된다. 기가 막혀서 보는 하 대리에게 프린트 된 서류를 가져오는 영이. 하 대리, 못마땅하게 보고 확 뺏어서 스테이플러로 찍으려고 하는데, 심이 없다. 영이, 얼른 비품함으로 가서 심을 찾아와 건넨다.

**하 대리**　　(폭발) 야! 안영이! 너 지금 뭐 하는 거야?!

[Flashback] 제8국 S#57

| | |
|---|---|
| **영이** | 말씀대로, 업무에서 빠지겠습니다. |
| **하 대리** | ! (약간 당황하는 얼굴로 보는) |
| **영이** | 대신 |
| **하 대리** | (인상 쓰고 보면) |
| **영이** | 그 건 하시는 동안 하 대리님 허드렛일을 담당하겠습니다. |
| **하 대리** | (어이없는) 뭐? |
| **영이** | 허락하지 않으셨습니까? |
| **하 대리** | (노려보다가 화나서) 그래? 좋아. 해! |

두리번거리다가 책상 밑 휴지통들을 본다.

| | |
|---|---|
| **하 대리** | 쓰레기통들 좀 싹 비워 와. 그리고 (자기 쓰레기통 발로 꺼내 밀며) 깨끗이 씻어다놔. |
| **영이** | (본다) |
| **하 대리** | 왜? 이건 못 하겠어? |
| **영이** | 아뇨. 하겠습니다. (쓰레기통 수거하는데) |
| **하 대리** | 씻는 김에 다른 사람들 것도 다 씻어다놔. |
| **영이** | (멈칫) 네 알겠습니다. |

영이, 쓰레기통 들고 나가는데 들어오는 정 과장과 유 대리, 깜짝 놀라서 본다.

| | |
|---|---|
| **정 과장** | (어이없어) 쟤 왜 저래? |
| **하 대리** | 제가 시켰어요. 너무 하고 싶다기에. (다시 일하는) |
| **정 과장** | 야. 너 진짜 왜 이래? 한다고 저런 걸 시켜도 돼? |
| **유 대리** | (놀라) 그러게 말예요. |

정 과장, 유 대리, 어이없이 보고, 하 대리는 일만 하고 있다.


# S#10 — 철강팀, 낮

굳은 얼굴로 쳐다보고 있는 백기. 양손에 두 개씩 쓰레기통 들고 화장실 쪽으로 가는 영이를
보다가 불끈한 얼굴로 확 따라 나간다.

## S#11 ── 영업3팀 앞 통로, 낮

쓰레기통을 들고 가는 영이의 뒤를 화난 얼굴로 따라 오는 백기, 빨리 걸어가 쓰레기통들을 확! 뺏어든다. 깜짝 놀라 보는 영이.

**영이**      장백기 씨.

영업3팀 안에서 정신없이 일하던 그래가 돌아서다가 이 광경을 본다.

**백기**      이게 안영이 씨가 팀의 일원이 되는 방법입니까?

영이가 뭐라 할 새도 없이 그대로 들고 남자 화장실로 들어가는 백기. 영이, 당황해서 백기를 보다가 화난 얼굴로 남자 화장실 쪽으로 확 간다. 놀라서 보는 그래.

## S#12 ── 남자 화장실 안, 낮

마지막 쓰레기통의 쓰레기를 큰 쓰레기통 안에 쏟아붓는 백기. 소변기 앞에 서 있던 동식, 놀라서 바라보고 있다. 세면대 위로 쓰레기통 탕! 놓는 백기.

**동식**      (어리둥절해서) 뭐, 뭐. (하는데)
**영이**      (화나서 확 들어오며) 장백기 씨!

동식, 기겁해서 앞으로 밀착한다. 당황한 영이, 얼른 나가고. 차가운 얼굴로 와이셔츠 소매를 걷어붙이고 쓰레기통을 씻는 백기.

## S#13 ── 화장실 앞 영업3팀 통로, 낮

영이, 화난 얼굴로 서 있다. 그래, 영이를 보는데 동식, 뻘쭘한 얼굴로 나와 영이 옆을 지나 영업3팀으로 간다. 잠시 후 백기, 물기를 대강 닦은 쓰레기통을 양손에 들고 나온다. 영이, 확확 가서 쓰레기통을 확 빼앗아 든다.

**영이**      잠깐 봐요. (확 돌아서 간다)

백기, 가는 영이를 굳은 얼굴로 보다가 쳐다보고 있는 그래를 본다. 그래도 본다. 그냥 확 가는 백기.

Episode 9

**동식**　(멍~ 보며) 저 분위기 뭐냐? 저거저거 연애 비스무리한 저 분위기… (그래 보며)
　　　　　재들 연애하는 거 아니지?

그래, 동식을 봤다가 다시 멀어지는 영이와 백기를 본다.


## S#15 —— 중앙 정원, 낮

화난 얼굴로 정원 일각으로 확확 걸어가는 영이, 뒤를 따라가는 백기.

**백기**　(화난 어조로) 영이 씨나 나나 여기서 이런 대접받을 사람들 아니잖아요.
　　　　　회사가 나를 원하지 않는다면 나도 미련 가질 필요 없다고 생각해요.
　　　　　영이 씨도 미련이면 그냥 마음 접어요.
**영이**　(멈춰 선다. 돌아보며) 장백기 씨, 앞으로, 다시는, 이런 식으로 내 일에
　　　　　끼어들지 마세요.
**백기**　져주라고 한 건 이런 뜻이 아니었습니다. 무조건 지고 들어가는 게
　　　　　안영이 씨가 찾은 방법입니까?
**영이**　(보다가) 네, 적어도 저한텐 그래요.
**백기**　그건 방법이 아니에요.
**영이**　그럼 어떤 방법이 있습니까?
**백기**　(멈칫)
**영이**　어떤 거요? 알면 좀 말해주세요. 열심히 해도 안 되고 안 하면 더 안 되는
　　　　　이 상황, 어떻게 해야 하나요?
**백기**　(보면)
**영이**　솔직히 말해서 어떻게 해야 할지 정말 모르겠어요.
**백기**　…
**영이**　이미 나에 대해 마음을 닫고 있는 사람들에게 내 마음을 전달하는 방법.
　　　　　학교에서 배운 거엔 없더란 말이죠. 영어 속에도, 수학 속에도 답이 없어요.
　　　　　그래서요, 그래서 그냥 무식하게 하는 거예요. 그냥 할 수 있는 건
　　　　　다 하는 거란 말이죠.
**백기**　(보는)
**영이**　이게 내가 찾아낸 방법이에요. 장백기 씨는 장백기 씨 방법을 찾았다고 하니까
　　　　　서로 상관하지 말고 각자 방법에 충실하는 게 좋을 거 같습니다.
　　　　　(백기를 지나쳐서 가려는데)

**백기**　　　　난 회사, 그만둘 겁니다.

영이, 놀라서 돌아본다. 굳은 얼굴로 영이를 쳐다보던 백기, 돌아서서 간다.


## S#16 ── 16층 엘리베이터 앞, 낮

엘리베이터에서 내리자마자 성 대리와 마주치는 석율.

**성 대리**　　(활짝) 어?! 우리 석율!
**석율**　　　아, 대리님. 지금 막 태진실업에 서류 보냈습니다.
**성 대리**　　(어깨동무하며) 잘했어 잘했어. 역시 믿고 보는 우리 한석율이야. 고생했어!
　　　　　　　커피 한잔할래?
**석율**　　　(천진난만) 네!
**성 대리**　　(카드 꺼내며 장난스럽게) 젤 비싼 걸로 먹어. 나도 한 잔!

성 대리, 석율에게 카드 착! 내밀면


## S#17 ── 커피숍 안, 낮

내밀어진 카드를 점원이 받아서 긁는데 삑! 하는 소리 낭창하게 들린다.

**석율**　　　(당황)
**점원**　　　손님, 한도 초과인데요.
**석율**　　　네?
**점원**　　　(다시 해본다. 삑~) 안 되는데요…

석율, 당황하다가 지갑에서 자기 카드를 꺼내 준다.

**석율**　　　여기요.


## S#18 ── 섬유2팀, 낮

인터넷으로 뉴스 보고 있는 성 대리에게 커피 내미는 석율.

| 성 대리 | (커피 받으며) 아~ 땡큐~ (태연하게 모니터에 집중하는) |
|---|---|
| 석율 | 저… 대리님 카드… (내밀면) |
| 성 대리 | 아 카드, (받으며) 땡큐. (계속 일하는) |
| 석율 | (잠시 머뭇하다) 한도 초과던데요. |
| 성 대리 | 어? (돌아보며) 그래? 아! 맞다! 얼마니? (지갑을 꺼내 연다) |
| 석율 | 9,000, |
| 성 대리 | (OL) 이런… 현금이 없네… |
| 석율 | (당황) 아… (얼른) 괜찮습니다. 제… 제가 쏘는 걸로 하죠. |
| 성 대리 | 그래? 역시 진짜 남자 한석율! (엄지손가락을 들어 보이고 다시 모니터 보려다가) 아참! 폴리에스테르 건 말야. 이따가 캐나다 바이어 전화 올 거야. 그때까지 아이템 리스트 좀 뽑아서 준비해둬겠다. |
| 석율 | 네? 캐나다요? |
| 성 대리 | (OL, 모니터에 집중한 채) 그쪽 시간으로 오전 11시쯤 한댔으니까 우리 쪽 시간으로는… 밤 12시쯤 되겠다. |
| 석율 | (흔쾌하지 않은 얼굴로) 여… 열두 시요…? |
| 성 대리 | 아! 그리고 내일 말야. 우리 부서 임원진 조찬 모임 수행 좀 해. |
| 석율 | 조… 조찬이요? |
| 성 대리 | 응, 5시 반까지 킹스 호텔로 가서 준비하면 돼. |
| 석율 | 다… 다섯 시 반이요? 새벽 5시 반이요? |

건성으로 "어~" 하고 모니터 보며 커피 빠는 성 대리를 멍하게 쳐다보는데.

| 성 대리 | 아 참! (휙 돌아보며) 난 내일 아침 일찍 출장이라 못 간다. |
| 석율 | (멍~) |


## S#19 — 휴게실, 낮

털썩 앉는 석율, 미심쩍은 얼굴로 갸웃한다.

| 석율 | 이상해… (갸웃) 이상해… |

[Flashback] 제5국 S#25

| 석율 | (피식) 난 우리 성 대리님이 너무 찾아서 탈이고. 하하. |

[Flashback] 제7국 S#10

성 대리　　(돌아서서 석율 손에 서류 한 무더기 주며) 재무부장님 봤구나.

성 대리　　응, 하회탈이라며? (또 서류 한 무더기 얹으며) 괜찮은 분이야.
　　　　　　합리적이고, (또 한 무더기 얹으며) 신입들 의견도 들어줄 준비가
　　　　　　되어 있… 음… 한마디로 열린 사람이지! 우리 한석율 씨처럼.
　　　　　　(또 얹는다)

성 대리　　(일어나며) 그거 처리 좀 부탁해. (휙 나간다)

석율　　　이건… 뭐랄까… 꼭 알바하고 돈 못 받았을 때랑 같은 느낌이야. 뒤통수 맞은 느낌.

전화하는 석율, 전화벨 울리는 소리가 들리는데 가까이 들린다. 어리둥절하는 사이,

그래　　　(E) 네, 한석율 씨.
석율　　　아, 장그래. 나 지금 휴게실인데 잠깐 볼 수 있어?
그래　　　(탕비실 쪽에서 쑥 내밀며) 왜요?
석율　　　어? (오라고 손짓한다)
그래　　　(찡그리고 가며) 무슨 일입니까?
석율　　　(한숨 쉬며) 내 얘기 좀 들어봐. 듣고 판단 좀 해봐. 우리 성 대리님이
　　　　　너두 알다시피 인품이 훤칠하신 분이잖아.
그래　　　모릅니다.
석율　　　어? 아, 어쨌든. 근데 이상해… 암만 생각해도… 성 대리님 말야,
그래　　　(OL) 일을 떠넘기시는 거 같습니까?
석율　　　(깜짝) 어? (그래를 멍~ 본다) 어… 니가 봐도 그래?

그때 울리는 그래의 휴대전화.

그래　　　(받아서) 여보세요.
박 과장　　어, 난데.
그래　　　누구십니까?
박 과장　　야! 이 자식아! 넌 상사 목소리도 몰라?!
그래　　　! 네, 박 과장님.


## S#20 — 영업3팀, 낮

상식, 결재 서류 파일 들고 들어오며, 동식에게

| 상식 | 자원 철강팀 EPC—TF 건 프린트 좀 해줘. |
|---|---|
| 동식 | 네. |
| 상식 | (빈 박 과장 자리보고) 박 과장 아직 안 왔어? |
| 동식 | 네. |
| 상식 | (그래 자리를 돌아보며) 장그래는? |
| 동식 | 아, 글쎄요. 방금까지 있었는데? |

## S#21 ── 거리 일각, 낮

박 과장 구두를 들고 서 있는 그래. 이리저리 보며 박 과장을 기다리다가 전화한다.

| 박 과장 | (E) 내 차롄가? |
|---|---|

## S#22 ── 당구장 안, 낮

큐대에 초크 능숙하게 묻히고 슬리퍼 질질 끌며 다가오는 박 과장. 거만하게 큐대를 들고 당구대 앞으로 와서 치려고 폼 잡는다.

| 상대 | 근데 아까부터 계속 휴대폰이 울리던데… |
|---|---|
| 박 과장 | (공 치는 데 집중만) |
| 상대 | 괜찮아요? 박 과장님? |
| 박 과장 | (날카롭게 공을 조준하며) 눈앞의 위기를 먼저 타개하라. (공을 딱 치면) |

흰 공이 이리저리 움직여 붉은 공과 노란 공을 맞춘다.

| 상대 | 끝나고 사우나 가실 거예요? |
|---|---|
| 박 과장 | 응, (심각한 표정으로 다음 샷 계산한다) 어. |
| 남자 | (공 치며) 할인권 있는데 드려요? |
| 박 과장 | 야 자식아. 나 필립 호텔 사우나 멤버십 회원이야. 어따 대고 동네 목욕탕을 들이밀어? |
| 남자 | (슬리퍼를 보며) 그거 신고 호텔 가시게요? |
| 박 과장 | 미쳤냐? (공을 딱 친다) |

## S#23 ── 회사 근처 거리 일각, 낮

전화 중인 그래, 신호만 가고 안 받는다. 난감해서 두리번거리는데 저~쪽에서 슬리퍼 차림으로 어슬렁어슬렁 나타나는 박 과장.

**박 과장**   어이!
**그래**   (보고 달려간다)
**박 과장**   (구두 보고) 어, 줘.

그래, 내려두면. 박 과장, 갈아 신고 슬리퍼를 발로 슥 밀어

**박 과장**   갖다둬. 난 이전 거래처 사람이 찾아와서 잠깐 만나고 올라갈게. (간다)

슬리퍼를 줍는 그래 너머로 유유히 사라지는 박 과장 모습.


## S#24 ── 영업3팀, 낮

약간 굳은 얼굴로 슬리퍼 들고 들어오는 그래

**동식**   뭐야?
**그래**   아닙니다. (하면서 박 과장 자리에 놓아둔다)
**동식**   (인상 확!) 박 과장님 어딨어?
**그래**   거래처 사람 만나고 있습니다.
**동식**   (약간 어이없이) 무슨 거래처? 방금 온 사람이.
**그래**   자원3팀 계실 때 거래처랍니다.
**동식**   (기가 막힌 헛웃음)
**상식**   …
**동식**   (그래에게) 전화해봐.
**그래**   네. (전화기 든다)


## S#25 ── 사우나 사물함 안, 낮

벗어둔 옷 위에 놓여 있는 휴대전화, 징징 울리고 있다. 휴대전화 화면에 '영업3팀'이 뜬다.

뜨거운 물 안에 개운한 표정으로 앉아 있는 박 과장. 눈을 감은 채 한 손을 욕조에 걸치고 여유 있게 앉아 있다.

> [Flashback] S#4
> **상식**　　…전에 부서에서는 어땠지?
> **박 과장**　그야 당연히…
> **상식**　　(책상 위 수화기를 들며) 어, 이 과장. 박 과장 당신 팀에 있을 때
> 　　　　　호칭 어떻게 했어? (듣고) 알겠어.
> **박 과장**　(뜨끔)
> **상식**　　(수화기 내려놓고) 내가 무리한 건 아닌데 말이지?
>
> [Flashback] S#7
> **상식**　　우리 그동안 진행한 중동 관련 아이템 자료야. 할 만한 게 있는지 봐.

눈을 뜬다. "흥!" 하며 한쪽 입술이 기괴하게 삐죽 올라간다.

**박 과장**　별것도 아닌 새끼가. 같이 월급 받는 주제에 목에 힘주긴. (비식)

물속으로 들어갔다가 다시 나와 양손으로 머리를 쓸어 올리며

**박 과장**　여기가 신세계네. 이 맛에 회사 다니는 거지. 안 그러냐? 박종식! 흐허허허허~

사우나탕 안에 울리는 박 과장의 웃음소리.


## S#27 ── 철강팀, 저녁

강 대리 자리에 전화가 울리고 있다. 백기, 힐끗 보고는 무시하고 퇴근 준비를 한다. 상식, 철강팀으로 들어온다.

**상식**　　(강 대리 자리 보고는) 이 친구 어디 갔어? 퇴근했어?
**백기**　　(꾸벅 인사하며) 아닙니다. 바이어 수행 때문에 포항 가셨습니다.

전화 계속 울린다. 말이 잠깐 끊긴다. 백기, 신경 쓰이지만 모른 척 상식을 보고 있는데, 전화는

계속 울린다. 상식, 갑자기 강 대리 자리로 가서 전화를 받는다.

| | |
|---|---|
| **상식** | 네, 원인터 철강팀입니다. |
| **백기** | (당황해서 보면) |
| **상식** | 네, 강 대리 출장 중입니다. 어디라고 전해드릴까요? (받아 적고) |
| | 네, 전해드리겠습니다. (전화 끊고 메모를 백기를 주며) 전해줘. |
| **백기** | (당황해서 보다가 받아 든다) |
| **상식** | (파일 내밀며) EPC-TF 건 강 대리가 만든 보고서 검토 다 했으니까 |
| | 철강팀에서 먼저 결재 올리라고 해. 라인은 다 괜찮은 거 같다고 말이야. |
| | 자원팀이랑 우리 팀에서도 결재 올려야 하는 급한 건이니까 오는 대로 바로. |
| **백기** | 네, 오시면 말씀드리겠습니다. |
| **상식** | (나가다가 휙 돌아보며) 차 과장은? |
| **백기** | 과장님은 지금 미얀마 현지 출장 중이십니다. |
| **상식** | (백기를 슥 보더니) 여기도 인력 충원해야겠네. |
| **백기** | (당황하는데) |
| **상식** | 몸은 콩밭에 보내기로 한 것 같은데 마음은 아직 텃밭에 있는 거 아니지? |
| **백기** | (당황) 네? |
| **상식** | 수고해. (간다) |

굳은 얼굴로 상식을 보다가 손에 쥔 메모를 본다.


## S#28 ― 영업3팀, 저녁

상식이 들어오면 가방을 싸고 있는 박 과장. 동식과 그래는 굳은 얼굴로 각자 할 일 하고 있다.

| | |
|---|---|
| **박 과장** | 시간 참 성실하게 간다. 벌써 퇴근 시간이네? |
| **상식** | 박 과장, 어디 갔다 왔어? |
| **박 과장** | (흘깃 보며) 네? 아~ 나 참 (그래 보며 벌컥) 야! 계약직. 너 말 안 했어? |
| | 거래처 사람 만나러 간다고 했잖아! |
| **상식** | 거래처 사람을 사우나에서 만나나? |
| **박 과장** | (뜨끔해서 보면) |
| **상식** | 사우나 쑥내가 아직까지 진동이야. |
| **박 과장** | (빙글 웃으며) 아~ 나 참. 상식이 형 그 개코는 죽지도 않았네. |
| **상식** | (차갑게 굳어지는 얼굴) 박 과장. 사적인 자리 아니면 호칭 제대로 붙여. |
| **박 과장** | (멈칫) 아~ 나… 알았어요. 안 보는 새 엄청 권위적이 됐어. 옛날엔 안 그랬는데. |

| 동식 | (점점 구겨지는 얼굴) |
|---|---|
| 상식 | 업무 시간에 사우나 가는 것도 이제 그만둬. 엄연한 근무태만이야. |
| 박 과장 | (번득이듯 노려보는) 예예~ 잘못했습니다. 일, 해야죠 일. (책상 위 그래가 줬던 기획안들을 픽 잡아 죽죽 넘기다가) 할랄? (상식 보고) 이거, 할랄 유통 사업, 해볼까요? |
| 상식 | (박 과장 보다가) 할 만한 아이템이야? |
| 박 과장 | 뭐~ 당장 큰 몫은 아니지만 중동 쪽 환경 파악하는 데는 딱이거든요. 영업3팀 입장에선 스터디 삼아 해보는 것도 나쁘진 않아요. |
| 상식 | 좋아 그럼, |
| 박 과장 | (OL) 근데요, 중동 아이템은 혼자 못 합니다. |
| 상식 | 김 대리, |
| 박 과장 | (OL) 장그래면 돼요. 장그래 주세요. |
| 그래 | ! (본다) |
| 동식 | 박 과장님, 장그래 씨는 아직, |
| 박 과장 | (OL) 안 돼요? (그래 보며) 왜? 케파가 안 돼? (상식 보며) 뭐, 대단한 서폿도 필요 없어요. 고등학교만 졸업하면 다 할 줄 아는 일 시키지 뭐. (그래 보며) 고등학교는 졸업했잖아? 아! 못 했나? |
| 상식 | 박 과장, |
| 그래 | (상식에게) 과장님, 허락하시면 제가 박 과장님 서포트하겠습니다. |
| 동식 | 장그래 씨, 무슨 존칭이 그래? |
| 박 과장 | (확 보면) |
| 동식 | 오 과장님과 박 과장님, 누가 더 위야? 존칭을 겹으로 쓰는 게 어딨어? |
| 박 과장 | 야, 김동식. 넌 뭘 그런 걸 따져? 괜한 시비 만들지 마. |
| 동식 | 넌이라뇨? 넌이 뭡니까? 박 과장님! |
| 박 과장 | (인상) 뭐?! |
| 상식 | 그만. |
| 박 과장 | 야~ 뭐, 팀 위계가 개판이야. 대리가 과장한테 개기고. |
| 김 부장 | (Off) 어~? 분위기 좋은데? 벌써 친해졌어? |

보면 통로 저쪽에서 웃으며 다가오고 있는 김 부장.

| 박 과장 | (활짝 웃으며) 아! 부장님! 오셨습니까? (얼른 나간다) |

## S#29 — 영업3팀 앞 통로, 저녁

| | |
|---|---|
| **김 부장** | (나오는 박 과장 보며) 어때? 3팀? |
| **박 과장** | 환상의 팀이 기대되던데요? |
| **김 부장** | 3팀 사업 중요해. 힘 좀 써줘. 내가 각별히 신경 써서 배치한 거니까. |
| **박 과장** | 잘 알고 있습니다. 명심하겠습니다. 요즘 공은 어디로 치러 가시나요? |
| **김 부장** | 지난번에 잘못 쳐서 손목이 안 좋아 쉬고 있어. 아무튼 기대가 커. |
| | (영업3팀 안에 대고) 수고들해. |
| **3팀 일동** | (인사) 안녕히 가십시오. |
| **박 과장** | (허리 90도로 숙이는 박 과장) 살펴가십시오. |

김 부장 멀어지자 스윽 허리 펴는 박 과장.

| | |
|---|---|
| **박 과장** | (이마에 핏대. 혼잣말) 이렇게 엿 먹이시는 거 아니시지 말입니다. |

구겨진 얼굴로 그런 박 과장을 쳐다보는 상식, 동식, 그래.


## S#30 — 술집, 밤

착잡한 얼굴로 술을 마시고 있는 상식, 그래, 동식.

| | |
|---|---|
| **상식** | 원래 일 잘하던 사람이었어. 중동 전문가라 우리 팀에 도움이 되는 것도 확실하고. |
| **동식** | 알죠. 자원2팀에 계실 때 요르단 1억 2000만 불 수출 계약 달성은 거의 전설이었잖아요. 자원2팀 단독으로 이룬 최대 성관데 (그래 보며) 그때 박 과장 활약이 대단했지. |
| **그래** | (약간 놀라 보면) 그랬어요? |
| **동식** | 그땐 대리였을 땐데 현지 업체 관계자들과 커뮤니케이션을 전담했거든. 자타가 공인하는 계약의 일등공신이었지. |
| **상식** | (술잔 들고 혼잣말처럼) 그때부터였지, 아슬아슬해 보인 게. |
| **동식/그래** | (상식을 본다) |
| **상식** | (술 탁! 마시고) 안고 가자. 영업3팀에 온 이상 우리 사람이야. 일은 놓쳐도 사람은 안 놓치는 게 우리 팀훈이잖아. |
| **동식** | (심드렁하게) 과장님 개훈이겠죠. |
| **상식** | (동식에게) 어감 참 난센스하다. (그래에게) 내일부터 할랄 붙어서 서포트 잘해줘라. 힘들겠지만 참고. 너 그거 전매특허잖아. 참는 거. |

| 그래 | (당황) 네? |
|---|---|
| 동식 | 전 그것도 맘에 안 들어요. 장그래 씨. 사람이 왜 그래? 업무적으로 모자라는 걸 지적당하는 건 당연한 건데, 인신공격은 다른 문제라고. 싫으면 싫다는 말을 확실하게 해. 자존심도 없냐는 소리 듣기 딱 좋잖아. |
| 그래 | … |

그래를 흘깃 보고 술을 마시는 상식.


## S#31 — 그래의 집 거리 일각, 밤

약간의 술기운을 안고 걸어오는 그래.

| 상식 | (E, 그래에게) 내일부터 할랄 붙어서 서포트 잘해줘라. 힘들겠지만 참고. 너 그거 전매특허잖아. 참는 거. |
|---|---|


## S#32 — 그래의 집 마당, 밤

마루에 걸터앉아 있는 그래. 손에는 캔 맥주 하나 더. 한 모금 마시고…

| 동식 | (E) 전 그것도 맘에 안 들어요. 장그래 씨. 사람이 왜 그래? 업무적으로 모자라는 걸 지적당하는 건 당연한 건데, 인신공격은 다른 문제라고. 싫으면 싫다는 말을 확실하게 해. 자존심도 없냐는 소리 듣기 딱 좋잖아. |
|---|---|

다시 한 모금 마시는 그래. 방을 돌아본다.


## S#33 — 그래의 방, 밤

바둑 기보들을 모아둔 상자를 여는 그래. 뒤적뒤적 찾다가 여러 바둑 고수의 어록이 메모되어 있는 노트를 꺼낸다. 씁쓸한 얼굴로 넘겨 보는 그래… 그중 이창호 9단의 말들이 보인다. 그 글귀를 읽는 그래.

| 그래 | (Na) 위험한 곳을 과감하게 뛰어드는 것만이 용기가 아니다. 뛰어들고 싶은 유혹이 강렬한 곳을 외면하고 묵묵히 나의 길을 가는 것도 용기다. |
|---|---|

[Flashback] S#4

**박 과장**          고졸도 아니고 검정고시야? 야~ 너 진짜 개천에서 용 났구나.


[Flashback] S#9

쓰레기통 비우는 영이.


[Flashback] S#8

카페에서 헤드헌터와 얘기하고 있는 백기.

그래          (Na) 순류(順流)에 역류(逆流)를 일으킬 때 즉각 반응하는 것은 어리석다.
            상대가 역류를 일으켰을 때 나의 순류를 유지하는 것은 상대의 처지에서 보면
            역류가 된다.

Dis.


[Flashback] S#28

**그래**          (상식에게) 과장님, 허락하시면 제가 박 과장님 서포트하겠습니다.

그래          (Na) 그러니 나의 흐름을 흔들림 없이 견지하는 자세야말로
            최고의 방어 수단이자 공격 수단이 되는 것이다.

그대로 노트 속 어록을 보고 서 있는 그래…


## S#34 — 원인터 외경, 아침


## S#35 — 로비 엘리베이터 안 + 15층 엘리베이터 밖, 아침

엘리베이터를 타는 그래. 잠시 후… 닫히는 엘리베이터 문. 백기의 소리. "잠시만요" 하며 밖에
서 열림 버튼을 누른 듯 다시 열린다. "죄송합니다" 하면서 타던 백기, 그래를 보고 멈칫한다.

그래          안녕하세요.
**백기**          안녕하세요. (닫힘 버튼을 누르고 선다)

　　　　　[Flashback] 제8국 S#73
　　　　　커피숍 안에서 헤드헌터와 얘기 나누고 있는 백기와 그런 백기를 보고 있는
　　　　　강 대리의 굳은 얼굴.

　　　　　상식　　　　(Off, 중얼거리듯) 저 친구, 성급하네…

그래　　　저… 장백기 씨.
백기　　　(본다) 네?
그래　　　(쉽게 묻지 못하고 망설이는데)
백기　　　왜요?
그래　　　아, 아니… 저… 백기 씨 자원2팀 인턴이었죠?
백기　　　네.
그래　　　박 과장님은 어떤 분이세요? 같은 자원본부 분이었으니까 좀 알지,
백기　　　(OL, 딱딱하게) 지금 저더러 상사 뒷담화를 하라는 건가요? 장그래 씨?
그래　　　(당황) 아, 아닙니다. 그런 뜻으로 들렸다면 죄송합니다.
백기　　　…

엘리베이터가 열린다. 먼저 내리는 백기. 멈춰서 돌아보고

백기　　　장그래 씨한테는 좀, 벅찬 분일 거예요. 장그래 씨한테 어떻게 하는지 알 것 같은데.
그래　　　(보는) …
백기　　　하는 말 일일이 귀담아듣지 않는 게 마음이 편할 거예요. 무시하세요.

가는 백기를 보는 그래.


## S#36 ─ 영업3팀, 낮

여전히 태만한 자세로 있는 박 과장. 그래, 출력되고 있는 프린트물들 모아 스테이플러로 철한
후 박 과장에게 갖다준다.

그래　　　할랄 고기 관련 유통업체 리스트입니다.
박 과장　　(흘깃) 어. 벌써? (비웃듯 놀리듯) 야~ 정말 듣던 대로 능력 있는 미달 신입이네?
동식/상식　　(반쯤 돌아본다) / (본다)

| 박 과장 | 어떻게 찾았어? |
|---|---|
| 그래 | 기존에 할랄 관련 사업 진행한 팀이 있는지 찾아서 업체 연락처 받았구요. 아랍 관련 업체들도 연락해서 할랄 관련 사업 가능한지 알아봤습니다. |
| 박 과장 | (피식) 제법인데? 아! 근데 말야. 물론 내가 쉬운 서폿만 시키겠지만 그래도 기본은 할 줄 알아야 하잖아. |
| 그래 | 네…? |
| 박 과장 | 기본 말야, 기본. 예를 들어… 무역용어 같은 건 다 알아야지. 너 에이에스(A/S)가 뭔 줄은 알아? 냉장고 수선해주는 그런 게 에이에스가 아냐. |
| 상식/동식 | (더 들을 것도 없다는 듯 다시 일에 열중한다) |
| 그래 | 앳 사이트(At Sight), 어음이 제시되자마자 인수하거나 지급해야 하는 조건입니다. |
| 박 과장 | 오~ 제법인데? 볼륨레이트(Volume Rate)는? |
| 그래 | (거침없이) 대량 화물의 할인의 일종으로서 컨테이너 수가 증가함에 따라 운임율을 단계적으로 인하하는 싼 운임률을 말합니다. |
| 박 과장 | (조금 얼굴이 굳는다) 녹다운(Knock Down)? |
| 그래 | 기계를 부품 단위로 쪼개 수출하여 현지에서 조립·판매하는 방식을 말하는데, 완성품의 관세가 부품보다 높고 인건비가 싼 국가의 경우 비용이 상당히 절감되어 수입업자에 유리합니다. |
| 상식 | (일하며 피식 웃는다) |
| 박 과장 | (약간 일그러진 얼굴로) 더블유엠(W/M)? |
| 그래 | 운임 계산 기준으로서 중량을 사용하느냐 용적을 사용하느냐는 선박회사에 선택권이 있다는 뜻입니다. |
| 박 과장 | (말없이 그래를 노려보는 듯 아닌 듯한 시선으로 본다) |
| 그래 | (표정의 변화 없이 시선 받으며 서 있다) |
| 박 과장 | (갑자기 영어로) 헬로 미스터 장? 우리는 할랄 식재료가 비할랄 제품과 닿는 것만으로노 오염된 것으로 간주합니다. 포장 과정은 이해가 되는데 보관 과정은 이해가 안 되는군요. 그쪽에서 저희에게 제시할 수 있는 보관 과정을 설명해주세요. |
| 그래 | (멈칫, 당황) |
| 상식 | (본다) |
| 박 과장 | 바이어 쪽에서 이런 질문이 오면 어떻게 할 거야? (보며) 못 알아듣겠어? (억지로 비웃듯) 아~ 깝깝~하네. 상사에선 영어야말로 기본 중에 기본인데, (상식에게) 얘 답 없네요. (웃으며 일어나 나간다) |
| 그래 | … |
| 상식 | (피식 웃으며 혼잣말처럼) 유치하긴. |
| 동식 | (웃는) |

## S#37 ── 통로 + 15층 문 안 + 밖, 낮

웃는 얼굴이 점점 구겨지면서 잔뜩 화가 난 듯 걸어가는 박 과장. 사무실 문 앞에서 뒤를 돌아본다. 일하고 있는 그래가 보인다.

**박 과장**　　(내뱉는) 건방진 자식…

들어오려던 백기가 그런 박 과장과 그래를 본다. 박 과장, 열받은 얼굴로 나가려고 확 돌아서다가 백기와 마주친다. 인사하는 백기에게 "응" 하며 받는 둥 마는 둥 확 가는 박 과장. 쳐다보는 백기.

## S#38 ── 철강팀, 낮

백기, 들어오는데 통화 중인 다인.

**다인**　　네, 알겠습니다. 강 대리님. 네. (전화 끊고) 장백기 씨, 강 대리님 오늘
　　　　못 오신답니다. 일정이 이틀 늘었다고 하네요.
**백기**　　(자리에 앉으며) 알겠습니다. (컴퓨터 화면을 켜는데)

다급히 오는 유 대리. 백기, 인사하면

**유 대리**　　어, 강 대리님 오늘 오지? 언제 들어온대?
**백기**　　오늘 못 오신다는데요.
**유 대리**　　(난감) 어? 못 와? 아…
**백기**　　무슨 일이신데요…?
**유 대리**　　EPC―TF 건 예산안 변경된 거, 오늘 재무팀에서 추가 결재해야 된다고
　　　　각 팀별로 제출하래. 철강팀 것도 준비해야 할 텐데…
**백기**　　(딱히 할 말이 없어 본다) …
**유 대리**　　장백기 씨가 진행할 수 있나? 별거 아닌데.
**백기**　　(살짝 놀란다) 네?
**유 대리**　　전체 보고서는 강 대리가 다 하고 갔으니까, 그거 결재문서에 맞게 한 다섯 장
　　　　정도로 요약하고, 변경 예산안이랑 타임테이블 줄여서 넣으면 돼.
**백기**　　(좀 머뭇거리고)
**유 대리**　　어? 왜? 못 하겠어? 인턴 때 비슷한 업무 서폿도 했잖아…
**백기**　　(표정이 굳는다) 강 대리님이 좋아하시지 않을 겁니다.
**유 대리**　　지금 강 대리랑 통화해볼게. (급히 간다)

백기, 그대로 서 있다. 다인, 그런 백기를 보는데… 천천히 걸어 나가는 백기.


## S#39 —— 탕비실, 낮

긴장한 얼굴로 물을 마시는 백기. 바깥쪽을 돌아본다.


## S#40 —— 철강팀 + 포항 공단 일각, 낮

조금 긴장해서 굳은 얼굴로 들어오는 백기.

**다인**　　커피 한 잔 드릴까요?
**백기**　　(쳐다보지도 않고) 됐습니다.
**다인**　　… (자리에 앉는다)

백기, 자리에 앉아 강 대리 책상 위 EPC 건 파일 홀더를 쳐다본다.

**유 대리**　　(E) 지금 강 대리랑 통화해볼게.

약간 긴장한 얼굴로 강 대리 책상의 전화기를 쳐다보고 있는 백기. 잠시 후… 백기 책상의 전화 벨이 울린다. 확 쳐다보는 백기. 안 받고 보고만 있는데… 다인, 눈치 보면서 당겨 받으려고 한다.

**백기**　　그냥 둬요. 제가 받을게요. (한 번 더 울리는 걸 보다가 받는다. 정돈된 목소리로)
　　　　네, 원인터 철강팀 장백기입니다.
**강 대리**　　(E) 장백기 씨, 난데요.
**백기**　　(순간 긴장)
**강 대리**　　자원2팀 유 대리한테 얘기 들었는데
**백기**　　…
**강 대리**　　(잠시 침묵하다가) 처리할 수 있겠어요?
**백기**　　…
**강 대리**　　…
**백기**　　알겠습니다.
**강 대리**　　그래요. 회사 그만둔다고 아무렇게나 설렁설렁 하진 않겠죠.
**백기**　　! (당황)
**강 대리**　　부탁해요. (끊는다)

백기, 전화를 끊는다. 강 대리의 자리로 가서 파일 홀더를 쳐다보다가 들고 자리로 온다. 파일 홀 더를 연다.

## S#41 ― 몽타주, 낮

#서류들을 펴놓고 컴퓨터 작업하는 백기.
#캐비닛 열어서 다른 서류들 꺼내고
#다인한테 뭘 달라고 하면 프린트해서 주는 다인.
#다시 또닥또닥 키보드 치면서 일하는 백기.
#드디어 완성된 결재문서, 첫 화면에 "미얀마 EPC―TF팀 예산안 수정" 문서 타이틀이 보인다. 왼쪽 결재 선택 창에서 재무팀 차장, 재무팀 부장, 클릭해서 넣는 백기. 오른쪽 상단 결재 창에 재무팀 이철진 차장, 재무팀 김선주 부장이 뜬다. 백기, 결재 요청 버튼을 누르면 "결재를 요청 합니다" 하는 메시지가 뜬다.

## S#42 ― 영업3팀, 낮

프린트물과 책상 위 이런저런 서류들을 모아 탁탁 정리해서 박 과장에게 갖다주는 그래. 손가락 으로 책상 톡톡 치면서 턱을 받치고 보고 있다.

| 그래 | 과장님, 할랄 고기 도축 방법 및 종류별, 국가별 인증 방법과 절차 조사 마쳤습니다. |
|---|---|
| 박 과장 | 어. (틱, 성의 없이 받는다) |
| 그래 | (가려는데) |
| 박 과장 | 야, 어깨 좀 주물러봐. 아파 죽겠네. |
| 상식/동식 | (본다) |
| 박 과장 | (시선 아랑곳 안 하고 목을 돌리면서) 아, 뻐근해. 뭐 해? |
| 그래 | (가만히 있는) |
| 박 과장 | 못 해? |
| 그래 | 아닙니다. (박 과장의 어깨를 주무른다) |
| 박 과장 | 어후~ 시원해. 어후~ 너 지압 배웠어? 손가락에 기가 팍 들어갔는데? |
| | 너 나중에 먹고살기 힘들진 않겠다. 오 과장님, 얘 진짜 잘하는데요? |
| 상식 | (본다… 다시 일하면서) 적당히 했으면 그만하지. 장그래 씨 할 일도 많을 텐데. |
| 박 과장 | 아~ 나. 이게 얼마나 걸린다고. 야, 됐어. 다 풀렸다. |

그래, 인사하고 돌아서려는데, 자리에 발을 책상 위로 턱! 올리는 박 과장.

| 박 과장 | 발도 좀 주물러. |
|---|---|
| 일동 | ! |
| 박 과장 | (실실 웃으며 발가락을 꼼지락꼼지락. 그래를 본다) 뭐 해? |
| 그래 | 네. (박 과장의 발을 잡으려는데) |

박 과장 휴대전화로 전화가 온다.

| 박 과장 | 아, 잠깐만. (몸 바로 하고 활짝 웃으며 받으며) 아~ 김 사장님, (일어나 나가며) 아~ 전 잘 있죠. 예예~ 일은 잘되시죠? 아~ 예. 저 팀 옮겼습니다. |
|---|---|

통화하며 멀어지는 박 과장을 보는 상식, 동식, 그래.

| 동식 | 후… (그래를 본다) 장그래 씨. 나 잠깐 볼까…? |
|---|---|
| 그래 | (본다) |

## S#43 — 옥상, 낮

담배를 무는 동식, 그 앞에 그래.

| 동식 | 거, 뭐야… 그… 거 이름 때문에 그러는 거야? |
|---|---|
| 그래 | 네? |
| 동식 | 이름이 그래서 그래그래 예스예스 네네 하는 거냐구. |
| 그래 | (본다) |
| 동식 | 아니면 아니다, 싫으면 싫다, 못 하겠으면 못 한다, 말해. 말해도 돼. 비단 박 과장님 일 때문에만 이러는 거 아냐. |
| 그래 | (본다) |
| 동식 | 보통 신입으로 입사하게 되면, 회사의 현실에 좌절하든 오버하든 어떤 식으로든 자아가 돌출되기 마련이거든. 근데 당신은 그게 없어. |
| 그래 | … |
| 동식 | 뭐든 우리 뜻을 기꺼이 따르고 한마디 불평이 없지. |
| 그래 | 모두들 잘해주시니까, |
| 동식 | (OL) 당신은 정말 모든 걸 수용하겠단 자세로 회사에 들어온 것 같단 말이야. 이건 말하자면… 출소한 장기수 같달까? |
| 그래 | ! |
| 동식 | 어떻게든 사회에 적응하려고 발버둥치는… |

| 그래 | (시선을 떨군 채 그냥…) |
|------|------|
| 동식 | 좀 심했나? 미안해. 그런데 말야, 장그래 씨는 정말 그래. 솔직히 장그래 씨의 과거에 대해 아는 게 없잖아. 내가 아는 건 고졸 검정고시에 그 나이 되도록 아무것도 한 게 없다…밖에. 대체 어떤 과거가 있으면 이렇게 희생적이고 협조적일 수 있지? |
| 그래 | … |
| 동식 | 가까운 시일 내에 '장그래'에 대해 좀더 알게 되면 좋겠어. |
| 그래 | … |

## S#44 — 섬유2팀, 낮

초췌한 모습의 석율, 일하다가 꾸벅꾸벅 졸다가 정신 차리려고 뺨을 치는데 문 과장 들어오다 보고.

| 문 과장 | 그러지 말고 잠깐 눈 붙여. 밤샘 야근에 조찬 준비에 한숨도 못 잤지? |
|------|------|
| 석율 | 아, 네. 괜찮습니다, 과장님. |
| 문 과장 | 원래 임원 조찬은 대리급이 수행인데 고생했어. 성 대리도 힘들겠네. 야근하고 출장까지. |
| 석율 | 야…근이요? |
| 문 과장 | (중얼거리듯) 안 가도 되는 출장은 뭐 하러 굳이 자원해서 가. 고단하게. |
| 석율 | (깜짝) 안 가도 되는 출장이요? |
| 문 과장 | 캐나다 폴리에스테르 수출 건은 어디까지 진행됐나. 성 대리 사업이라 너는 잘 모르지? |
| 석율 | 아, 그거라면 제가, |
| 성 대리 | (OL, 불쑥 들어오며) 과장니~임! 다녀왔습니다. 석율, 별일 없었지? |
| 석율 | (좋지 않은 얼굴로 보며 인사하는데) |
| 문 과장 | 고생했다. 폴리에스테르 건은 정리된 거 있어? 지금 보고 들어가게. |
| 성 대리 | 예! |

성 대리, 자리에 앉아 사내 인트라넷 메일함 열어보고는 짜증이 스친다. 석율에게 사내 메신저로 다라락 메시지를 친다.

| 성 대리 | (E) 석율 씨, 폴리에스테르 건 아이템 뽑은 거 메일 아직 안 보냈네? 일을 했으면 나한테도 참조로 해서 자료를 줘야지. 잊었어? 잘하더니. |
|------|------|
| 석율 | … (굳은 얼굴로 해당 프린트 파일을 들고 가서 건넨다) 여기 있습니다. |

| 성 대리 | (받아서 문 과장에게 갖고 간다) 어제 새벽까지 제가 전화 다 해보고 |
| | 그쪽 요구대로 리스트 수정했습니다. 이익도 3퍼센트 이상 장담합니다. |
| 석율 | (어이없이 보는) |
| 문 과장 | (파일 넘겨 보며) 중국에서 수입해서 팔면 괜찮겠어. (파일 탁 덮고) |
| | 빨리빨리 진행하자고. (들고 나간다) |
| 성 대리 | 예, 과장님! (신나게 석율에게 와서) 들었지? 빨리 진행하자. |
| 석율 | 대리님… 잠깐만 할 얘기가 있는데요. |
| 성 대리 | 어? 무슨 얘기? |

## S#45 —— 옥상 정원, 낮

| 성 대리 | 뭐? 못 해? |
| 석율 | 네, 너무 바빠서 못 하겠습니다. 그냥 대리님이 하시면 안 되겠습니까? |
| 성 대리 | (어이없어서 보면) 뭐?! |
| 석율 | 대리님 일 아닙니까? 폴리에스테르 수출 건도, 오늘 아침 조찬 모임도. |
| 성 대리 | 야, 한석율. |
| 석율 | 저 지금 과장님이 던져준 다음 분기 일로 진짜 바쁜데 대리님 일까지, |
| | 못 하겠습니다. |
| 성 대리 | 뭐… 뭐? 내 일을 못 해? 야, 너 진짜 말 이상하게 한다. 그럼 지금 내가 내 일을 |
| | 너한테 떠넘겼다는 거야? |
| 석율 | 그런 면도 없잖은 거 같고요. |
| 성 대리 | (버럭) 야! 아휴~ 요새 신세대 신입들은 이래서 안 된다니까. 넌 선배를 |
| | 그 정도도 못 도와줘? 그리구 내가 너 일 가르쳐준 거지, 내 일을 떠넘긴 거야? |
| | 말 똑바로 해! |

일그러지는 석율의 얼굴 위로.

| 다인 | (E, 눈치 보는 소리로) 장백기 씨, 재무팀에 올린 보고서 회신이 왔는데요. |

## S#46 —— 철강팀, 낮

일그러진 얼굴로, "미얀마 EPC 사업"이라는 보고서 첫 번째 장 오른쪽 상단 결재란에 재무팀 보류 마크를 보고 있는 백기… '보류'를 클릭한다. 보류 이유에 아무 내용도 없다. 완전히 굳은 얼굴로 유 대리에게 전화를 거는 백기. 다인, 눈치 보다가 슬쩍 나간다.

## S#47 ─ 소회의실, 낮

회의 준비 세팅 중인 유 대리, 백기와 통화 중이다.

**유 대리**    뭐? 재무팀에서 보류시킨 이유가 없어? (퍼뜩 떠오르는) 아하… (중얼거리듯)
         김선주 부장님 또…! 일단 보류 이유가 없다는 건 김선주 부장님의
         독특한 의사 전달 방식인데,


## S#48 ─ 철강팀, 낮

백기, 전화기 든 채 집중해서 듣고 있다.

**유 대리**    (E) 이유를 네가 직접 알아내라는 뜻이야. 기본도 안 됐거나,
         정말 잘돼 있는데 중요한 게 빠졌거나 그런 경우가 많아.
**백기**     (얼굴 확 굳어버리는) 네…
**유 대리**    (E) 왜 알지? 우리 팀 안영이도 지난번에… 니가 기본이 안 됐을 리는 없고,
         뭘 빠뜨렸는지 다시 봐.
**백기**     예, 알겠습니다. 감사합니다.

끊고, 자기가 작업한 파일을 다시 본다. 그 위로

**유 대리**    (E) 기본도 안 됐거나, 정말 잘돼 있는데 중요한 게 빠졌거나.

뭔가가 울컥 치밀어 오르는 백기!

**백기**     (내뱉듯이) 빌어먹을 기본!

백기, 강 대리의 책상 위 결재 서류 파일박스를 확 돌아본다. 가서 아무거나 하나를 꺼내 대조해
보다가 치밀어 오른다!

**백기**     대체 뭐가 잘못됐다는 거야!

**S#49 — 자원팀 + 15층 입구, 낮**

영이, 화이트보드에 세정제를 뿌려가며 닦고 있다. 하 대리, 정 과장, 유 대리는 책상에 앉아 바쁘게 일하고 있다. 하 대리, 급히 서류 들고 일어나다가 그런 영이를 본다. 멈칫, 스트레스로 후~

**하 대리**　야, 안영이.
**영이**　네.
**하 대리**　(조금 노려보듯 보다) 여기 내 책상도 좀 닦아. 키보드 틈새 틈새 먼지도.
**영이**　네. (가서 닦는다)

하 대리, 기가 막힌 듯 본다. 나가려는데 등 뒤에서 들리는 정 과장 소리.

**정 과장**　어이, 안영이. 내 자리도 좀 같이 닦아줘.
**유 대리**　나도~
**하 대리**　(나가려다 말고 본다)
**영이**　(걸레 들고 유 대리 쪽으로 간다)
**하 대리**　허…! (기가 막힌다. 휙 나간다)
**정 과장**　(유 대리에게) 서류 아직이야? 서둘러. 회의 시간 다 됐다고.
**유 대리**　됐습니다!

유 대리, 서류 챙겨 들고 일어나다가 커피 가득한 머그잔을 쳐서 떨어뜨린다. 퍽! 사방으로 커피를 튀기며 깨지는 커피 잔. 놀라는 일동. 영이의 블라우스와 하의에 무참하게 튄 커피 자국들.

**유 대리**　(바닥만 보며) 아, 진짜… 안영이 빨리 좀 치워줘.
**정 과장**　(서두르며) 서류 괜찮아? (유 대리 손에 들린 서류 보고) 됐네. 조심 좀 하지. 빨리 가자. (영이 보며) 안영이, 치워.

후다닥 나가는 두 사람. 영이, 쭈그리고 앉아 깨진 잔을 골라 쓰레기통에 담는다. 그래, 어두운 얼굴로 15층 입구로 막 들어오다가 자원팀에서 영이가 그러고 있는 걸 보고 멈춘다. 분노를 삭이며 들어오던 석율도 그래가 서 있는 너머로 영이를 본다. 휴지로 바닥을 닦던 영이, 안 되겠다 싶어 벌떡 일어나 나간다.


**S#50 — 자원팀 앞 통로, 낮**

나오는 영이, 그래, 석율과 마주친다.

| 그래 | 있어요. 제가 갖고 올게요. |

영이가 뭐라 할 새도 없이 화장실 통로 쪽으로 빠르게 걸어가는 그래. 영이, 머쓱하게 석율을 보면 혀를 차며 고개를 젓는 석율.


## S#51 ─ 자원팀 안, 낮

대걸레질을 하고 있는 그래. 옆에서 깨진 컵을 수습하고 있는 영이와 석율. 다가와서 통로 파티션 너머에 서는 백기. 이들을 본다.

| 석율 | 우리 기수 왜 이러냐? (그래 행색 보며) 아무나 차대는 축구공에 (영이 보며) 구박받는 콩쥐에 (백기 보고) 푹 절은 배추에 (자신 내려다보며) 호구까지… 어이구야~ |
| 영이 | (묵묵히 일만 한다) |
| 석율 | 아씨! 안영이. 들이박어! 내가 뭐라고 했어? 강하게 나가라 그랬지! |
| 그래 | (화분을 들어 조금 옮기고 닦으며 자기도 모르게) 위기십계에 세고취화라고 있거든요. 순류에 역류를 일으킬 때 즉각 반응하는 건 어리석은 일이에요. (멈칫한다… 다시 닦으며) 그러니까, 상대가 역류를 일으켰을 때 나의 순류를 유지하는 게 상대의 처지에서 보면 역류가 되는 거거든요. |

각각의 표정으로 그래를 보는 영이와 석율과 백기. 그래. 화분을 제자리에 옮겨놓고 대걸레 들고 나간다. 여전히 한 곳에 서 있는 백기의 곁을 그래가 스쳐 지나간다. 백기, 그래를 돌아본다.

| 석율 | 뭐, 뭐라는 거야? |
| 영이 | … |
| 백기 | … |

백기 휴대전화 진동 울린다. 헤드헌터 이지현의 전화다. 받는다.

| 백기 | 여보세요. |
| 헤드헌터 | (E) 써치앤브레인 이지현입니다. 내일 면접 일정 확인차 전화드렸습니다. |
| 백기 | (다시 철강팀 쪽으로 걸어가며) 아… 내일이죠. 네, 가능합니다. 월차 낼 겁니다. |

## S#52 —— 철강팀, 낮

들어오는 백기. 책상 위에 보류된 재무팀 결재 파일 프린트물과 강 대리의 결재 서류를 펴서 다시 본다. 잔뜩 구겨진 인상으로 노려보듯 비교해서 보지만 도통 모르겠다. 그때 탕비실에서 나오던 상식, 그런 백기를 보다가 다가온다.

| | |
|---|---|
| 상식 | 재무팀에서 빠꾸 먹었다매? |
| 백기 | (깜짝 놀라 보고 당황해서 인사하고) 네… |
| 상식 | 빠꾸 이유도 못 받았대매? |
| 백기 | (당황한) |
| 상식 | 재무팀 다녀오는 길이야. (백기가 들고 있는 예산안 파일을 휙 낚아채 보며) 이거야? |
| 백기 | (당황한) 아, 네… |
| 상식 | (슥, 슥 넘겨 본다) 일정은 이렇게 말로 풀어놓으면 안 돼. 결재 틀에 맞게 표로 만들고, 맨 먼스*는 니가 계산해서 넣어야지. 빠지니까 가격만 있고 인력이 몇 명인지 알 수가 없잖아. 계산이 필수라고. (보다가) 하하… 이런 듣도 보도 못한 양식은 참 신선하네. (백기에게 파일을 휙 건네준다) |

파일을 받는 백기의 흔들리는 눈빛…

> [Flashback] 제7국 S#32
>
> | | |
> |---|---|
> | **강 대리** | (E) 이 듣도 보도 못한 양식은 뭡니까? 이 줄 간격 하며, 원인터 통일 양식 안 배웠어요? 누가 마음대로 그렇게 일 처리하래요. |

| | |
|---|---|
| 백기 | … |
| 상식 | 수정해서 빨리 제출해. 재무팀 자꾸 쪼더라. 하회탈 마녀가 들들 볶는 모양이야. (나가면서 중얼중얼) 장그래도 저렇게는 안 하는데. |
| 백기 | … |


## S#53 —— 영업3팀, 밤

그래, 문서를 정리하며 일하고 있는데 동식 들어온다.

| | |
|---|---|
| 동식 | (그래를 흘깃 보고, 상식에게) 과장님, 먼저 퇴근하겠습니다. |
| 상식 | (보고) 들어가. |

---

• Man Month, 프로젝트에 투입되는 월 인원을 나타내는 숫자.

| 동식 | (가방 들고 나가는데) |
| 상식 | 잘그래, 너도 퇴근해. |
| 그래 | 아, 네 과장님. |

그래, 가방을 챙기면서 가고 있는 동식을 본다.


## S#54 ─ 원인터 밖, 밤

그래, 밖으로 나오는데 가방 든 영이가 부른다.

| 영이 | 장그래 씨. |
| 그래 | (돌아보고) 아, 영이 씨. |
| 영이 | 퇴근? |
| 그래 | 네. |

서로 꼬질꼬질한 옷을 본다. 영이, 웃으며

| 영이 | 오늘 참 열심히 살았네요. |
| 그래 | 그렇네요. |
| 영이 | 내일 또 보도록 해요. |
| 그래 | (웃으며) 네. |
| 박 과장 | (Off) 어이, 계약직. |

그래, 보면 밖에서 들어온 박 과장이 슬렁슬렁 다가온다. 영이, 목례하지만 박 과장 무반응.

| 박 과장 | 퇴근? |
| 그래 | 네. |
| 박 과장 | (기가 찬 듯 웃으며) 세상 좋아졌네. 칼 퇴근. |
| 영이 | 가보겠습니다. (인사하고 간다) |
| 박 과장 | (영이를 홀깃 보며) 쟨 아마 시집가면 제2의 선차장 되거나 시집 못 가면 |
| | 김선주 부장처럼 될 거야. (낄낄 웃다가 그래를 홀깃 보고) 내일 봐. (슬렁슬렁 들어간다) |
| 그래 | (인사한다) |

박 과장, 비웃듯 그래 쪽을 돌아봤다가 피식 웃으며 들어간다. 가는 박 과장의 모습을 한참을 보고 있던 그래…

[Flashback] S#43

| 동식 | 당신은 정말 모든 걸 수용하겠단 자세로 회사에 들어온 것 같단 말이야. 이건 말하자면… 출소한 장기수 같달까? |

동식    당신은 정말 모든 걸 수용하겠단 자세로 회사에 들어온 것 같단
       말이야. 이건 말하자면… 출소한 장기수 같달까?
동식    어떻게든 사회에 적응하려고 발버둥치는…
동식    대체 어떤 과거가 있으면 이렇게 희생적이고 협조적일 수 있지?

그래    (Na) 출소한 장기수… 그게 뭐 어쨌단 겁니까…
       지금 이렇게 전부 보여지고 있는데, 과거가 왜 필요하다는 겁니까…

전화기를 꺼내 어딘가로 전화한다. 신호가 가고 딸깍 받으면

동식    (E) 어, 왜?
그래    어디까지 가셨어요?
동식    (E) 지하철역.
그래    잠깐, 거기서 기다려주실 수 있습니까?
동식    (E) 어? 왜?
그래    보여드릴 게 있습니다.


## S#55 — 몽타주, 밤

#골목. 어색한 모습으로 저벅저벅 가는 두 사람.
#그래 집 앞에 어색하게 서 있는 두 사람. 약간 어색한 얼굴로 그래의 집을 보는 동식. 문을 열고 먼저 들어서는 그래. 뒤따라 들어가는 동식.


## S#56 — 그래 집 마당, 밤

찜질방 옷을 잔뜩 널고 있는 그래 엄마. 빨래 너느라 여념이 없다. 그래와 동식이 들어오는데 돌아보지도 않고.

그래 엄마    일찍 왔네에~ 씻고 밥 먹어라. 고등어조림 해놨다. 양념을 잘못해서
           꼬리 쪽은 비리더라.
그래        (동식을 보고 빙긋 웃었다가) 맨날 비려.
그래 엄마    그러니까 오늘은 꼬리 쪽을 누가 먹을란가 꼭 정하고 들어가자고.
           엄마라고 비린 것도 막 주워 먹을 수 있을 거란 고정관념은 버리고.

|  | 가위바위보 하자. (손을 털며 돌아서다가 동식을 보고 깜짝 놀란다) 응? |
|---|---|
| 그래 | 저희 팀 대리님이세요. |
| 동식 | 안녕하십니까? 어머니. |
| 그래 엄마 | (환하게 웃으며 손을 덥석 잡고) 아이구, 상사분이 여기까지. 저녁은요? |
| 동식 | 아닙니다. 곧 갈 겁니다. 장그래 씨가 뭘 보여줄 게 있다 해서요. |
| 그래 엄마 | (그래 보며) 응? 뭘? |
| 동식 | (넉살 좋게) 글쎄요? 감춰둔 색시 같은데요? |
| 그래 엄마 | (농담 안 받고 끔벅끔벅 동식을 본다) |
| 동식 | 어… (당황하는데) |
| 그래 엄마 | (갑자기 들고 있던 빨래로 그래를 때리면서) 너 이놈의 자슥! 뭔 짓을 하고 돌아다니는 거니?! 응? 뭔 짓을 하고 돌아다니기에 그런 추잡한 소문이나 흘리고 다녀?! |
| 그래 | (태연하게 한숨 쉬고 있고) |
| 동식 | (당황해서 말리며) 아… 아… 아녜요! 어머니! 농담이에요. 농담입니다. |
| 그래 엄마 | (동식을 확 보며) 농담? |
| 동식 | (쫄아서) 네, 농담이요. |
| 그래 엄마 | (보다가 멀쩡한 얼굴로) 알아요. |
| 동식 | (당황하는) 네? |
| 그래 엄마 | 나도 농담이야. 농담이 이 정도 수준은 돼야지. 상사 대리님 껀 아주 못 쓰겠더만. 재미도 없고 감동은 더 없고. |
| 동식 | (멍~) |
| 그래 | 들어가요, 대리님. (들어간다) |
| 동식 | (멍~) |

## S#57 ── 그래의 방, 밤

문이 열리며 물과 잔이 든 쟁반을 들고 그래 엄마가 웃으며 들어온다. 밥을 다 먹은 그래와 동식.

| 그래 엄마 | 어떻게 입맛에 맞나 모르겠네. |
|---|---|
| 동식 | 아주 맛있었습니다. |
| 그래 엄마 | 다행이네. |

상을 보는데 고등어조림 꼬리 쪽은 남았다. 그대로 빠~히 남은 꼬리를 보고 있는 그래 엄마. 동식, 그래 엄마의 시선을 따라 보며 당황하는데

| 동식 | 아… 그게 |

| | |
|---|---|
| 그래 | (심드렁하게) 진짜 비려서 못 먹겠어. |
| 그래 엄마 | …그래? 그럼 뭐 엄마가 먹어야지… (동식을 본다) |
| 동식 | 아… 아니, |
| 그래 엄마 | 난 또 손님 취향은 좀 다른가 싶어 내놨더니. |
| 동식 | 아… 아니, |
| 그래 | (상을 들고 일어나 나간다) |
| 그래 엄마 | (다시 공손하게) 그럼 편히 있다 가세요. (나간다) |
| 동식 | (엉거주춤 일어나고) |

그래 다시 들어오면 멍~하게 서 있는 동식.

| | |
|---|---|
| 그래 | 우리 엄마식 유머예요. 당신은 재밌다고 저러시는데, 하나도 안 웃겨요. |
| 동식 | 어… 허허. (어색하게 웃으며 방을 획 돌아보며) 아까부터 궁금했는데… |
| | 방이 왜 이렇게 썰렁해? |
| 그래 | 다… 버렸으니까요. 출소한 장기수한테 옥중의 물품은 쓸모없으니까요. |
| 동식 | 그건 내가 좀 무리한 표현이었어. 미안해. |

한쪽 구석에 있는 바둑판과 바둑알.

| | |
|---|---|
| 동식 | 웬 바둑이야? |
| 그래 | …바둑을 뒀었습니다. |
| 동식 | (의외라는 얼굴로 본다) 바…둑…? |
| 그래 | (옅게 웃으며) 네… 어릴 때 장난삼아 삼촌이 가르쳐줬는데 재능이 있어 |
| | 보였나 봐요. 곧 본격적인 세계로 들어가게 됐죠. |

[Flashback] 그래의 어린 시절
바둑을 두는 일곱 살 그래, 그대로 바둑 두는 청소년 그래로 바뀐다.
도장에서의 청소년 그래. 도장 친구1과 지나가면서 인사하는 청소년 그래.
기보를 보며 연구하는 청소년 그래.

| | |
|---|---|
| 그래 | (E) 본격적인 세계란… 바둑만을 위한 세계를 말합니다. |
| | 연구생, 바둑도장 동기가 친구의 전부고, 기보를 보며 |
| | 하루 열 시간 넘게 바둑만을 두는 세계. 10대 때의 제 세계입니다. |
| 그래 | 프로 기사를 꿈꿨죠. 물론 실패해서 대리님 앞에 있지만요. |
| 동식 | (본다) |
| 그래 | 갖고 있던 거의 모든 걸 버렸지만, 유일하게 버리지 않은 게 있어요. |

옷장에서 기보집 더미를 꺼내놓는 그래. 보는 동식.

| | |
|---|---|
| 그래 | 연구생이 되고, 제가 뒀던 모든 바둑들의 기보입니다. 판마다 제가 왜 이겼는지 졌는지, 납득할 수 있는 이유를 적은 겁니다. 그러면 사범님께서 (보여주며) 이렇게 첨언을 해주시죠. 열한 살 때부터 이걸 해왔습니다. 이걸 보면 당시의 모든 게 떠오릅니다. |
| 동식 | 대단하군… 대단해. (글씨가 빼곡한 A4 용지 묶음을 보고) 이건 뭐지? |
| 그래 | 이 회사 들어와서 둔 대국들입니다. |
| 동식 | 대국? |
| 그래 | 저 혼자서, 하루를 한 판의 바둑으로 보고 둔 일기대국이죠. |
| 동식 | 하~ 절묘한데? |
| 동식 | (보면서) 근데 왜 하루가 여러 장이야? |
| 그래 | 바둑에 다면기라고 있어요. |

[Flashback] 한 명의 고수에 하수 여럿이 두는 다면기 대국 장면

| | |
|---|---|
| 그래 | (E) 기본적으로 바둑은 일 대 일인데, 다면기는 바둑의 고수가 여러 명의 대국자와 바둑을 누는 것을 말합니다. 보통은 고수가 다 이기죠. |
| 그래 | 사회에도 다면기가 있더군요. 그런데 사회의 다면기는 좀 다른 것이… 하수도 다면기를 둬야 한다는 겁니다. |

[Flashback] 제8국에서 동식, 상식, 박 대리, PT 때의 석율, 원인터 빌딩을 보고 서 있던 그래. 각각의 적당한 모습.

| | |
|---|---|
| 그래 | (E) 김 대리님과의 한 판이 있고, 과장님과의 한 판이 있고, 타 부서와의 한 판에, 경쟁 상대와도 판을 벌여야 하죠. 그리고 언젠가는 회사 자체와도 한 판을 둬야 할 것입니다. |

바둑판과 바둑알을 자기 앞으로 끌어 놓는 그래. 그래, 흑돌을 쥐고 접바둑의 8점을 깔면서 계속 말한다.

| | |
|---|---|
| 그래 | 바둑에서 접바둑이라는 게 있습니다. 하수가 고수를 상대할 때 4점, 8점을 먼저 두고 시작하죠. |
| 동식 | … |
| 그래 | 그러나… 사회에선, 하수 즉 신입사원을 상대로 고수가 접바둑을 둡니다. 고수가 이미 4점, 8점, 아니… 셀 수 없을 만큼 많은 백돌을 깐 곳에 들어가는 거죠. |

그런데 더 무서운 건… 하수인 흑돌의 규칙은 바뀌지 않는다는 거죠.

134

**동식**    흑돌의 규칙?

**그래**    덤을 남겨야 합니다. 특히 저 같은 경우 남만큼 해선 이길 수… 사리 잡을 수
없는 것 같아요. 신입사원이라는 건, 경험이 없는 상황에서도 무언가를
더 남겨야만 하는 사람 아닙니까?

**동식**    …


## S#58 ─ 주택가 외경, 밤

멍멍멍멍~ 개 짖는 소리가 동네에 울린다.


## S#59 ─ 동네 일각 골목, 밤

저벅저벅 걸어 나오는 동식과 그래.

**동식**    우리 회사는 어떤 연으로 들어온 거야?

**그래**    후원자분이 계세요. 성원실업이라고… 중소기업인데 거기 사장님이시거든요.
최 전무님과 친분이 있으신가 봐요.

**동식**    아… 장그래 씨, 전무님 낙하산이었구나. (혼잣말처럼) 아! 그래서 그때 과장님이…

[Flashback] 제2국 S#50

**상식**       (OL) 나가.

**동식/그래**  (놀라 보면)

**상식**       (버럭) 나가라구! 이 새끼야!

**그래**    네?

**동식**    아냐. (웃으며) 완전 실세 낙하산인데?

**그래**    (웃는) 전무님은 기억도 못 하실 거예요. 저도 회사 와서 한 번도 개인적으로
뵌 적이 없고요.

**동식**    근데 그 후원자분은 이왕 취직시켜줄 거 좀 빨리 도와주지.

**그래**    도와주셨었죠.

**동식**    (본다)

**그래**    검정고시 치르고 바로 그분 회사에 취직시켜주셨어요.

**동식**    근데 왜 그만뒀어?

제9국

| 그래 | (힘없이 웃으며) 그땐 바둑 두던 과거를 숨기지 않았어요. 처음엔 호기심 어린 호의, 점점 차차 의구심 어린 시선, 그러다가 불편한 확신으로 이어지더라구요. 바둑을 둬서 융통성이 없다. 바둑만 둬서 고지식하다… 1년 겨우 다니고 군대로 도피했어요. |
|---|---|
| 동식 | 그래서… 우리한테 과거를 그렇게 숨기는 거였어? 실패자로 보일까 봐? |
| 그래 | … |
| 동식 | …당신은 실패하지 않았어. 나도 지방대 나와서 취직하기 힘들었는데 합격해서 입사해보니까 말야, 성공이 아니고 문을 하나 연 느낌이더라고. |

Ins. 1 철강팀, 깊은 밤
모니터 불빛만 파르스름한 어두운 사무실에 혼자 앉아 있는 백기. 책상 위 보류된 결재 서류를 쳐다본다. 들어서 모니터 불빛에 의지해 다시 들여다보는 백기.

Ins. 2 영이의 집, 깊은 밤
책상 서랍을 여는 영이, 깊숙한 곳을 뒤적여 옛 회사의 사원증을 꺼내서 보는 영이…

| 동식 | (E) 어쩌면 우린 성공과 실패가 아니라, 죽을 때까지 다가오는 문만 열어가며 살아가는 게 아닐까 싶어. |
|---|---|
| 그래 | (E) 그럼 성공은요? |
| 동식 | (E) 자기가 그 순간에 어떤 의미를 부여하느냐에 달린 문제 아닌가? 일을 하다 보면 깨진 계약인데도 성장한 것 같고 뿌듯한 케이스도 있어. 그건 실패한 걸까? |


## S#60 ── 버스 정류장이나 지하철 역 앞 혹은 동네 어귀 일각, 밤

멈춰 서는 그래, 동식을 보고

| 그래 | 졌어도 기분 좋은 바둑이 있어요. 그런 걸까요? |
|---|---|
| 동식 | 잘은 모르지만, 그렇지 않을까? (악수 내밀며) 내일부터 다시 잘 지내자. |
| 그래 | (보다가 잡으며) 감사합니다. |
| 동식 | 참, 사실 나 트위터 아이디 있어. 근데 쓸 말이 없어서 놔두고 있었어. 그래 씨도 할래? 팔로우 신청해. |
| 그래 | 어느 게시판에서 직장 상사와는 하지 말래요. (웃는) |
| 동식 | (웃는) 그럼 갈게, 장그래 씨. |
| 그래 | 잘 가세요. |

## S#61 — 원인터 외경, 낮


## S#62 — 헬기 옥상 층 계단, 낮

굳은 얼굴로 천천히 계단을 올라오는 백기.


## S#63 — 헬기 옥상, 낮

문을 열고 나오는 백기… 난간 쪽으로 간다. 말없이 멀리 본다… 펼쳐진 빌딩 숲… 생각이 깊은
얼굴로 빌딩 숲을 쳐다보는 백기.

> [Flashback] 제8국 S#32
>
> **강 대리**  장백기 씨는 우리 팀에서 지금까지 아무것도 배운 게 없습니까?
> **백기**  지금은 배울 때가 아니라 써먹을 때라고 생각합니다!
>
>
> [Flashback] 제8국 S#58, 59
>
> **백기**  그렇다면 저는 더더욱 잘못된 대우를 받았군요. 말씀하신
>      그 기본은 학교, 인턴, 신입 교육 때 충분히 다졌습니다.
> **강 대리**  (차분하게 본다)
> **백기**  강 대리님이 생각하는 기본이라는 게 그렇게 중요한 거면,
>      왜 처음부터 말씀해주시지 않았습니까?!
> **강 대리**  잘못된 것을 스스로 확인할 수 있는 기회는 여러 번 줬습니다.
> **백기**  기회요? 오타 체크하고 양식 만들고 실무직 업무가 기횝니까?
>      제게 기본을 가르친다는 건 핑계일 뿐이고, 그냥 저를 싫어하시는
>      거라고 생각되는데요.
> **강 대리**  아직도 멀었네.

**백기**  …
**석율**  (E) 그냥 들이박아.

백기, 멈칫해서 돌아보면 열받아서 구석에 쭈그리고 앉아 있는 석율. 석율, 백기에게 하는 말인

지 자신에게 하는 말인지, 울분을 토해낸다.

**석율**　　　선배고 뭐고 박아버리라구!

**백기**　　　(보는)


## S#64 — 철강팀, 낮

백기, 전화기 앞에 서서 한동안 쳐다만 보고 있다. 결심한 듯 전화기 든다. 신호음이 들린다. 한참 후…

**강 대리**　　(E, 차분한 소리) 여보세요.

**백기**　　　…

**강 대리**　　(E) …장백기 씨.

**백기**　　　!

**강 대리**　　(E) …

**백기**　　　…

**강 대리**　　(E) 예산안 때문에 전화한 거 아닙니까?

**백기**　　　…네.


## S#65 — 거리 일각, 낮

서류 가방을 들고 걷던 중인 강 대리다.

**강 대리**　　어느 부분입니까.

**백기**　　　(E) …기본이 안 됐다고 보류당했습니다.

**강 대리**　　…맨 먼스 안 넣었죠?


## S#66 — 철강팀, 낮

**백기**　　　(약간 놀라며) 네… (보류 서류 보며) 어떻게 넣어야 합니까?

**강 대리**　　(E) 전체 프로젝트 4개월에 1,800만 원이니까. 중급 인력 네 명으로
　　　　　　　인력 수를 분류하세요.

**백기**　　　네.

| 강 대리 | (E) 한 명당 450만 원으로 통상 계산하거든요. 인력으로 계산하면 돼요. |
|---|---|
| 백기 | (빠르게 적는다) |
| 강 대리 | (E) 배관 설계 도면도 빠뜨렸죠? |
| 백기 | 배관 설계 도면… |

## S#67 — 거리 일각, 낮

| 강 대리 | 전에 해놓은 것이 있는데, 그게 우리 쪽에는 안 맞아서 업체에서 바꿔 보내준 것이 있어요. 그건 다시 반영을 해야 합니다. 분기 계획서 내에 첨부해둔 게 있을 거예요. 신다인 씨한테 찾아달라고 하세요. |
|---|---|
| 백기 | (E) 네, 그럼 타임테이블이랑 예산에도 반영을 해야겠군요. |
| 강 대리 | 그렇죠. 저번에 말한 것처럼 회사 폼에 맞게 여백 주고, 파일 틀에서 벗어나지 않게 비고 항목 더 넣어서. 이전에서 몇 퍼센트 변경된 건지 맞춰 올리면 돼요. |

## S#68 — 철강팀 + 거리 일각, 낮(분할 화면)

#철강팀. 메모를 마친 백기, 아무 말도 할 수가 없다…
#거리 일각. 강 대리도 말이 없다… 한참 후 먼저 말하는 강 대리.

| 강 대리 | 장백기 씨. |
|---|---|
| 백기 | 네… |
| 강 대리 | 내일, 봅시다. |
| 백기 | … (쉽게 말하지 못하다가) 네. |

## S#69 — 철강팀, 낮

전화 끊는 백기. 말없이 그대로 있다가 한결 홀가분해진 얼굴로 강 대리의 자리를 돌아본다. 빈 강 대리 자리가 왠지 든든해 보인다. 백기의 얼굴에 살짝 스치는 미소.

## S#70 — 옥상 정원, 낮

그래, 트위터에서 원인터내셔널 김동식을 찾아낸다. '팔로우하기'를 꾹 누른다.

## S#71 ── 몽타주, 낮

#영업3팀 동식, 트위터에 들어온 그래의 팔로우 신청을 본다. 둘 다 팔로잉 1, 팔로워 1.

**그래**        (Na) 보이는 게 뭔지는 모르겠지만, 보여지고 싶어 하는 사람이
              이렇게 많은 세상. 사람들은 왜 자기를 고백할까.

#옥상 정원. 멀리 바라보는 그래의 시야에 들어오는 빌딩 숲.

**그래**        (Na) 바둑은 전체가 부분을 결정한다. 19×19의 바둑판이 결정한 세계.

#철강팀. 키보드 위를 날아가듯 가볍게 타자하며 수정하는 백기.
#자원팀. 정 과장, 하 대리, 유 대리에게 열심히 커피를 나르고 전화를 받는 영이.
#섬유팀. 부르르~ 쥔 주먹으로 성 대리의 뒤통수를 노려보고 앉아 있는 석율.

**그래**        (Na) 바둑판이 무한하다면, 세상이 무한 캔버스라면, 이기고 지는 게 가능할까.
              이 땅이란 전체가 '나'라는 부분을 결정한다. 위로받기 위해, 이해받기 위해,
              나를 보여주는 사람들.

#그래, 몸을 돌려 옥상 정원을 걸어 나오고 Dis.
#구름다리를 지나고 Dis.
#엘리베이터를 누르고 Dis.
#15층에 열린 엘리베이터에서 내려, 15층 안 통로를 걸어오는 그래.


## S#72 ── 영업3팀 앞 통로 + 영업3팀, 밤

그래, 통로를 웃으며 걸어 들어오는데 상식이 자리에서 일어나 휴대전화로 주식을 보고 앉아 있는 박 과장에게 다가간다. 그래, 들어서는데

**상식**        (박 과장에게) **너랑 더 이상 이렇게는 일 못 하겠다.**
**그래**        (멈칫 선다)
**박 과장**      (미간을 찌푸렸다가 천천히 상식을 본다) **뭐라구요?**

상식, 굳은 얼굴로 박 과장을 보고 박 과장 역시 상식을 험상궂게 쳐다본다. 놀라 굳은 얼굴로 그들을 보는 그래. 엔딩.


Episode 9

# Episode 10

# 제10국

## S#1 — 휴게실 안, 낮

박 과장과 성 대리, 앉아서 낄낄대고 있는데 커피 든 다인과 장미라와 실무 여직원1이 탕비실 쪽에서 들어오다가 멈칫 선다. 인사하는 여직원들.

**박 과장**  어어~ 자기들만 마시기야? 나도 한 잔 좀 줘봐. 커피는 뭐라뭐라 해도
여자 손맛을 타야 제맛이지, (성 대리에게) 안 그러냐?

**성 대리**  (웃으며) 무슨 요즘 세상에 그런 소릴 하세요오.

**박 과장**  (굳어 있는 여직원들에게) 뭐 해? 어, 신다인 씨가 한 잔 좀 타다줘.

**다인**  네… (돌아서는데)

**박 과장**  역시 잘빠졌어.

**다인**  ! (확 돌아서는데)

**박 과장**  어? 왜? (서류 흔들며) 기획안이 잘빠졌다고, 기획안이.

**성 대리**  (같이 낄낄 웃는다)

다인과 여직원들, 인상 굳은 채 보다가 다시 돌아서는데

**박 과장**  (E) 거참 실하네.

**다인**  (멈춰 서는데)

**박 과장**  (낄낄대며) 자료가 실하다고 자료가. 빨리 커피나 줘!

## S#2 — 탕비실 앞 통로, 낮

선 차장, 탕비실 안으로 들어가려는데 구겨진 얼굴로 나오는 여직원들. 울 것 같은 얼굴로 나오는 다인.

**장미라**  (열받아 나오며) 저 인간, 진짜 성희롱으로 고소할 거야.

**선 차장**  무슨 일이에요?

**장미라**  (열받은) 선 차장님.

## S#3 — 15층 문 인근 통로, 낮

화난 얼굴로 영업3팀 쪽으로 걸어오는 선 차장. 마침 입구에서 동식과 같이 들어오는 상식을 본다. 화난 얼굴로 부르는.

| 선 차장 | 오 과장님! |
|---|---|
| 상식 | (돌아보며) 어. |
| 동식 | (인사하지만) |
| 선 차장 | (다가오며) 부하 관리 잘하세요. 박 과장 저러고 다니는데 그냥 놔두는 것도 한 팀의 수장이 할 일은 아니죠. |
| 상식 | (의아하게 보는) |

## S#4 — 영업3팀, 낮

휴대전화로 주식을 보고 앉아 있는 박 과장을 쳐다보고 있는 상식. 그래, 통로를 웃으며 걸어 오는데 상식이 자리에서 박 과장에게 다가간다.

| 상식 | (박 과장에게) 너랑 더 이상 이렇게는 일 못 하겠다. |
|---|---|
| 그래 | (들어오다가 멈칫 선다) |
| 박 과장 | (미간을 찌푸렸다가 천천히 상식을 본다) 뭐라구요? |

상식, 굳은 얼굴로 박 과장을 보고, 박 과장 역시 상식을 험상궂게 쳐다본다. 그래와 동식, 불안하게 두 사람을 본다.

## S#5 — 영업3팀, 낮

| 상식 | 어차피 우리 팀 된 거, 같이 즐겁게 일하면서 성과도 내려고 했던 거, 내 욕심이었지? |
|---|---|
| 박 과장 | (어이없는) 무슨 소리예요? 말을 알아듣게 해. |
| 상식 | 그냥 일이나 하잔 소리야. 팀원 말고. |
| 박 과장 | (비웃으며) 하시고 싶은 대로 하시죠. |
| 상식 | 그리고, 근무 태만인 것까진 내가 안겠는데 약한 사람한테 언어폭력, |
| 그래 | (멈칫, 상식을 본다) |
| 상식 | 여직원들 성희롱, 그것만큼은 하지 마. 그건 내가 못 참아. |
| 박 과장 | (어이없이) 뭐라구요? 성희롱? |

어이없이 고개 돌리다가 저만치 지나가는 선 차장을 본다.

| 박 과장 | 아~ 나. 선 차장 또 조르르~ 와서 뭐라 해요? (기가 막힌) |
|---|---|
| 상식 | 할랄 건은 계약서 초안 작성까지 진행된 거 같으니까 장그래가 마무리 짓고, |

| | 팀에 적응도 된 거 같으니 진짜 니 일을 해봐. 어떤 아이템이 좋을지. |
|---|---|
| **박 과장** | (귀찮은) 그럼 그냥 제가 갖고 온 요르단 중고차 건이나 계속 진행할게요. 수익 꾸준한 사업이니까. |
| **상식** | (약간 못마땅하게 보다가 문득) 오케이, 그럼 한번 키워봐. |
| **박 과장** | 네? |
| **상식** | 지금 승용차 중고차 대상으로만 사업 방향 잡고 있지? 요르단 좋아지고 있어. 중장비 쪽으로도 키워보자고. |
| **박 과장** | (화색이 되어) 키워요? |
| **상식** | 그래. 우선 이전 상황 공유하게 자료들 좀 보내봐. |
| **박 과장** | (야심의 웃음 띤 얼굴로 본다) |

## S#6 — 탕비실, 낮

들어와서 커피를 타는 상식, 김 부장이 들어온다.

| **상식** | 어, 부장님. |
|---|---|
| **김 부장** | 어, (손 내밀며) 그거 커피야? |
| **상식** | (주며) 누구 시키시죠. 직접 오셨어요? |
| **김 부장** | (받으며) 옛날에 니가 조제해주던 커피 아주 좋았는데, 걸쭉~하고 들척지근~한 게 하루 보약이었어. |
| **상식** | (웃으며 본인 커피 타는) |
| **김 부장** | 요르단 중고차 수출 건 키우려고 한다면서? |
| **상식** | 예, 서류 검토하고 있습니다. |
| **김 부장** | 나쁘지 않은 사업이야. 타이어, 배터리, 소모품의 동반 수출이 이어져 이익을 극대화할 수 있고, |
| **상식** | 요르단이 인근 국가로 재수출하며 시장도 형성되고 있으니까요. |
| **김 부장** | 거봐, 박 과장, 뭐라뭐라 해도 제 몫은 한다니깐. (농으로) 너무 거저먹는 거 아냐? |
| **상식** | (웃는) |

## S#7 — 자원팀, 낮

하 대리, 서류를 들고 들어오는데 영이, 물티슈로 음식 부스러기가 묻은 의자를 털고 있다.

| **유 대리** | (다른 의자 가리키며) 저기도. |
|---|---|

| 영이 | 네. (얼른 가서 다른 의자도 턴다) |
|---|---|
| 유 대리 | 그리고 비품함도 정리 좀 하라고. 펜 하나 찾는데 한참 걸렸어. |
| 영이 | 네! |

하 대리, 돌아보면, 비품 서랍 앞, 필기구와 문구류가 그대로 흩어져 있다. 거칠게 자리에 가서 서류 탁 놓고 앉는 하 대리. 영이, 그저 묵묵히 비품 서랍으로 다가가 정리한다.

| 정 과장 | (쳐다보지도 않고 툭) 안영이, 커피 한 잔. 아! (돌아보며) 너 왜 자꾸 믹스 갖다주냐? 나 블랙이야. 아직도 그걸 모르냐? |
|---|---|
| 영이 | 아, 네 알겠습니다. (나가고) |

하 대리, 못마땅한 얼굴로 정 과장을 돌아봤다가 탕비실로 들어가는 영이를 본다.


# S#8 — 탕비실, 낮

블랙커피 가루 든 종이컵을 생수기 온수 꼭지에 대는데 물이 안 나온다. 그제야 생수 통을 보는 영이. 비어 있다.

| 영이 | (난감) 아… |
|---|---|

두리번거리며 약간 망설이다가, 옆에 있는 생수 통을 든다. 쉽게 들리지 않지만 힘을 짜내어 겨우 허리까지는 들어 올린다. 팔과 몸이 파르르 떨린다. 다시 있는 힘껏 생수 통을 들어 구멍에 맞춰 꽂으려고 하지만 무거워 중심을 잃으면서 생수기 모서리에 생수 통 입구가 툭 부딪힌다. 생수 통 입구의 비닐 커버가 뚫어지면서 영이의 블라우스 위로 물이 주르르 쏟아진다. 깜짝 놀란 영이, 비틀비틀하며 가까스로 생수 통에 구멍을 맞춰 넣는다. 젖은 블라우스를 난감하게 보며 한숨 쉬는 영이.


# S#9 — 영업3팀, 낮

굳은 얼굴로 요르단 중고차 건 서류를 넘겨 보던 상식, 그래를 본다. 미간에 잔뜩 힘이 들어 간 표정으로 골똘히 할랄 계약서를 넘겨 보고 있는 그래.

| 상식 | …할랄 계약 서류야? |
|---|---|
| 그래 | (깜짝!) 네. |
| 상식 | 근데, 표정이 왜 그래? |

| | |
|---|---|
| **그래** | 아… 아닙니다. |
| **상식** | 뭔가 이상하지? |
| **그래** | (당황) 네? |
| **상식** | 이상한 거, 내가 말해줄까? |
| **그래** | (의아해서 보면) |
| **상식** | 대기업의 이기심이 보이지 않지? |
| **그래** | 네? |
| **상식** | (요르단 중고차 건을 넘겨 보면서 심각하게) 이게… 그렇단 말이야. 이게. |
| **그래** | (상식을 본다) … |

## S#10 ─ 옥상, 낮

팔짱을 끼고, 빌딩 숲을 내려다보며 생각에 잠겨 있는 상식… 꽤 그러고 있는데, 뭔가 옆에서 부스럭부스럭하는 소리가 들린다. 옆을 휙 보면 종이 타월로 젖은 블라우스를 짜내가며 말리고 있는 영이.

| | |
|---|---|
| **상식** | 뭐야? |
| **영이** | 아. (꾸벅 인사하며) 너무 깊이 생각에 잠겨 계셔서… |
| **상식** | (꼴을 쓱 보고는) 그러니까 우리 팀 오랄 때 왔어야지… (다시 앞을 봤다가 영이를 휙 보며) 어떻게, 하 대리 발 한 번 더 걸어줘? |
| **영이** | (웃고) 과장님은 무슨 고민이 그렇게 깊으세요? |
| **상식** | 고민은 뭐, 다음 아이템 생각이지. 박 과장이 하던 요르단 중고 자동차 건 키워볼까 생각 중인데… |
| **영이** | 아, 그거요. 저도 기획안 한번 본 적 있어요. |
| **상식** | 그래? … (갑자기 휙) 어땠어? |
| **영이** | (당황해서) 네? |
| **상식** | (빤히 본다) |
| **영이** | (당황하는) |
| **상식** | 역시 이상했군. |
| **영이** | 네? |
| **상식** | 그래, 안영이 씬 알아챌 줄 알았어. (다시 멀리 본다. 복잡한 얼굴이다) |
| **영이** | (보다가) 저… 과장님, 전 그럼 가보겠습니다. (꾸벅하고 가려는데) |
| **상식** | 그 사람 말야, 삼성물산 신 팀장 아닌가? |
| **영이** | (깜짝 놀라서 멈춘다. 보면) |
| **상식** | (보며) 지난번에 로비에서 말야, 무슨 시베리아산 호랑이 본 것처럼 |

|  | 기겁을 하고 도망갔잖아. |
| 영이 | (애써 표정 흐트러짐 없이 잡아떼듯) 아닌데요. |
| 상식 | (씩 웃으며) 대충 감이 오더라고. 쌩짜 신입이 (영이를 아래위로 슥~ 보며) 왜 이렇게 되도 않게 출중한지. |
| 영이 | (당황해서) 무… 무슨 말씀이신지… 그럼. (꾸벅하고 황급히 간다) |

상식, 가는 영이 보며 웃다가 전화를 한다. 신호 가고.

| 동식 | (E) 네, 과장님. |
| 상식 | … |


## S#11 ── 공원 또는 거리 일각, 낮

서류봉투를 들고 굳은 얼굴로 앞장서서 걸어가는 상식과 의아한 얼굴로 따르는 그래, 동식.

| 동식 | 무슨 일인데 (돌아봤다가) 이렇게 멀리까지 나오신 거예요? |

상식, 적당한 곳에 멈춰 선다. 말없이 담배를 꺼내 문다. 그래와 동식 의아하게 보면,

| 상식 | 박 과장 요르단 중고차 건 말이야. (동식에게) 봤어? |
| 동식 | 아직요. 이제 막 보려던 참이었는데요. |
| 상식 | 서류상으로는 법무팀, 재무팀 검토가 끝난 것이니까 문제없어 보일 거야. 그런데 자세히 보면 이해가 안 되는 지점이 보여. |
| 동식 | (의아) 무슨… 문제요? |
| 상식 | (서류봉투를 동식에게 주며) 협력업체의 이익이 지나치게 높게 설정돼 있어. (그래를 본다) |
| 그래 | (상식을 본다) |
| 동식 | (서류를 꺼내 넘겨 보며) 음… 높긴 하네요. |
| 상식 | 그 업체의 규모나 실적도 계약 즈음 갑자기 커졌어. 재무제표상의 당기 순이익에 특별 이익 비중이 너무 높아. |
| 동식 | 그런 업체를 박 과장이 잡았다. 그런데 그 업체의 이익이 지나치게 높게 설정돼 있다… (표정) 그럼… |
| 상식 | 뭔지 알겠지? |
| 동식 | 백마진을 받는다구요? 박 과장이? |
| 그래 | ! … |

147

| 상식 | (표정) 모르니까 알아보자고. 우리 팀에 굴러들어 온 게 게으른 돼지인지, 똥 뿌리고 다니는 똥개인지. |
| 그래/동식 | … |

## S#12 — 영업3팀, 낮

박 과장, 휴대전화로 주식 시세를 보고 있다. 그래, 동식, 말없이 앉아서 각자 일을 하면서 박 과장을 힐끗힐끗 본다. 박 과장, 주식 창을 보면서 중얼거린다.

**박 과장**    분위기 왜 이래? 진짜 뭣 같네.

천천히 고개를 들어 일하고 있는 그래와 동식 그리고 상식을 본다. 싸해진 박 과장의 눈빛.

## S#13 — 화장실, 낮

세면대에서 손을 씻는 그래. 문이 열리고 박 과장이 들어온다. 소변기 쪽으로 가는 박 과장. 그래, 말없이 손을 씻고 있다.

| **박 과장** | (볼일 보고) 어허~ 시원하다! |
| **그래** | (말없이 정면만 본다) |
| **박 과장** | (정면을 응시한 채 싱긋 웃는) |
| **그래** | (마무리하고 나간다) |
| **박 과장** | 흐트러짐 없이 연기하네~ 맹랑한 놈인데? (흥! 하는 듯한 얼굴로 그래 쪽을 돌아본다) |

## S#14 — 창고 안, 낮

백기, 들고 온 상자를 바닥에 놓는 상자 안에 든 파이프 등 철강 샘플들을 수납 칸에 챙겨 넣는다. 옆에서 다인이 서류에 체크하면서 같이 하고 있다. (문이 열리고) 강 대리 들여다보며

| **강 대리** | 쓰리비(3B) 파이프 하나 줘요. |
| **백기** | 네. (파이프를 꺼내서 준다) |
| **강 대리** | (수납 칸의 샘플들을 보다가) 샘플 수납이 왜 그 모양입니까? 규격에 안 맞는 파이프가 섞여 있잖아요. 내가 여러 번 얘기했을 텐데? 갑자기 필요할 때 |

| | |
|---|---|
| **다인** | (눈치 보면서) 제… 제가 지금 정리할게요. (하고 얼른 다가가는데) |
| **백기** | (담담하게) 두세요. 제가 할게요 (근처의 목장갑을 낀다) |
| **강 대리** | (백기를 흘깃 보고) 신다인 씨는 계약서 왔으니까 입력해주세요. |
| **다인** | 네. (나간다) |

백기, 파이프를 일일이 꺼내 규격을 확인하고 정리를 시작한다. 강 대리, 그런 백기를 쳐다보다가 돌아선다. 상자 들고 들어오려던 영이, 인사하고 강 대리는 간다.

| | |
|---|---|
| **영이** | (상자를 한쪽에 놓아두며) 혼나는 소리가 밖에까지 들리네요. |
| **백기** | (피식 웃는다) |
| **영이** | (슥~ 보며) 어째 제 방법을 쓰시는 것 같네요. 밑에서부터 박박 기기. |
| | 백기 씨 방법은 포기한 건가요? |
| **백기** | (손이 멈칫한다) |

[Flashback] 전화하는 백기

| | |
|---|---|
| **백기** | 네, 이지현 씨. 저는 그냥 우리 회사에 남기로 했습니다. |
| | 그동안 많이 신경 써주신 점 감사합니다. |

| | |
|---|---|
| **백기** | (피식 웃고 영이를 보며) 오늘도 샌드위치로 저녁 때울 거예요? |
| **영이** | 네? |
| **백기** | 저녁 먹죠, 제대로. 쏠게요. |
| **영이** | (웃으며) 귀환 기념인가요? 이왕이면 동기들한테 다 쏘시죠? |
| **백기** | 싫어요. 딴맘 먹었다는 거, 동네방네 떠들란 소리예요? |
| | 영이 씨한테 뱉은 것도 천년만년 후회할 판에. |
| **영이** | (웃는) |
| **성 대리** | (E) 석율아, 나 좀 보자. |

## S#15 ― 섬유팀, 낮

일하던 석율, 성 대리를 돌아본다.

| | |
|---|---|
| **성 대리** | 나는 진짜 일 못하는 건 참아도 위아래 없이 선배한테 들이대는 놈은 |
| | 못 참아. 너 오늘 나한테 인사 한 번도 안 하더라. |
| **석율** | (어이없이 보면) |

| 성 대리 | (갑자기 토닥이듯) 석율아. |
|---|---|
| 석율 | (보면) |
| 성 대리 | 너 무슨 일 있는 거냐? 무슨 일인지 말을 해봐. |
| 석율 | (어이없는) 대리님, 정말 제가 왜 이러는 건지 모르시겠습니까? |
| 성 대리 | 내가 니 개인적인 일을 어떻게 아니? 아무리 그래도 너 인마 이러는 거 아냐, 공사 구별을 해야지. 회사 일 집에 끌고 가는 거 아니지? 개인적인 일 회사로 끌고 오는 것도 아냐 인마! |
| 석율 | (어이없이 입만 벌리고 본다) |
| 성 대리 | 무슨 일인지 모르겠지만 마음 빨리 다잡고. |
| 석율 | (보면) |
| 성 대리 | 폴리에스테르 건 보고서 빨리 정리하자. |
| 석율 | ! (기가 막혀 허! 하다가) 성 대리님. |
| 성 대리 | 응, 말해. |
| 석율 | 저 오늘 반차 좀 내겠습니다. 두통이 너무 심해서 앉아 있질 못하겠네요. |

## S#16 ─ 자원팀, 낮

외근에서 돌아온 하 대리. 회의를 하고 치우지 않은 테이블 위로 서류들은 널려 있고, 커피 얼룩이 대충 휴지로 덮여 있다. 파일 캐비닛은 열린 채 홀더들이 정리 없이 막 쌓여 있고 몇 개는 밖으로 나와 있는 채다. 유 대리와 정 과장은 일하고 있다.

| 하 대리 | (찡그리며 자리에 앉으며) 야, 유 대리 회의했어? 다 끝났으면 치워야지. |
|---|---|
| 유 대리 | (일하다가) 어? 아! (두리번대며) 안영이 씨 어디 갔어? (마침 영이 들어오는 것 보고) 안영이 씨, 이거 치워야지. |
| 영이 | 아, 네. (치운다) |

하 대리, 기가 막혀 보다가 마지못해 자리에 앉는다. 영이, 열심히 치우고 있는데

| 정 과장 | 아! 안영이 씨, 구둣방 가서 수선 맡긴 내 구두 좀 찾아다줘. 오는 길에 약국에서 액상 소화제도 하나 사 오고. (돈을 꺼내 준다) |
|---|---|
| 영이 | (받으며) 네. |
| 유 대리 | 어, (돈 내밀며) 나도 담배 한 갑 사다줘. 내가 피는 담배 알지? |
| 하 대리 | (삐끗, 두 사람 바라본다) |
| 영이 | 네. (하 대리 돈 받고, 하던 청소 허겁지겁 치우고 마무리하고) 다녀오겠습니다. (하고 얼른 간다) |

영이가 나가자 각자 자기 일 하기 바쁜 두 사람을 노려보듯 하던 하 대리.

| | |
|---|---|
| **하 대리** | (낮게) 야 유 대리. 너 뭐 하는 거야? |
| **유 대리** | (깜짝) 네? |
| **하 대리** | 지금 쟤가 내 허드렛일 하겠다고 한 거지 너 밑 닦는다고 한 거 아니잖아? |
| **정 과장/유 대리** | (벙쪄서 본다) |
| **하 대리** | 왜 이래? (정 과장 보며) 과장님도 너무하시는 거 아니에요? |
| **정 과장** | (당황해서 버벅) 아니… 우… 우린, 너 도와줄라 그랬지. |

하 대리, "에이씨" 화를 내며 나간다. 벙쪄 보는 두 사람.

| | |
|---|---|
| **정 과장** | (벙~) 쟤 안영이한테 딴맘 있는 거 아냐? |
| **유 대리** | 네? 딴마음이요? |
| **정 과장** | 쟤 진짜 안영이를 자기 개인 하녀쯤으로 생각하는 거 아니냐구. 아니, 우리야 공적인 차원에서 일을 가르치려는 거고, 쟤는 보면 진짜 사적으로 부려 먹으려는 거 같아. |
| **유 대리** | (!) 아… 그건 아니지이~ 그럼 안 되지~ |


## S#17 —— 15층 엘리베이터 앞, 낮

하 대리, 나오면 엘리베이터 기다리고 있는 영이가 보인다. 인상 쓰며 보다가 후… 내쉬고 다가 간다.

| | |
|---|---|
| **하 대리** | 안영이, 지금 바로 평택 출장 좀 가. |
| **영이** | (깜짝) 네? |
| **하 대리** | 서부화학 창고에 있는 비료, 내일 아침까지 인천항 CY\*로 옮길 수 있도록 조치하고 와. |
| **영이** | 서부화학 비료라면… 출항이 닷새 된데요…? |
| **하 대리** | (멈칫했다가 다시 화내듯) 야, 하라면 할 것이지 무슨 토를 달아? 시간 있을 때 미리 옮겨두려는 거잖아! 포워드가 받아놓은 CY 프리 디머리지\*\* 가능 기간이니까 처리하고 와! |
| **영이** | 서부 쪽에는, |
| **하 대리** | (OL) 이번 주 안에 언제든 옮길 거라고 말해뒀어. |
| **영이** | 알겠습니다. |


---

* 컨테이너 야드.
** free demurrage, 무료 사용 기간.

그때 계단 쪽 문이 확 열리며 석율 들어오다가 "어?" 하고 선다. 인사하면

| | |
|---|---|
| **하 대리** | (안으로 휙 들어가다 말고 영이에게) 일 끝나면 회사 복귀할 필요 없으니까 바로 퇴근해! (간다) |
| **영이** | (본다) |
| **석율** | (다가오며) 어디 가요? |
| **영이** | … |

## S#18 ─ 영업3팀, 낮

상식, 서류를 보면서 깊은 생각에 잠겨 앉아 있다. 그래, 동식, 일하고 있고 박 과장, 인터넷 뉴스 화면 켜놓고 상식을 못마땅하게 흘깃거린다. 그때 TF 건 서류를 들고 들어온 백기, 쳐다보는 그래와 눈이 마주친다. 서로 눈인사하고, 쳐다보는 상식에게 인사하고 다가간다.

| | |
|---|---|
| **백기** | (서류 내밀며) TF 건 마무리 보고서입니다. |
| **상식** | (서류 받아들고) 텃밭에 남기로 한 건가? |
| **백기** | (고개 살짝 떨구면) |
| **상식** | 강 대리 좋은 친구야. 잘하라고. |
| **백기** | 네… (상식의 책상 위에 '요르단 중고 자동차 수출의 건' 기획안이 보인다) 그럼 가보겠습니다. (인사하고 돌아서서 가는데) |

박 과장, 더 이상 못 참겠다는 듯 벌떡 일어나 상식에게 다가간다.

| | |
|---|---|
| **박 과장** | 남의 밑천 내놓으래서 줬더니 왜 말이 없어요?! |

백기, 나가다가 돌아본다. 그래, 동식도 본다.

| | |
|---|---|
| **박 과장** | 뭘 하겠다는 거야? 말겠다는 거야?! |
| **상식** | (서류를 본 채) 나 좀 꼼꼼하다. |

나가면서 상식과 박 과장을 쳐다보는 백기.

| | |
|---|---|
| **박 과장** | 다 만들어줬는데 뭘 그렇게 꼼꼼하게 봐요? 일을 밀고 가야 할 땐 밀고 가야지! 이러니깐 영업3팀이 이렇게 잔챙이 같은 일들만 하는 거야! |

상식, 쳐다보면 박 과장, 싸하게 바라보다가 휙 나간다. 그래, 휴~ 긴장이 풀리는 한숨 내쉬는데 띠링 문자 와서 보면 박 과장이다. 문자 "잠깐 나와". 그래, 통로 쪽 가고 있는 박 과장을 보면 흘 긋 보는 박 과장, 눈짓한다.


## S#19 — 14~15층 계단참, 낮

바지 주머니에 손 찔러 넣은 채 등 돌리고 서 있는 박 과장. 문 열고 들어선 그래의 등 뒤에서 문 이 철컹 닫히자 박 과장, 위협적으로 그래에게 바짝 다가선다.

| | |
|---|---|
| **박 과장** | (나지막이) 야, 뭐야. |
| **그래** | (밀리지 않고 단단히 서서) 뭐 말씀이십니까? |
| **박 과장** | 내 꺼 빠그러뜨리겠다구 니들 수작 부리는 거냐? 말해! 뭐야? |
| **그래** | (본다) |
| **박 과장** | 오상식 꽁지나 쫓는 새끼. 넌 오상식이 죽으라면 죽을 거지? |
| | 이런 붕~ 오 과장 믿지 마. 알지? 저 좋다고 쫓아다니던 여직원 하나 죽인 거. |
| | 지가 그런 거 아니라고 최면 걸고 있잖아. 아는 사람 다 아는데 말야. |
| **그래** | (울컥) 무슨 말씀을 그렇게 하십니까! |
| **박 과장** | 어라 이 새끼 봐라. 발끈할 줄도 아네. (손끝으로 이마 툭) 너 참 별거 다 한다. |
| | 꼴값은. 주제에 오상식 편드냐? |

그때 15층 계단 문을 열던 서류 든 백기, 멈칫한다. 그대로 문을 잡은 채 듣는.

| | |
|---|---|
| **박 과장** | 꼴에 지금 줄 선 거냐고? (피식) 장그래애, 이 얼빠진 새꺄. 줄 같은 줄을 |
| | 잡아야지 새꺄. 여긴 사장 라인이든 전무 라인이든 둘 중 하나거든? 근데 오 과장 |
| | 저 바보는 이도 저도 아냐. 그냥 끈 떨어진 연이라구. 이제 좀 알아듣겠냐? |
| | (뺨까지 가볍게 툭툭) 에구~ 암것도 모르는 새끼. 알아들었음 가서 오 과장한테 |
| | **빨리 좀 진행하라고 해.** |

그래를 몸으로 툭 밀치고 계단으로 툭투둑 내려가는 박 과장. 백기, 문을 닫고 들어간다. 그래, 박 과장을 보다가 굳은 얼굴로 올라가 문을 연다.


## S#20 — 계단 문밖, 낮

들어오는 그래. 엘리베이터 앞에 서 있던 백기가 돌아본다. 그래, 그냥 사무실 안으로 들어간다.

돌아보는 백기. 그때 문자 진동. 보면 영이다.

| | |
|---|---|
| **영이** | (E) 평택 출장 가는 중이에요. 저녁은 담에 하죠. |
| **백기** | … |

## S#21 ─ 자동차 안, 낮

운전하는 영이, 어이없이 옆을 보면 신나서 앉아 있는 석율.

| | |
|---|---|
| **석율** | (창을 열고 밖을 보며) 아~ 이제야 숨통이 좀 뚫리네! |
| **영이** | (어이없는) 대체 왜 따라오는 거예요? |
| **석율** | (눈을 빛내며 진지하게) 역시 현장이지 말입니다. |
| **영이** | (어이없이 보다 픽 웃는) |

## S#22 ─ 평택 서부화학 창고 마당, 낮

놀란 얼굴로 창고 부장 앞에 서 있는 영이와 석율.

| | |
|---|---|
| **석율** | 파업이요?! |
| **창고 부장** | (난감한 듯) 네, 하필 오늘… 전화라도 하시고 오시잖고요. |
| **석율** | 전화했죠오~! (영이에게) 했지? |
| **영이** | 아무도 안 받으셔서요. 시간도 없고 해서 일단 내려왔죠. |
| **창고 부장** | 죄송합니다. 사무실이 비었던가 보네요. 저희도 정신이 없어서요. |
| **석율** | (영이를 보며) 어떡하지? |
| **영이** | (난감한 얼굴이다가) 잠시만요. |

영이, 하 대리에게 전화를 건다. 발신음만 여러 차례, 전화를 안 받는다. 영이, 다시 사무실로 전화를 건다. 신호가 가고

| | |
|---|---|
| **유 대리** | (E) 네, 원인터 자원2팀 유형기입니다. |

## S#23 —— 자원팀, 낮

| | |
|---|---|
| 유 대리 | 하 대리? 외부 미팅 갔어. 회의 중일 거야. 왜? (듣다가 찡그리며) 뭐? 파업? |

## S#24 —— 서부화학 창고 마당 + 자원2팀, 낮(분할 화면)

| | |
|---|---|
| 영이 | 네, 오늘부터 화물연대 총파업이래요. 하 대리님이 내일까지 꼭 옮겨두라고 했는데, 어떻게 해야 할지. |
| 유 대리 | 아! 어떡하긴 어떡해? 파업이라면서? 그냥 올라와. (혼잣말처럼) 남자 같으면 트럭 하나 빌려서 싣고 오라고나 하지. |
| 영이 | 네? |
| 유 대리 | 그냥 와! 내가 하 대리한테 얘기할게. (끊는다) |

## S#25 —— 서부화학 창고 마당, 낮

끊어진 전화 든 채 그대로 서 있는 영이.

| | |
|---|---|
| 석율 | 그냥 오라지? 가요. 올라가면서 밥이나 먹고 가자구. 내가 평택 맛집 검색해서 찾아놨는데, |
| 영이 | (OL, 창고 부장에게) 공장에 작은 트럭 있죠? |
| 창고 부장 | 어? |
| 석율 | (끔벅끔벅 영이를 보며) 왜? 어쩌려구? |

## S#26 —— 서부화학 창고 뒷마당, 낮

황당한 얼굴로 2.5톤 트럭 앞에 서 있는 석율, 난감한 창고 부장 그리고 단단한 영이.

| | |
|---|---|
| 석율 | (황당) 지… 직접 옮기자구? |
| 영이 | 네. |
| 석율 | 우… 우리가? |
| 영이 | 2.5톤 트럭에… 비료가 400포대니까 (계산하는 듯) 서너 번만 왔다 갔다 하면 돼요. |
| 석율 | (황당~하다는 듯 영이를 보며) 서…너… 번? |

트럭을 쳐다보는 영이.


[Flashback] 제1국 S#108
영이 앞에 선 젖은 오징어 몰골의 그래.


**그래**　　　　끝은, 봐야죠.


**창고 부장**　　정말 괜찮겠어요? (차 키를 준다)

**영이**　　　　(받으며 밝게) 괜찮습니다. 트럭은 내일 오후에 반납할게요.

　　　　　　　(키를 석율에게 내밀며) 가죠.

**석율**　　　　(키를 보며 끔벅끔벅)

**영이**　　　　(이상한 듯 보며) 받아요.

**석율**　　　　(약간 울상으로 영이를 보며) 나 못 하는데…

**영이**　　　　(당황) 네?

**석율**　　　　며… 면허가 없는데…

**영이**　　　　(놀란) 네?

**석율**　　　　저기… 적성검사 기간이…



## S#27 ── 트럭 안, 낮


불안하게 운전대를 잡은 채 눈을 부릅뜨고 앞만 보며 가는 영이. 시속 40킬로미터다.


**석율**　　　　아니~ 취업 준비에 너무 바빠서 놓친 거지.

**영이**　　　　(운전에 집중하며) 그렇다고 1년이나 지나도록 몰라요?

**석율**　　　　(뻘쭘) 난 내 면허가 2종인 줄 알았지.

**영이**　　　　(어이없이 본다)


석율, 쩝, 하다가 앞에 보고 놀라서 어어어어~ 기겁한다. 앞에 끼어든 자동차가 매연을 뿡뿡 뿜고 휘~잉 내달린다.


**석율**　　　　(식겁한) 아~ (속도계 보며) 40이 뭐야? 40이… 답답하니까 끼어든 거 아냐.

**영이**　　　　(다시 부릅뜬 눈으로 앞만 보고 달린다)

**석율**　　　　(울상으로) 배가 닷새 뒤에 뜬다며? 꼭 오늘 안 옮겨도 된다며~

**영이**　　　　(운전에 집중하며) 제가 확실하게 받은 오더는 하 대리님이거든요.

　　　　　　　하 대리님이 내일 아침까지 옮겨놓으랬으니까.

| | |
|---|---|
| **석율** | 야! 이 융통성 없는 여자 보게나. 안영이 씨, 그렇게 안 봤는데 앞뒤가 꽉 막혔어. |
| **영이** | (운전에 집중하며) 파업이 언제 끝날지 모르잖아요. 자칫 잘못하다간<br>선적에 문제 생길 수도 있고. |

운전대를 꽉 잡고 눈 부릅뜨고 달리는 영이.


## S#28 — 영업3팀, 낮

장그래를 뚫어지게 보고 있는 박 과장. 그런 박 과장을 의식하면서 일하고 있는 그래. 그래를 계속 뚫어져라 보는 박 과장.


## S#29 — 휴게실, 낮

커피 잔 들고 서 있는 동식과 그래.

| | |
|---|---|
| **동식** | 눈치채? 우리가 따놓는다 정도 눈치겠지. |
| **그래** | (걱정) 정말, 우리가 몰래 자료 체크하는 거… 모를까요? |
| **동식** | 길게 갈 순 없지. |
| **그래** | (보면) ? |
| **동식** | (커피를 꿀꺽 마시고) 과장님이 이제 결단하실 것 같아. |
| **그래** | ! (상식이 있는 사무실 쪽을 돌아본다) |


## S#30 — 영업3팀, 낮

태블릿 피시로 주식 시황 보고 있는 박 과장 앞에 슥 내밀어지는 문서. "2012년 요르단 중고 자동차 수출의 건".

| | |
|---|---|
| **박 과장** | (비실 웃으며) 아~ 나 참. 무슨 검토를 그렇게 오래 하세요? (욕심 드러내며)<br>자, 얼마나 키울까요? 이왕이면 세계 가죠? |
| **상식** | 이거 좀 이상하지 않아? |
| **박 과장** | (표정 확 바뀐다) 네? |
| **상식** | 우리 협력업체가 가져가는 게 너무 많아 보여서 말이지. |
| **박 과장** | (피식) 아니 무슨 끝난 걸 들춰 들고 많네 적네 해요? 확장한다면서. |

| 상식 | … (본다) |
|---|---|
| 박 과장 | 협력업체, 걔네들 많이 가져가는 거 아녜요. |
| 상식 | 자료에 다 나와 있는데 많지 않다니. |
| 박 과장 | 그 일의 특성상, 많이 가져가는 거 아니라구요! 걔네 업체 실적 별로 없어 보여도 큰 데 있다 독립한 애들이라 인프라가 상당하다구요. 대기업들 이게 문제야! 서류만 봐! 겉만 번지르르하면 다 좋은 줄 알지! |

그래와 동식, 들어오다가 상식과 박 과장을 본다.

| 박 과장 | (강하고 단호하게) 디테일을 놓치는 게 우리 같은 대기업의 함정이라구요. |
|---|---|
| 동식/그래 | (올 게 왔구나 하는 표정. 박 과장과 상식을 본다) |
| 박 과장 | 불쾌합니다. 그냥 접어요. 이거 사람 뒤나 캐자는 거야 뭐야? |

박 과장, 그래와 동식을 지나쳐 휙 나가버린다. 그래, 거칠게 걸어가고 있는 박 과장을 본다.

| 그래 | (E) 이렇게 끝난 건가…? |
|---|---|
| 상식 | 김 대리, 그 업체 만나봐. |
| 그래 | (깜짝 놀라 상식을 돌아본다) |
| 상식 | 담당자 이야기 녹취해 와. 내부감사 건이니만큼 정확하게 말하라고 해. |
| 동식 | 예. |
| 그래 | (놀란다, E) 내부감사? |
| 상식 | 난 부장님 만나고 올 테니까. 장그래도 김 대리랑 같이 가. (간다) |

그래, 상식의 뒷모습을 본다.


## S#31 ― 로비 엘리베이터 앞 + 로비, 낮

엘리베이터에서 내리는 동식과 그래. 긴장과 걱정이 섞인 그래의 표정. 동식은 조금 굳은 얼굴로 빠르게 걸으며

| 그래 | 내부감사까지 하게 되는 건가요? |
|---|---|
| 동식 | 그것까지 각오해야 한다는 거지. |
| 그래 | 업체 쪽에는 연락도 없이 바로 찾아가도 될까요? |
| 동식 | 박 과장한테 코치받을 수 있으니까. |
| 그래 | 좀… 부담스럽네요. 문제가 커지면 어쩌죠? 그럼 박 과장님도, |

| 동식 | (멈춘다. 그래를 보며) 장그래! 똑바로 들어. |
| --- | --- |
| 그래 | (놀라서 보면) ? |
| 동식 | 우리가 하고 있는 건 사실 관계를 밝히는 거야. 절차적으로 진행된 일인지! 결과적으로 좀 무리한 계약이었다고 해도 업무 당사자의 스타일상 넘어갈 수 있는 부분도 있다고! 중요한 건 절차를 제대로 지켰느냐야! |
| 그래 | (약간 당황해서 보는) |

[Flashback] 제7국 S#16

| 백기 | 절차란 건, 장그래 씨가 생각하는 것보다 훨씬 중요한 걸지도 모르죠. |
| --- | --- |

| 그래 | … |
| --- | --- |
| 동식 | 개인의 실적을 위해 회사에 해를 끼쳤는지, 사적 이익을 취했는지, 업체 선정에 있어 불공정했는지, 그걸 따지는 거야. 그 결과에 대한 판단은 우리가 하는 게 아냐. 그건 회사가 해! 지금 누구 인생 작살내기 위해서 이러는 게 아니라고! 우리가 할 수 있는 노력은 과정이 전부야. 결과는 우리 손안에 있지 않아! |
| 그래 | (동식을 본다) |
| 동식 | 결과까지 손아귀에 넣으려다 보니 이런 무리수를 두는 거라고. (간다) |
| 그래 | … (동식의 뒤를 따르려는데) |

그때 회전문 안으로 들어오는 하 대리와 정 과장.

| 동식 | (인사하며) 외근 다녀오십니까. |
| --- | --- |
| 정 과장 | 어때? 박 과장이랑 잘 지내? |
| 동식 | …네. |
| 정 과장 | 잘해줘. 우리 팀 좀 있었다고 함부로 하지 말고. (휙 간다) |

동식, '허~' 하듯 돌아본다. 걸어가는 하 대리를 보는 그래.


S#32 ─ 자원팀, 낮

| 하 대리 | (서류 분류하다 말고 보며) 뭐? 파업? |
| --- | --- |
| 유 대리 | (서류 추리며 쳐다보지도 않고) 네, 그거 내일까지 꼭 해야 되는 거 아니죠? |
| 하 대리 | 어… |

| | |
|---|---|
| 유 대리 | (쳐다보고) 그래서 그냥 올라오라고 했어요. 그래도 되죠? |
| 하 대리 | 어? 응… |
| 유 대리 | (다시 일하며) 그러기에 왜 계획에도 없는 출장을 갑자기 보내요? |
| 하 대리 | … (일하다가 유 대리를 다시 보며) 그냥 올라오라고 확실히 말했어? |
| 유 대리 | (일하며) 네. (휙 보고 씩 웃으며) 여자인 니가 할 수 있는 일은 아~무것도 없다라고 확~실하게 인지시켜줬죠. |
| 하 대리 | … |

## S#33 ─ 몽타주, 낮

#인천항으로 들어가는 영이 트럭. 짐을 가득 싣고 파란 방수천으로 덮여 있다.
#인천항 일각. 빈 차로 나오는 영이 트럭. 옆에서 그만두자고 손짓 발짓하는 석율의 모습이 보인다.
#고속도로를 달리는 영이 트럭. 화물칸이 비었다. 제법 속도가 붙었지만 조수석의 석율은 겁에 질려 양손으로 손잡이를 부여잡은 모습이다.

## S#34 ─ 영업3팀, 낮

상식, 굳은 얼굴로 박 과장의 요르단 중고차 관련 서류를 보고 있다. 결재문서 첫 페이지 결재란을 보고 있는 시선. 결재 라인 아래부터 쭈욱 짚어 올라가는 상식의 시선. "신재민 과장, 조원진 차장, 김부련 부장, 김성만 상무". 김부련 부장의 이름에 못 박힌 상식의 표정이 한층 더 무거워진다.

## S#35 ─ 소회의실2 밖, 낮

| | |
|---|---|
| 상식 | (E) 서쪽 업체에는 김동식 대리와 장그래 보내서 확인시키고 있습니다. |

## S#36 ─ 소회의실2, 낮

굳은 표정의 김 부장. 상식도 말없이 앉아 있다.

| | |
|---|---|
| 김 부장 | 오 과장, 이미 처리된 기획안 들쑤시는 게 어떤 의미인지 알지? |
| 상식 | 예. |
| 김 부장 | …그놈 혼자로 끝나지 않을 수 있어. 판이 더 커질 수 있다는 말이지. |

| 상식 | … |
|---|---|
| 김 부장 | 그 결재에 사인한 모두가 걸려 있는 문제라고. |
| 상식 | 알고 있습니다. |
| 김 부장 | (심난하고 굳은 얼굴로 말없이 본다) … |
| 상식 | 아직 확실한 건 아무것도 없습니다. 정황이 그렇다는 거죠. |
| 김 부장 | 정황이 그렇다면 대부분 맞아. 뒤따르는 각자의 사정이 추가될 뿐이지… |
| | 경험상 루머가 루머로 끝나는 일은 드물어. |
| 상식 | … |

김 부장, 일어나서 창으로 가서 뒷짐을 지고 창밖을 본다. 그런 김 부장의 뒷모습을 말없이 지켜
보는 상식.


## S#37 —— 협력업체 사무실 입주 건물 복도, 낮

협력업체가 입주해 있는 사무실 쪽을 보는 동식과 그래.

| 동식 | (빠른 걸음으로 앞장선다) 잘못을 추궁할 때 조심해야 할 게 있어. |
|---|---|
| 그래 | (따라가며 동식을 보면) |
| 동식 | 사람을 미워하면 안 돼. 잘못이 가려지니까. 잘못을 보려면 인간을 치워버려. |
| | (사무실 문 앞에 서서) 그래야 추궁하고 솔직한 답을 얻을 수 있어. |
| 그래 | 네, 알겠습니다. |
| 동식 | (그래를 보고 눈짓한다) |
| 그래 | (노크하면) |
| 협력 황 부장 | (E) 네~ 들어오세요. |

동식과 그래, 서로 쳐다본다. 문을 여는 그래.


## S#38 —— 협력업체 사무실, 낮

문 열고 들어서는 동식과 그래.

| 동식 | 실례합니다. 원인터내셔널에서 나왔, ! |
|---|---|
| 그래 | ! |
| 협력 황 부장 | 아이구~ 어쩐 일이십니까. |

동식과 그래의 눈앞에 마주 앉아 있는 협력업체 황 부장, 박 과장, 협력업체 직원.

**그래**　　　　(약간 노려보듯 박 과장을 보며, Na) 잘못이 가려진다. 사람을 미워하면.

매서운 표정으로 박 과장을 쏘아보고 있는 동식. 피식 비웃는 박 과장.

**협력 황 부장**　하하하, 원인터에서 저희 사업에 관심이 많으신 모양입니다. 앉으시죠.
**박 과장**　　아니, 아니. 나가자구. (일어나며) 이렇게 오면 곤란하지. 상대 업체에 예의가
　　　　　　아냐. (동식을 째리며) 요르단 건으로 알고 싶은 게 있나 본데, 나가지.
　　　　　　뭐든 다 말해줄 테니까.

박 과장, 동식의 어깨를 몸으로 탁! 치고 지나가는데

**동식**　　　그렇게는 알 수가 없으니 저희가 온 것 아니겠습니까?
**박 과장**　　(돌아보며 표정 일그러지고) 이봐, 사업은 서류로 말하는 거야. (윽박지르듯 동식 코앞에
　　　　　　다가와 내려다본다) 절차 다 통과된 건에 대해서 대체 뭘 더 알고 싶다는 거야?
**동식**　　　(정면으로 단단하게 본다) 그 절차가, 어떤 절차였는지 알아야 해서요.
**박 과장**　　(비웃음) 니네가 뭔데 감사팀처럼 까불고 있어? 하면 공식적으로 하라고.
**동식/그래**　(박 과장을 본다)
**박 과장**　　일을 뭐 해봤어야지. 필드에서 어떤 일들이 벌어지는지 알지도 못하는 것들이
　　　　　　절차 따지기는.
**그래**　　　(노려본다)


## S#39 ── 영업3팀 + 영업2팀, 낮

상식, 창밖을 보고 선 표정에 깊은 고민이 배어 있다. 그걸 본 영업2팀 고 과장, 파티션에 가까
이 다가가서

**고 과장**　　야, 오 과장아. 너 아까 부장님하고 뭘 그렇게 쑥덕대?
**상식**　　　(고민 깊은 얼굴로 고 과장을 본다)
**고 과장**　　너 요즘 부장님하고 사이 좋드라? 질투 나게.
**상식**　　　(피식 웃는)
**고 과장**　　이제야 슬슬 라인의 중요성을 깨달은 거냐? 그래, 잘 생각했어. 잡을 건
　　　　　　잡아야지. 나 혼자 승진하면 내가 미안하잖아. 야, 적어도 부장은 달고 나가야지.
　　　　　　안 그래?

| 상식 | (가볍게 웃으며) 그래, 그렇지. |
|---|---|
| 고 과장 | 그치, 그래야 어디 가서… (하는데 울리는 휴대전화. 보고 반색하며 받는다) |
| | 예, 조 사장님! (손으로 오 과장한테 양해 구하고, 나가면서) 예, 도착하셨습니까. |
| | 예예, 지금 내려갑니다. (멀어진다) |

상식, 다시 무거운 얼굴로 고민한다. 소회의실1에서 몇몇 일행과 회의 마치고 나오는 김 부장, 상식과 눈이 마주친다. 굳은 얼굴로 싸하게 보고 가는 김 부장.

| 상식 | … |
|---|---|

상식, 결심한 듯 나간다.


## S#40 ─ 김 부장실 앞 통로, 낮

무거운 얼굴로 걸어온 상식. 무거운 얼굴로 창밖으로 보면서 깊은 시름에 잠겨 있는 김 부장을 보고 멈춰 선다. 흔들리는 상식의 표정. 부장을 한참 쳐다보고 있던 상식, 돌아서서 다시 간다.


## S#41 ─ 영업3팀, 낮

무거운 얼굴로 책상 앞으로 온 상식. 휴대전화로 동식에게 전화를 건다.

| 동식 | (E) 예, 과장님! |
|---|---|
| 상식 | … (낮게 깔린 목소리) 철수해라. |


## S#42 ─ 협력업체 사무실 안, 낮

| 동식 | (당황) 과장님… (하면서 박 과장을 본다) |
|---|---|


## S#43 ─ 영업3팀 앞, 낮

| 상식 | 철수하는 게 좋겠, |
|---|---|

(OL) 울리는 책상 위 전화.

**상식**        !

전화를 쳐다본다. 계속 울리는 전화. 상식, 부장실 쪽을 한 번 본다. 전화기를 귀에 대고 있는 부장이 보인다.

**상식**        다시 전화할게.

끊는다. 부장실을 다시 본다.


## S#44 — 협력업체 안, 낮

약간 묘해진 동식의 표정을 간파한 박 과장.

**박 과장**    (비열하게) 왜? 오 과장이 뭐래, 다시 들어오래지?
**동식**        (박 과장을 본다)
**그래**        (설마? 동식을 본다) !
**박 과장**    (피식 웃으며) 니들이 하는 짓이 그렇지. 오 과장님이 완전히 맛이 간 건 아닌가 보네.
**그래/동식**   (굳은 얼굴로 강하게 보듯)


## S#45 — 김 부장실, 낮

김 부장의 말을 기다리며 조용히 앉아 있는 상식. 창밖을 보며 말없이 서 있는 김 부장. 깊은 침묵에 빠진 두 사람. 잠시 후 상식이 먼저 입을 연다.

**상식**        덮겠습니다.
**김 부장**    (돌아선 재로) …
**상식**        그게 맞는 것 같습니다. 부장님, 아니 회사를 위해서.
**김 부장**    …
**상식**        그냥 영업3팀 안에서 해결하겠습니다. 박 과장 요르단 중고차 건은…
                수익률 제대로 책정해서 제대로 기획안 다시 올리라고 하겠습니다.
                대신 기획안 재처리와는 별개로 박 과장은 다른 팀으로 보내주십시오.
**김 부장**    그냥 진행해. 절차대로, 해.

상식과 돌아보는 김 부장의 시선이 부딪힌다.


## S#46 ─ 협력업체 사무실, 낮

팽팽한 분위기를 깨는 전화벨 소리! 동식의 전화가 울린다. 전화를 받는 동식, 별 표정 변화 없이 상대 얘기를 들으며

**동식**      네. 네. 네, 알겠습니다.

동식이 전화를 끊자 일동, 동식을 본다.

**동식**      절차대로 진행하기 위해서 감사팀이 곧 오기로 했습니다.
**박 과장**      (경악하는. 눈을 부릅뜬다) !

협력 황 부장, 화들짝 놀라 박 과장을 돌아본다.

**박 과장**      (버럭) 야, 김 대리! 무슨 일을 이렇게 크게 만들어? 설명해준다고!
**동식**      설명은 감사팀에,
**박 과장**      (한 손으로 동식의 멱살을 잡으며, OL) 일단 나가자고!
**동식**      (가만히 박 과장의 손을 떼놓고, 그래를 돌아보며) 그래 씨는 여기 있어.
**그래**      네.
**동식**      (협력 황 부장을 돌아보며) 관련 서류는 손대지 않으면 합니다.
**협력 황 부장**      그… 그러죠.

흥분한 박 과장이 동식을 이끌고 문을 탁 닫고 나가면, 협력 황 부장, 허겁지겁 어딘가로 전화를 건다. 그래, 조용히 휴대전화 녹음 앱을 켜고 책상 위에 올려둔다.

**협력 황 부장**      어, 난데. 상무님 계신가? 멀리 가셨나? 연락 못 넣어? 해봐. 급하다고.
**그래**      (보고 있다)
**협력 황 부장**      (끊고 다른 곳에 또 전화 건다) 사장님, 황 부장입니다. 지금 어디… 대관령 골프요?
                     네… 아니, 원인터에서 갑자기 감사를 나오겠다고…! (하다가 그제야 그래의 눈치를
                     살핀다. 다시 짐짓 침착한 척) 일단 와주셔야겠습니다. (손으로 입 가리고) 빨리요.
                     참, 그리고 원인터의… 아… 아닙니다. 문자로 넣어드리겠습니다.

전화를 끊고 허둥대며 문자 보내는 협력 황 부장. 그래, 그런 모습을 한 치도 놓치지 않고 지켜본다.


## S#47 — 협력업체 빌딩 밖 일각(주차장이나 옥상쯤), 낮

씩씩대며 빌딩 밖으로 나오는 박 과장. 무표정하게 따르는 동식. 구석 일각 멈춰 선 박 과장, 동식을 노려본다. 약간 긴장한 것 같지만 꼿꼿하게 박 과장을 쳐다보는 동식. 팽팽하게 대치되는 시선.

**박 과장**　(금방이라도 한 대 칠 것처럼 노려보며) 뭐? 뭐가 문제야? 응?

**동식**　(시선 피하지 않고 담담하게) 체크해서 문제 될 게 없으면 되잖습니까?

**박 과장**　(잠시 노려보다 이내 표정 약간 풀고) 이봐, 털어보면 먼지 안 나는 일 없어. (회유하듯)
　더구나 요르단 건같이 단위가 큰 사업은 해석하기 따라서 먼지로 보느냐,
　필요 과정으로 보느냐 달라진다고. 감사팀 온다는 거… (피식 웃으며)
　뻥끼 친 거지?

**동식**　(표정 변화 없이) 죄송합니다, 그런 게임 별로 안 좋아해서.

**박 과장**　(멈칫. 동식 한참 보다가 엄포하듯) 내가 지금 딱 두 명한테 전화할 거야.

**동식**　(본다)

**박 과장**　부장님, 상무님! 어?! (전화를 찾으며) 시바, 꼭 여기까지 가야겠냐? (휴대전화 꺼낸다)
　니들 진짜 지금 내가 전화하면 죽는 거야~ 오 과장은 물론이고!
　너네 똘마니들까지 전부!

**동식**　(싸하게) 지금쯤… 오 과장님께서…

박 과장, 전화 걸려던 손을 멈칫. 번득해서 본다.


## S#48 — 전무실, 낮

**동식**　(E) 최 전무님을 만나고 계실 겁니다.

최 전무 앞에 서 있는 상식과 김 부장. 굳은 얼굴로 서류를 보고 있는 전무. 천천히 고개를 들어 상식을 보는 전무. 그런 전무를 보는 상식.

## S#49 —— 협력업체 빌딩 밖 일각(주차장이나 옥상쯤), 낮 (S#47 연결)

바닥에 떨어지는 박 과장 휴대전화. 배터리와 분리되며 와장창. 박 과장, 동식의 멱살을 콱 잡는다.

**박 과장**　　(버럭) 너, 나한테 왜 이래? 어?
**동식**　　(굳은 얼굴로 무겁게 노려보며) 과장님이야말로 왜 이러십니까, 진짜…

박 과장, 멱살을 잡은 손 부르르 떤다.


## S#50 —— 협력업체 사무실, 낮

따르르릉 울리는 전화. 그래, 협력 황 부장을 보면 얼른 전화 받는 황 부장.

**협력 황 부장**　　예, 사장님. 예… (씩 미소를 띠고) 예… (전화를 끊고 자기 책상에서 서류 한 장 찾으며)
　　　　미안합니다. (그래 쳐다본다) 팩스 하나 급히 처리해야겠네요.
**그래**　　　　네… (황 부장의 옅은 웃음 얼핏 보는 그래)
**협력 황 부장**　　(팩스 보내고 얼른 전화하며) 네~ 팩스 방금 보냈는데 회신 바랍니다. 예~


## S#51 —— 몽타주, 낮

#협력업체 빌딩 밖 일각(주차장이나 옥상쯤). 동식을 노려보고 있는 박 과장

**그래**　　　　(Na) 상대가 일으킨 역류에 반응할 때가 왔다.

#협력업체 사무실. 문 쾅! 열리면서 박 과장 들어오면서 그래를 노려본다. 동식도 들어온다.

**그래**　　　　(Na) 적진 깊숙이 뛰어들 때는 이쪽도 목숨을 걸어야 한다.

뒤이어 동식 밀치며 넘어질 듯 사무실 안으로 급하게 뛰어 들어오는 협력업체 상무.

**그래**　　　　(Na) 실수를 먼저 하는 쪽이 지게 되어 있다.

#협력업체 빌딩 주차장. 차에서 내리는 상식과 감사팀 과장, 대리.

그래        (Na) 신물경속. 경솔하게 서둘러선 안 된다.

#협력업체 사무실 안. 미동도 없이 앉아 있는 박 과장과 동식과 그래. 협력업체 사람들은 허둥지둥한 얼굴이고 노려보고 있는 박 과장과 그 시선을 흔들림 없이 받고 있는 동식.

그래        (Na) 일단 전진하면 실패의 여지를 없애야 한다.

문이 탕! 열리면서 들어오는 감사팀 과장1, 대리1. 깜짝 놀란 협력업체 직원들, 굳은 표정의 협력 황 부장.

그래        (Na) 결과는 확연하다.

이어 굳은 표정으로 들어오는 오 과장. 박 과장이 꼿꼿이 노려본다. 오 과장과 눈이 마주치는 그래.

그래        (Na) 상대가 죽지 않으면 우리가 죽는다.


## S#52 —— 협력업체 외경, 낮

감사팀 과장    (E) 관련 문서들 다 제출해주십시오.


## S#53 —— 협력업체 사무실, 낮

박 과장 눈치 보면서 감사팀에 서류 전달하는 업체 황 부장, 소파에 앉아서 자료를 검토하는 감사팀. 상식도 앉아서.

그래          (Na) 양측의 문서를 확인하고, 거래 장부를 대조했다.
감사팀 과장    회사의 이익률이 지나치게 높게 책정됐다고 생각하지 않습니까?
협력 황 부장    (서류를 주며) 보십시오. 좀 전에 요르단에서 보내온 팩스입니다.
감사팀 과장    (받아서 유심히 본다)
협력 황 부장    보시면 알겠지만 요르단 업체 쪽에서 우리 회사를 선택했습니다.
            우리 회사로서는 높은 이익률을 요구할 수 있는 것 아닙니까?
그래          (Na) 틀린 말은 아니다. 그런 관점으로 보자면 업무 당사자의 판단에
            맡길 수도 있는 여지가 생긴다.
감사팀 과장    (서류를 검토하며) 일단 알겠습니다.

**박 과장**　　（당당한）사람 이렇게 후리는 거 아닙니다. 오 과장님, 이게 뭡니까? 거래처 앞에서.

**협력 황 부장**　뭔가 단단히 오해하신 듯합니다. 저희도 그렇게 절차 없는 회사 아닙니다.

상식, 동식은 굳은 얼굴이고, 박 과장과 협력 황 부장은 의기양양한 자세다. 이들을 쳐다보는 그래…

**그래**　　（Na）뭐지… 뭐지… （눈을 감고）확신은 안 서는데, 꼭 두고 싶은… 한 수.

　　　　　[Flashback] S#50
　　　　　전화를 거는 협력 황 부장의 얼굴.

**그래**　　（E）뭐지…

상식과 감사팀, 일어나서 나갈 준비하며

**감사팀 과장**　이번 사안에 대해 조속히 정리해서 처리하겠습니다. 실례 많았습니다.

**협력 황 부장**　별말씀을요.

굳은 얼굴로 서 있는 상식을 보는 그래.

**협력 황 부장**　요르단에서 팩스 안 왔으면 참 오해 깊어질 뻔했습니다.

**그래**　　（문득, Na）이기든 지든… 두고 싶은 수는, 두어지게 마련이다.

웃으며 이야기하고 있는 박 과장과 협력 황 부장을 바라보는 그래.

**그래**　　（협력 황 부장에게）아까 요르단 현지 회사와 통화하신 거죠?

**협력 황 부장**　예… 그랬죠.

**그래**　　거기에도 한국인이 있나요?

**협력 황 부장**　（본다）

**그래**　　한국말로 통화하시던데.

**협력 황 부장**　（당황）

**상식**　　（놓치지 않는다）팩스 좀 다시 봅시다.

협력 황 부장, 머뭇거리며 서류를 내민다. 상식, 서류를 본다.

| | |
|---|---|
| **협력 황 부장** | 요르단 ICB 컴퍼니에서 보낸 것 맞습니다. |
| **동식** | 그쪽 회사에도 한국인이 있나요? |
| **협력 황 부장** | (당황하고) 워낙 크고 한국과 거래하는 회사인데 한국인이 있기도 하죠. |

박 과장, 표정이 일그러져 고개를 돌린다. 놓치지 않고 박 과장을 보는 그래.

| | |
|---|---|
| **감사팀 과장** | (서류를 보며) 계약 라인에 한국 사람은 없군요. |

상식, 감사팀 직원이 보고 있는 서류를 쓱 본다.

| | |
|---|---|
| **상식** | 무함마드 인디라… 계약서에 가장 많이 등장하는군요. 임원입니까? |
| **박 과장** | 저쪽 GM, |
| **협력 황 부장** | (동시에) MD입니다. |

박 과장과 협력 황 부장, 당황해서 서로 본다. 그래와 동식도 서로 본다. 동식, 서류를 확인하며 전화를 꾹꾹 누르고, 스피커폰을 켠다.

| | |
|---|---|
| **동식** | (협력 황 부장에게) 저쪽 대표전화입니다. 무함마드 인디라 씨와 통화해주세요. |

뚜르르 뚜르르르… 울리는 전화 거는 소리. 협력 황 부장, 당황한다. 박 과장, 얼굴 굳어진다. 그래, 상식, 동식 그리고 감사팀 사람들은 울리는 전화 소리를 들으며 전화를 바라보고 있다. 그래, 단단한 표정으로 기다린다.

| | |
|---|---|
| **현지 직원** | (철컥! 하는 소리와 함께 전화 받고, E) 여보세요. |
| **일동** | ! |
| **상식** | (얼른 전화기로 다가가서) 여보세요~ ICB 컴퍼니 맞죠? |
| **현지 직원** | (E) 아, 네. |
| **상식** | 무함마드 인디라 씨 부탁합니다. |
| **현지 직원** | (E) 누구요? |
| **상식** | 무함마드 인디라 씨 부탁합니다. |

굳어진 박 과장의 얼굴이 보이고,

| | |
|---|---|
| **현지 직원** | (E) 무함마드? 아… 잠시만요. |

일동, 분위기. 긴장해서 기다리는 상식.

**무함마드**　(E) 네, 전화 바꿨습니다.

박 과장, 협력 황 부장, 얼굴 더욱 굳어지고,

**상식**　무함마드 인디라 씨 되시나요?

**무함마드**　(E) 그렇습니다.

**상식**　한국인이시네요.

**무함마드**　(E) 누구시죠? 어디서 전화하시는 건가요?

**상식**　여기는 한국의 원인터내셔널입니다.

**무함마드**　(E) 아!

**상식**　지난 계약에 서명 참여하신 분들은 현지인 맞으신 건가요?

**무함마드**　(E) 어… 제가 답변드리기 좀 그렇구요… 조금 있다가 임원분 오시면.

**상식**　(얼른 이어서) 무함마드 씨는 한국명이 어떻게 되시죠?

**무함마드**　(E) 박상준…이라고 합니다.

**상식**　박상준 씨는 직위가 어떻게 되십니까?

**무함마드**　(E, 당황) 전… 전무입니다.

**동식**　(서류를 보며) 무함마드 씨, 여기 서류상으론 상무로 되어 있는데요?

**무함마드**　(E) 아… 상무가 맞습니다. 그 서류에서는 얼마 전 승진했습니다.

**감사팀1**　(다가오며) 서류에 첨부된 법인등기 서류 말고 대표이사를 포함한 이사진들
　　　　　 명단을 보내주셨으면 합니다. 전화 끊지 마시고 바로 팩스로 보내주세요.

팩스 쪽으로 걸어가는 그래.

**무함마드**　(E) 왜 그러시죠? 저희가 그럴 의무가 있습니까? 자꾸 이러시면 곤란한데요.

**감사팀1**　법적 절차 들어가기 직전의 확인 작업 중이라는 말씀을 빼먹었군요.
　　　　　 저희 회사 법무팀에서 계약 당시 검토한 바에 따르면, ICB 컴퍼니는 현지인으로
　　　　　 이루어진 회사라고 알고 있는데요. 법인 신고도 그렇게 되어 있구요.

**무함마드**　(E) …잠시만 기다리십시오.

팩스 앞에 서 있는 그래. 잠시 후 삐삐 소리와 함께 팩스가 들어온다. 들어온 팩스를 보고 있는 그래, 옆에서는 감사팀 대리가 다가오며 통화한다.

**감사팀 대리**　현지 업체 확인 좀 해야겠어. 요르단 암만에 누구 나가 있나?
　　　　　　　 응… 응. 바로 연락해서 내가 보내준 주소로 찾아가라고 해.

박 과장, 굳은 얼굴로 서 있다.

**감사팀 과장**    (스피커폰으로) 저희 파견 직원이 곧 그 업체로 찾아갈 겁니다. 잘 설명해주세요.

박 과장, 상무, 협력 황 부장, 굳어진 채 본다. 팩스를 챙겨서 상식에게 주고 밖으로 나가는 그래.


## S#54 ─ 협력업체 사무실 문밖, 낮

긴장된 표정으로 휴대전화를 들고 어디론가 전화 거는 그래.

Ins. 영이의 트럭
긴장해서 운전하고 있는 영이 옆에서 쿨쿨 자는 석율, 엉덩이와 의자 사이에서 지잉지잉 울리고 있는 휴대전화.

전화 끊고 다시 전화하는 그래.

Ins. 자원2팀
계속 책상 위에서 울리는 전화. 하 대리가 귀찮은 듯 받는다.

**그래**      (E) 안녕하십니까. 영업3팀 장그래입니다. 안영이 씨 좀 부탁합니다.
**하 대리**   지금 없어. (그냥 끊어버린다)


## S#55 ─ 자원팀, 낮(오후 6시쯤)

**유 대리**    (영이 자리 보며 어이없이) 얜 왜 안 와? 접수하란나고 바로 퇴근한 모양이네요.
            (일어나서 정 과장에게 서류 들고 가며) 가란다고 가? 하여튼 지 편할 대로
            해석하는 애들이 꼬오~옥 있어. 특히 여자들.
**정 과장**    이래서 내가 여자들이랑 일을 못 한다는 거야. 기회다 싶은 건 놓치질 않아요.
            (고개 절레절레 흔들며) 회의 들어가자.

정 과장에게 서류 받아 들고 먼저 나가는 유 대리. 이어 나가는 정 과장. 짜증 난 표정의 하 대리. 영이에게 전화 걸지만 통화 중이다. 신경질적으로 전화 끊고 따라 나가는 하 대리.

## S#56 — 협력업체 사무실 밖, 낮

통화 중인 그래.

| | |
|---|---|
| 영이 | (E) 아, 장그래 씨, 저 지금 출장 중이에요. 미안한데 끊어야겠어요. |
| | 제가 지금 통화하기 곤란해서요. (끊는다) |
| 그래 | (끊긴 전화 들고) 아… |

그래… 전화기를 들고 고민스럽게 갈등하다가 백기에게 건다.

## S#57 — 철강팀, 낮

말없이 전화 받고 있는 백기.

| | |
|---|---|
| 그래 | (E) 조사 가능할까요? |
| 백기 | … |
| 그래 | (E) 장백기 씨, 부탁드립니다. |
| 백기 | …알겠습니다. 감사팀에 문의해서 알아볼게요. |

## S#58 — 협력업체 사무실 밖, 낮

| | |
|---|---|
| 그래 | 고맙습니다. |

끊고 휴대전화를 쳐다본다. 협력업체 사무실 한 번 굳게 쳐다보는 그래.

## S#59 — 협력업체 사무실 안, 낮

들어오는 그래의 눈에 박상준(무함마드)과 계속 통화 중인 감사팀 보인다. 상식과 동식은 굳은 얼굴로 감사팀 보고 있고, 잔뜩 날 서 있는 박 과장.

| | |
|---|---|
| 감사팀1 | 박상준 씨는 요르단 시민권자인가요? |
| 무함마드 | (E) 아… 그런 건 아닙니다. |
| 감사팀1 | 그런데 왜 현지인 이름을 쓰고 계약서에 사인까지 했습니까? |

현지인으로 위조한 것으로 봐도 되겠습니까?

**박 과장** (갑자기 버럭 고함치며) 큰일 날 소리들 하시네~!

**상식** (박 과장을 쳐다보는 상식)

**박 과장** (감사팀에게서 확 전화기 뺏어서 끊으려 하며) 자, 이쪽 업체 수익률 쎄게 잡아준 거 인정합니다. 내 책임이고 실수라고 합시다. (오 과장 보며 가슴 탁탁 치며) 제가 책임 질게요. 감봉이든 뭐든 다 책임진다구요! (상식과 동식 보며 어이없다는 듯 성질내며) 저쪽 업체는 빼요. 이게 뭡니까, 쪽팔리게! 비즈니스 하는 사람 얼굴이 생명이라구요. 내가 부족해서 그런 걸로 하자구요! 됐습니까? 시원요?!

박 과장을 보고 있는 동식, 상식, 그래. 순간 정적이 흐르고. 그래의 휴대전화 띵동 하고 울리며 문자 들어온다. 문자 보는 그래…

**그래** (Na) 하나의 수는 그 직전의 수가 원인이 된다.

Ins. 바둑판 위, 화점을 중심으로 우상귀에 놓인 흰 돌 하나. 화점 아래 놓이는 검은 돌.

**그래** (Na) 지금 이 수가 왜 놓여졌는지 이해하려면 그 전의 수를 봐야 한다.

버럭버럭 고함치고 있는 박 과장의 얼굴,

**그래** (Na) 상대가 반발하는 것을 이해하려면 지금까지의 수중에서 무엇이 아팠는지 알아야 한다.

박 과장을 바라보는 상식과 동식.

**그래** (Na) 백마진 정도로 따지려고 했던 일은… 사실 그 정도가 아니라는 것을, 지금 말해주고 있다.

**박 과장** (여전히 고함치며) 회사로 갑시다! 가서 경위서 쓰면 될 거 아닙니까!

**그래** (Na) 박 과장 스스로…

요르단에서 온 ICB 컴퍼니 임원 명단을 유심히 보는 그래.

**그래** (혼잣말하듯) 제임스…

**동식/상식** (그래를 돌아본다)

**그래** ICB 컴퍼니 이사진 중 제임스란 분은… 박 과장님이시군요. (고개 돌려 박 과장 보며 날카로운 눈빛으로) 제임스 박!

Episode 10

일그러져서 흠칫하는 박 과장.

**그래**　　　(문자를 보며) 그리고 현지의 박상준 씨는… 사촌동생…

박 과장을 비롯한 일동, 전화기를 멈칫 본다.

**그래**　　　바로…

협력업체 사장, 벌컥! 문을 열고 들어온다.

**협력 사장**　　이게 무슨 난리야? 일이 어떻게 된 거냐고?
**협력 황 부장**　(울상) 사장님…
**그래**　　　(사장을 돌아보며) 이분의 아드님이죠.
**협력 사장**　　(놀라 어리둥절)

어두운 표정으로 굳어지는 박 과장, 협력 황 부장. 그리고 그 모습을 보는 영업3팀.

**그래**　　　(Na) 모든 균열은 내부의 조건이 완성시키기 마련이다.
**그래**　　　그렇죠, (협력 박사장을 보며) 박 사장님?

거친 숨을 몰아 쉴 틈도 없이 당황해서 멍~한 박 사장과 일그러진 얼굴로 그런 박 사장을 보는 박 과장, 다시 그래를 쏘아보며

**박 과장**　　장그래, 너 이 새끼…

박 과장의 시선을 피하지 않고 받는 그래.


## S#60 ── 협력업체 주차장, 저녁

차 앞에서 있는 상식 일동, 저쪽 감사팀 일행과 있는 박 과장을 본다. 박 과장도 상식을 노려보듯 쳐다본다. 감사팀 팔을 탁, 치고 차 안으로 들어가는 박 과장. 상식 일동에게 인사하는 감사팀. 차 출발하고, 상식 앞을 지나가는 차. 안의 박 과장을 보는 상식.

**상식**　　　보상받는 거라고 생각했을 거다.
**동식/그래**　　(상식을 돌아본다)

그 위로 환호와 박수 소리.

## S#61 ── 철강팀, 낮(박 과장의 과거)

박 과장을 둘러싼 사람들. 사무실 가득 채우는 박수와 환호 소리 계속된다. 축하받는 박 과장. 뿌듯하고 기쁘다. 사람들과 악수하며 얼얼한 표정.

**상식**      (E) 2008년, 요르단과 1억 2000만 불 수출 계약 달성. 철강팀 단독으로 이룬 최대 성과였지. 박 과장은 그때 현지 업체 관계자들과의 커뮤니케이션을 전담했어. 몇 번이나 틀어질 뻔한 일을 해결해내면서 계약의 일등공신이 됐었지.

자부심 넘치는 박 과장의 눈. 어느새 찌잉. 눈물이 고인다.

**직원1**      자! 이것이 무엇이냐? 상무님의 법인카드!
**일동**      와아아아아~
**직원1**      마시고 죽을 때까지 달려보자고!

"와~아!" 손뼉 치며 환호하는 사람들과 웃는 박 과장.

## S#62 ── 술집 거리 일각, 밤(박 과장의 과거)

어두운 골목 일각에서 웩웩 토하는 박 과장. 취한 직원1, 두드려주며

**직원1**      (혀 꼬부라진) 벌써 가면 안 돼. 4차, 5차 끝판까지 가야쥐.
**박 과장**      (토하면서도) 가야쥐~! 가야쥐~! 웨~엑.

## S#63 ── 철강팀 사무실, 낮(박 과장의 과거)

업무 중인 사무실. 앉아서 따분한 얼굴로 일하고 있는 박 과장. 타자 소리, 전화벨 울리는 소리, 컴퓨터 돌아가는 모터 소리 등이 거슬리는 박 과장. 점점 박 과장의 표정 구겨진다. 펜으로 수정하던 보고서 초안을 부욱부욱 볼펜으로 막 긋는다. 찢어지는 종이. 마구 구긴다. 짜증 가득한 박 과장 표정. 벌떡 일어나서 사무실 안을 본다. 일하는 직원들 모습 보인다. 멍한 표정으로 자기 자리 내려다보는 박 과장. 어질러진 서류 뭉치. 더덕더덕 붙어 있는 포스트잇. 화이트보드 쳐다보

**박 과장**     (찡그리며) 재미없네. (불량스럽게 고개를 떨궜다가 다시 들고 응시하며) 돈은 니들이 다 처
　　　　　　먹고… 난 월급이나 받아 가면, 땡이냐…


## S#64 ── 거래처 사무실, 낮(박 과장의 과거)

테이블 위에 놓여 있는 커피 잔과 봉투에서 반쯤 삐져나와 있는 계약서.

**박 과장**     사장님, 안 되는 건 안 되는 거예요. 내가 결재하는 것도 아니고.

하고 일어나려는데 봉투 반쯤 찔러주는 거래처 사장1.

**박 과장**     (놀라서 봉투 빼며) 에헤이~ 뭐 하시는!
**상식**　　　  (E) 아마 시작은 그랬을 거야?


## S#65 ── 화장실, 낮(박 과장의 과거)

심각한 표정으로 봉투 쳐다보는 박 과장. 봉투를 여니 제법 많은 액수의 만 원짜리 다발.

**상식**　　　  (E) 이렇게… (씩 웃는) 보상받는 거구나, 하고 생각했겠지.

휴지통에 툭, 버려지는 빈 봉투.


## S#66 ── 다른 거래처, 낮 혹은 밤(박 과장의 과거)

탁자 위로 슥 테이블 위로 내밀어지는 쪽지. "동양은행 303-0732-5789"라고 적혀 있다.

**박 과장**     (E) 여기로 20퍼센트 보내주세요. 애들 시켜서.
**상식**　　　  (E) 노골적으로 리턴을 요구하게 되고

## S#67 — 또 다른 거래처, 낮 혹은 밤(박 과장의 과거)

테이블 위에 놓여 있는 박 과장 계좌 쪽지, 누군가 '후~' 불어버린 듯 가볍게 나가떨어지고 빈 탁자 위로

**사장3**  (E, 껄껄 웃으며) 스케일 있게 가야지. (간사스럽게) 현지 허름한 업체 하나
     인수해버려. 간판 하나 믿을 놈 박아놓고 이사 들어가 있으면,
     **따박따박 돈 나오고 얼마나 좋아?**

점점 홀리듯 이야기 듣고 있는 박 과장의 표정.

**사장3**  (E) 여기서 자네가 영업하는 대로 다 자기 돈이라고.
**박 과장**  (흔들리는 얼굴)
**사장3**  (E) 땀 흘린 보람은 있어야지.

홀린 얼굴로 사장을 쳐다보고 있는 박 과장.

**상식**  (E) 아마 그때 머리가 처음 열리고, 세상이 보였겠지.


## S#68 — 철강팀 사무실, 낮(박 과장의 과거)

#박 과장 자리. 턱 괴고 마우스 틱틱 누르고 있는 박 과장.

**상식**  (E) 모든 절차와 과정이 시시해 보이고 답답해 보였을 거야.

#통로. 지나가던 상식과 마주치는 박 과장. 인사하고. 심각하게 전화 받는 직원들을 돌아보면서

**박 과장**  뭐 저리 대단한 일 한다고 바쁜 척들인지… 그죠?
**상식**  (피식 웃으며 본다)
**상식**  (E) 우습지도 않았겠지.


## S#69 — 아파트 앞 거리, 낮(박 과장의 과거)

거만하게 아파트를 쳐다보고 있는 박 과장.

| 공인중개사 | (E) 이 아파트가 시세보다 상당히 싸게 나왔습니다. |
|---|---|
| **박 과장** | (거만하게) 위치는 좋네. |
| **상식** | (E) 세상 일이 쉽고, 자연스럽다라고 믿어질 즈음, |


## S#70 — 협력업체 주차장, 저녁

멀어지는 박 과장의 차를 보며

| **상식** | 다시 모든 게 아무것도 아닌 것이 돼버린 거지… |
|---|---|
| **그래** | … |
| **동식** | (멀어지는 차를 보며) 결론이 어떻게 날까요? |
| **상식** | 글쎄다. |
| **그래** | (본다) |
| **동식** | (씁쓸하게 웃으며) 밖에서 볼 땐 정의구현 권선징악인데 말이죠, |
| | 회사 안에는 회사 안의 법이 있으니까. |
| **그래** | (보며) 회사 안의 법이요? |
| **상식** | 우린 우리 자리에서 할 일을 한 것으로 만족하자고. |
| **동식** | 근데 (그래를 보며) 어떻게 박 과장 영어 이름 알아볼 생각을 했어? |

상식도 본다. 고개를 떨구며 살짝 미소 짓는 그래

[Flashback] S#50 팩스 받아서 유심히 보는 장그래

| **그래** | (E) 팩스 온 걸 살펴보니 임원진 명단에 유독 박 씨가 많더라구요. |
|---|---|

[Flashback] 백기에게서 온 문자 메시지 확인하는 그래

| **그래** | (E) 박 과장님 명함에 있는 영문 이름을 물어보니 제임스 박이구요. |
|---|---|

[Flashback] 전화 받는 백기

| **그래** | (E) 그런데 장백기 씨가 회사에 있는 박 과장님 정보를 감사팀에 문의해 조사해보니, |
|---|---|
| **그래** | 박 과장님 아버님과 이 회사 대표님 이름의 항렬이 같더라구요. |
| **상식** | 박상준이 사촌동생인 건? |
| **그래** | 박 과장님은 누나 한 분에 외아들이고, 아버님은 형제 두 분뿐입니다. |

그럼 당연히 사촌동생이겠다 싶었죠.

**동식**    (어이없이 그애를 보면)

**상식**    감만 산 놈. (차에 휙 타다 말고 동식에게) 아, 무역보험공사 쪽에도 상황 전해.
다른 피해 업체들 없게.

**동식**    네.

상식, 동식, 웃으면서 타고 운전석에 타는 그애.


## S#71 — 원인터 외경, 밤


## S#72 — 자원팀, 밤

다급하게 몰두해서 일하는 하 대리, 풀어진 와이셔츠에 쑤신 머리에 거뭇한 수염에 지친 얼굴 몰골이 하루 종일 정신없이 일한 모양새다. 마지막 일 처리를 하듯 프린트된 서류를 탁탁 추슬러 스테이플러로 집고 파일철에 탁 넣고는 "후~" 한숨을 내쉰다. 가볍게 목 스트레칭을 하고 시계를 보면 시간이 자정에 가까워져 있다.

**하 대리**    후… 힘들다. (빠르게 책상 위를 정리하다가 문득 빈 영이 책상을 본다) …

다시 정리하고 일어나 가방을 싸고 바지 밖으로 삐져나온 와이셔츠를 넣으며 정리한다. 그러다가 다시 멈춘다. 빈 영이 책상을 다시 쳐다보는 하 대리.

> [Flashback] S#32
>
> **하 대리**    (유 대리에게) 그냥 올라오라고 확실히 말했어?
>
> **유 대리**    (일하며) 네. (휙 보고 씩 웃으며) 여자인 니가 할 수 있는 일은
> 아~무 것도 없다라고 확~실하게 인지시켜줬죠.

영이 책상을 계속 쳐다보고 있는 하 대리. 잠시 망설이다가 전화기를 든다.


## S#73 — 트럭 안, 밤

초췌하게 지친 얼굴로 여전히 눈을 부릅뜨고 운전하고 있는 영이. 옆에는 해쓱한 얼굴로 잠들어 있는 석율, 옆에 둔 영이의 휴대전화가 울리자 눈을 번쩍 뜨며 전화를 받는다.

| 석율 | 여, |
|---|---|
| 하 대리 | (OL, E) 너 어디야?! |
| 석율 | (깜짝, 어리둥절~하다가 영이 휴대전화인 걸 보고 얼른 영이의 귀에 대준다) |
| 영이 | 여보세요. |
| 하 대리 | (E) 집이야? |
| 영이 | 네? |

## S#74 — 자원팀, 밤

뻣뻣한 얼굴로 전화하고 있는 하 대리.

| 하 대리 | 일 안 됐다면서? 변수가 생겼는데 보고도 안하고 퇴근해? 내가 바로<br>퇴근란란 건 그쪽에서 일이 오래 걸리니까, 뭐? (듣는, 깜짝 놀라 확 일그러진)<br>뭐?! 너 지금 그게 무슨 말이야?! |
|---|---|

## S#75 — 트럭 안, 밤

| 영이 | (열심히 운전하며) 네, 그러니까 걱정하지 마십시오. 지금 인천항에 가서 내려놓고<br>두 번만 더 갔다 오면 됩니다. 내일까지 차질 없이 다 완료할 수 있습니다. |
|---|---|
| 하 대리 | (E) 야 이 또라이 새끼야! |

깜짝 놀라는 영이, 화들짝 놀라는 석율.

## S#76 — 자원팀, 밤

| 하 대리 | (완전히 열받은) 야, 이씨 삐~ 너 지금 나 엿 먹이려고 이러는 거야?!<br>이 씨삐~ 삐삐삐삐삐~ 너 정말 어떻게 나한테 이렇게 할 수 있어?!<br>이 씨 삐삐삐~ 이씨 (버럭) 그거 내일까지 안 옮겨도 되니까 당장 들어와!<br>내일 사람 보낼 테니까 당장 들어와! |
|---|---|

## S#77 ── 트럭 안, 밤

끊어진 전화를 영이의 귀에 댄 채 멍~하게 있는 석율. 끊어졌는지 재차 확인한다.

**석율**　　(식겁하며) 진짜 하 대리님 너무하시네.

**영이**　　…

**석율**　　어떻게 여자한테 쌍욕을 해 쌍욕을. 와… (재차 휴대전화 보며) 안영이 씨,
　　　　진짜 이러고도 회사 계속 다녀야 돼? (억울, 감정 이입) 열심히 하고도
　　　　우리 왜 이런 대접을 받아야 하냐고. 세상의 정의는 어디로 간 거야.
　　　　우리 진짜 열심히 했잖아!

**영이**　　…


## S#78 ── 원인터 주차장(차 안 + 차 밖), 밤

씩씩거리면서 기다리고 있는 하 대리. 휴대전화 시계를 보면 새벽 3시 가까운 시간. 그때 주차
장 입구에서 차 들어오는 소리 난다. 보면, 영이의 트럭이 들어온다. 열받고 기막힌 하 대리. 트
럭 쪽으로 막 걸어간다. 트럭 서고, 다급히 내리는 초췌한 영이를 보면서 바로 쏟아내는 하 대리.

**하 대리**　　야! 씨삐삐삐삐삐~ (욕하는 소리 삐 음 처리로)

#차 안. 석율, 내리려다가 문을 조용히 닫으면서 의자 밑으로 스~윽 내려간다.

#차 밖

**하 대리**　　너 지금 사고라도 나면 어쩌려구 이 따위 짓이야?!
　　　　　　회사가 산재 한 번 맞으면 이미지 얼마나 깎이는지 알아?!

**영이**　　(숙이며) 죄송합니다.

**하 대리**　　꼴 보기 싫으니까 가!

**영이**　　주차해놓고 가겠,

**하 대리**　　(OL) 꺼지라고!

영이 꾸벅 인사하고 가면 하 대리, 씩씩거리며 차 문을 벌컥 열고 타려다가 깜짝 놀란다. 조수석
밑에 미끄러져 내려가 있는 석율이 머리만 돌려서 배시시 웃는다.

**석율**　　안녕하십니까? 죄송합니다. 안녕히 계십시오.

허겁지겁 일어나 후다닥 내려서 영이 쪽으로 다급히 가는 석율. 어이없이 쳐다보던 하 대리, 짐칸에 실린 포대를 본다…

## S#79 ─ 원인터 외경, 아침

## S#80 ─ 김 부장실, 낮

상식과 말없이 쳐다보고 앉아 있는 부장.

**동식**　　(E) 위치에 따라 책임의 강도도 달라지지.

## S#81 ─ 옥상 정원, 낮

커피 마시며 심각한 표정의 동식. 그런 동식 보고 있는 그래.

**동식**　　부장님과 상무님은 타격이 크실 거야. 특히 고위급 임원은 더하지.
**그래**　　더하다는 건.
**동식**　　한직으로 밀려나거나, 경찰 수사 결과가 나오고 생각보다 사안이
　　　　더 중할 경우, 자리 빼는 건 각오하셔야지.
**그래**　　… (생각에 잠긴다.)
**동식**　　(빌딩 숲 내려다보며) 남들이야 우리더러 넥타이 부대니 일개미니 하고…
　　　　나 하나쯤 어찌 살아도 사회든 회사든 아무렇지도 않겠지만, (컵 버리고)
　　　　그래도 이 일이 지금의 나야.
**그래**　　(중얼거리듯) 그래봤자 바둑, 그래도 바둑.
**동식**　　(의아한 듯 쳐다보며) 응?
**그래**　　조치훈 9단이 하신 말씀이세요. 바둑 한 판 이기고 지는 거…
　　　　그래봤자 세상에 아무 영향 없는 바둑.
**동식**　　(약간 씁쓸하게 웃으며) 그렇네…
**그래**　　(Na, 멀리 보면서) 그래도 바둑. 세상과 상관없이 그래도 나에겐 전부인 바둑.

## S#82 ── 몽타주, 낮

#15층 사무실. 치열하게 일하고 있는 사람들.

**그래**       (Na) 왜 이렇게 처절하게 치열하게 바둑을 두십니까. 바둑일 뿐인데.

#트럭 안. 눈을 부릅뜨고 트럭 몰던 영이와 옆에 석율.
#15층 창고 안(S#14와 같은 장소). 창고에서 일하고 있는 백기.

**그래**       (Na) 그래도 바둑이니까. 내 바둑이니까.

## S#83 ── 원인터 밖, 밤

나오는 그래, 원인터를 돌아본다. 깜깜한 밤하늘 아래 솟은 원인터 빌딩 간간이 켜 있는 사무실의 불빛. 하나둘 꺼진다.

**그래**       (Na) 내 일이니까…

## S#84 ── 언덕 공원, 밤(제1국 S#51과 같은 장소)

언덕을 내딛는 그래의 발. 멈춰 서서 고개 돌리는 그래. 깊은 눈빛으로 그래의 눈에 서울의 야경 들어온다.

**그래**       (Na) 내게 허락된 세상이니까.

펼쳐진 서울의 빌딩 숲 야경. 엔딩.

# Episode 11

제11국

## S#1 — 15층 사무실 입구 + 영업3팀 앞 + 화장실 + 통로, 낮

휘둥그레한 얼굴로 허겁지겁 들어오는 석율, 영업3팀 쪽으로 바쁘게 간다. 비어 있는 영업3팀을 두리번거리다가 화장실로 간다. 화장실 안을 기웃거리지만 아무도 없다. 다시 탕비실로 가기 위해 잰걸음을 치던 석율, 마침 15층 입구에서 들어오던 백기를 만난다.

| | |
|---|---|
| 석율 | (다급히) 장그래 못 봤어요? |
| 백기 | 네. (가려 하면) |
| 석율 | (붙잡고) 박 과장님 얘기 들었어요? |
| 백기 | (보면) |
| 석율 | 못 들었구나! 장그래가 글쎄요, (문 쪽을 보고) 어?! 장그래! |

백기, 돌아보면 들어서던 그래, 백기를 본다. 백기도 본다.

| | |
|---|---|
| 석율 | (후다닥 가서) 대체 어떻게 된 거야? |
| 그래 | (백기에게 가서 낮게) 고맙습니다… |
| 석율 | (응? 하듯 호기심으로 백기를 휙 보는데) |
| 백기 | 인사 들을 만한 거 아닙니다. (간다) |
| 그래 | … |
| 석율 | 뭔데? 뭐야 응? |

하는데 요란한 발소리와 함께 박스를 든 감사팀(제10국의 감사팀 과장, 대리 포함, 사원1)이 들어온다. 비켜선 그래와 석율을 지나 성큼성큼 가는 감사팀.

| | |
|---|---|
| 석율 | (휘둥그레) 감사팀 떴다! |
| 그래 | … |

## S#2 — 영업3팀, 낮

들어서는 감사팀을 굳은 얼굴로 보고 있는 상식과 동식.

| | |
|---|---|
| 감사팀 과장 | (목례하고) 오 과장님, 박 과장 물건 수거해 가겠습니다. |
| 상식 | … |

감사팀, 일사불란하게 나뉘어져 물건들을 담는다. 서랍 속 물건을 챙기고, 책상 위 물건을 담는

감사팀 사원1. 감사팀 대리는 캐비닛을 열고 박 과장 파일을 담기 시작한다. 그래와 석율, 조금 빠른 걸음으로 들어온다. 순식간에 쓸어 담은 감사팀, 인사하고 영업3팀을 빠져나간다.

| | |
|---|---|
| **석율** | (휘둥그래져서) 박 과장님은 어떻게 되는 거예요? |
| **상식** | (착잡하게 박 과장의 자리를 본다) |
| **동식** | (상식에게 착잡하게) 회사 창립 이래 제일 큰 비리 사건이래요. |
| **상식** | … |
| **동식** | 부장님… 괜찮으실까요…? |

그래, 착잡하게 굳은 얼굴의 상식을 본다.

| | |
|---|---|
| **그래** | (Na) 우려는 현실이 됐다. |

## S#3 — 몽타주, 낮

#감사실 문 앞. 긴장한 얼굴로 감사실 문을 열고 들어가는 정 과장. 닫히는 문 위로

| | |
|---|---|
| **그래** | (Na) 자원2팀 정 과장이 참고인으로 불려갔고,<br>당시 박 과장의 상사였던 조원진 차장과 신재민 차장이 불려 가고 |

#상무실. 책상 위 '상무 김성만' 명패 위로

| | |
|---|---|
| **그래** | (Na) 김성만 상무까지 감사를 받아야 했다. 그리고… |

#김 부장실. 앉아 있다가 착잡하게 일어나서 나가는 김 부장… 나가다 말고 뒤를 돌아 책상을 본다.

| | |
|---|---|
| **그래** | (Na) 김 부장님 역시 책임을 피해갈 수 없었다. |

밖으로 나가는 김 부장.

## S#4 — 전무실, 낮

차갑게 굳은 얼굴로 앉아 있는 전무. 그 앞에 박 과장이 고개를 숙인 채 절박하게 앉아 있다.

| 박 과장 | 한 번만 살려주십시오, 전무님. |
|---|---|
| 최 전무 | (속을 알 수 없는 차가운 표정으로 본다) |
| 박 과장 | (절박하게) 전무님. |
| 최 전무 | 종식아. |
| 박 과장 | (기대하는 얼굴로) 네! 전무님. |
| 최 전무 | 이 정도 일 가지고, 그치? 상사맨이 때에 따라 사기꾼도 되고 갬블러도 되고 해야 하는 건데 말야. |
| 박 과장 | 네, 그렇죠! 일을 잘되게 하려다 보면 기름칠도, |
| 최 전무 | (OL) 지난번 우리 딸애 결혼식 때 고마웠다. |
| 박 과장 | 네? 아닙니다! |
| 최 전무 | 공항에서 곧장 왔지, 아마? 숨이 턱에 차서 뛰어오던 모습 기억나네. |
| 박 과장 | 출장 중에 부랴부랴 오느라, 하하. |
| 최 전무 | 그래… 그런 놈이었는데. |
| 박 과장 | …네? |
| 최 전무 | 조금씩 늦긴 해도 시간에 못 맞추진 않았는데 말야. |
| 박 과장 | ?! |
| 최 전무 | 이번엔 많이 늦었구나. |
| 박 과장 | ! |

박 과장의 눈가가 부르르 떨린다.


## S#5 ─ 원인터 로비, 낮

출근하는 그래, 엘리베이터 근처에 붙은 인사이동 공고 앞에 몰린 사람들을 본다.

**<인사이동 공고>**

김성만 상무 → 원 섬유화학 발령
김부련 부장 → 원 알루미늄 발령
조원진 차장 → 원 섬유화학 발령
신재민 차장 → 원 물류센터 발령

쑥덕거리는 사람들.

| 사원1 | 김 상무님은 벌써 사직서 냈다던데…? |
| --- | --- |
| 사원2 | 최 전무님 라인 완전히 반토막 난 거 아냐…? |
| 그래 | … |

## S#6 ── 전무실, 낮 혹은 밤

꼿꼿한 모습으로 혼자 앉아 있는 전무. 속을 알 수 없는 묵직한 표정.

## S#7 ── 부장실 밖, 낮 혹은 밤

김 부장 앞에 고개 숙이고 있는 상식. 김 부장, 상식을 보다가 어깨를 툭툭 친다.

| 상식 | 부장님… |
| --- | --- |
| 김 부장 | 자리 정리되면 연락할 테니 소주나 사라고. |

저벅저벅 걸어가는 김 부장을 보는 상식의 눈빛이 흔들린다.

| 신입 상식 | (E) 안녕하십니까! 신입사원 오상식입니다. |
| --- | --- |

과거 장면들과 걸어 나가는 김 부장과 상식의 현재 상황이 대비된다.

[Flashback] 자원팀, 낮(14년 전)
신입사원 상식이 대리 시절 젊은 김 부장에게 인사한다.

| 김부련 대리 | (웃으며 악수 손 내밀며) 난 김부련 대리야. |
| --- | --- |

[Flashback] 자원팀(14년 전)
전화기 들고 통화하며 함박웃음 짓는 신입 상식.

| 신입 상식 | (영어) 감사합니다! 차질 없이 보내겠습니다! 네! 네! |
| --- | --- |

김부련 대리를 돌아보면 기뻐서 엄지손가락을 치켜올리는 김부련. 신입 상식, 전화 끊고 돌아서면 대리 김 부장과 하이파이브 하며 기뻐한다.

191

[Flashback] 제2국 S#6 김 부장실

**김 부장**　　　산에나 가지. 전무님도 오실 건데.

**상식**　　　아. 생각해보니 일요일에 동창 모임이 있는 걸 깜박했,

**김 부장**　　　(OL) 챙겨줘도 받아먹질 못 하는 건 바꿀 생각이 없는 건가?


[Flashback] 제5국 S#16 김 부장실

**김 부장**　　　너 지금 이게 무슨 짓이야? 사람을 왜 때려?

**김 부장**　　　애야? 말보다 주먹이,

**상식**　　　(홱 돌아서 나간다)

**김 부장**　　　인마! 오상식! 야!


[Flashback] 제5국 S#22 김 부장실

**김 부장**　　　어떻게 할 거야?

**상식**　　　에라 뽕이라고 전해주십시오.

**김 부장**　　　오 과장!

**상식**　　　(꾸벅하고 나간다)

**김 부장**　　　(하늘이 무너져라 한숨 쉬며 의자에 털썩 앉는다)


[Flashback] 제7국 S#69 식당

**김 부장**　　　그래, 좋아. 좋다구. 완성된 아이템이야. 가면 돼.
　　　　　　　내 말은 이건 확정이라 생각하자 이거지.
　　　　　　　오 과장 사업 만드는 중이잖아. 힘 실어주자고.


[Flashback] 제8국 S#69 김 부장실

**김 부장**　　　나 당신 애들 돌잡이 다 본 사람이야.

**김 부장**　　　(검서 상식에게 주며) 재검받고. 나음 사업은 중동 아이템으로
　　　　　　　큰 거 찾아봐. 이번에는 내가 정말 확실하게 밀어줄 테니까.

**상식**　　　네, 감사합니다 부장님.

**김 부장**　　　이거 가져가! (책상 아래서 선물 상자 꺼내서 내민다)
　　　　　　　말린 장언데 바이어 주려고 사둔 거야. 가서 챙겨 먹어.


천천히 통로를 걸어가는 김 부장. 15층 사무실 밖으로 나가는 김 부장의 뒤에 대고 온 마음을 다해서 허리를 숙이는 상식.

## S#8 ── 몽타주, 낮

#회사 로비 밖. 차분한 얼굴로 걸어오는 그래.

그래        (Na) 정말 안타깝고 아쉽게도,

#대국. 반집 차로 지게 된 바둑판을 내려다보고 있는 어린 그래.

그래        (Na) 반집으로 바둑을 지게 되면, 이 많은 수들이 다 뭐였나 싶었다.

#검은 돌을 놓는 어린 그래의 손가락.

그래        (Na) 작은 사활 다툼에서 이겨봤자, 기어이 패싸움을 이겨봤자.

#어린 그래, 바둑판 위로 고개를 떨군 모습…

그래        (Na) 결국 지게 된다면 그게 다 무슨 소용인가 싶었다.
            하지만 반집으로라도 이겨보면, (고개를 드는 그래, 뿌듯한 표정의) 다른 세상이 보인다.

#그래가 반집으로 이긴 바둑판.

그래        (Na) 이 반집의 승부가 가능하게 상대의 집에 대항해 살아준 돌들이 고맙고,
            조금씩이라도 삭감해 들어간 한 수 한 수가 귀하기만 하다.

#바둑통 안의 바둑알들.

그래        (Na) 순간순간의 성실한 최선이,

#로비 안. 회전문을 통해 들어오는 그래.

그래        (Na) 반집의 승리를 가능케 하는 것이나.

#엘리베이터 쪽에서 감사팀과 함께 오는 박 과장을 본다. 박 과장도 그래를 보며 걸어온다.

그래        (Na) 순간을 놓친다는 건 전체를 잃고, 패배하는 걸 의미한다.

Episode 11

그래        (Na) 당신은 언제부터 순간을 잃게 된 겁니까.

#멀어지는 박 과장과 감사팀.


## S#9 ── 원인터 외경, 낮


## S#10 ── 전무실, 낮

책상 앞, 창밖으로 돌아 앉아 있는 최 전무. 똑똑 소리와 함께 들어오는 비서.

비서        저… 전무님.
최 전무      (돌아본다)
비서        저… 영업3팀에…
최 전무      (보는)


## S#11 ── 영업3팀 + 통로, 낮

놀란 얼굴로 벌떡 일어나는 상식과 동식, 그래. 15층 사무실 사람들 어느새 전부 일어나 있고,
수행 임원을 대동하고 영업3팀을 향해 걸어오고 있는 사장. 다급히 나가는 상식과 그래와 동식.

상식        (숙이며) 사장님.
동식/그래    (인사한다)
사장        (상식에게) 보고받았어. 3팀이 아주 중요한 일을 했더구만.
상식        감사합니다.

#통로. 그때 다급히 15층 안으로 들어오는 최 전무. 구겨진 얼굴로 영업3팀 쪽을 본다.

#영업3팀. 웃으며 영업3팀 일동을 보는 사장 뒤에서 임원이 두툼한 봉투 세 개를 꺼낸다.

수행 임원    특별 격려금이네. 사장님께서 직접 준비하신 거야.
상식        (받으며) 감사합니다.

　　　**동식/그래**　　　감사합니다./감사합니다.

손뼉 치며 축하해주는 영업2팀. 영업2팀을 제외한 다른 사람들은 그다지 환영하는 마음은 아닌 듯 마지못해 손뼉 친다. (자원팀에는 영이, 정 과장, 하 대리, 유 대리) 굳은 얼굴로 쳐다보다가 영업3팀 쪽으로 가는 최 전무.

#영업3팀.

| | |
|---|---|
| **사장** | 자네… 과장 몇 년 차지? |
| **상식** | 7년 찹니다. |
| **사장** | 서둘러야겠구먼. 많이 늦었어. (상식 뒤에 듬직하게 서 있는 동식의 어깨를 툭툭 쳐주며) 수고 많았네. |
| **동식** | 감사합니다. |

전무, 들어와 인사한디.

| | |
|---|---|
| **사장** | 아, 최 전무. |
| **최 전무** | (상식과 짧게 시선이 마주치고) 어떻게 미리 말씀도 없이 갑자기… |
| **사장** | (웃으며) 큰일을 했잖은가? (웃고 있지만 뼈 있다) 상 줄 놈은 상 주고 벌줄 놈은 벌주고. 그게 내 일 아닌가? |
| **최 전무** | (어색하게 웃으며) …네. |
| **사장** | (그래의 어깨에 손을 턱 얹으며) 이번 일 해결에 공이 컸다면서? |
| **그래** | (당황해) 아… 아닙니다! |
| **최 전무** | (그래를 쳐다본다) |
| **사장** | (돌아서다가 멈칫 선다. 그래를 다시 살짝 돌아보며) 허겁지겁 퇴근하지 말고, 한 번 더 내 자리를 뒤돌아봐. 그럼 실수를 줄일 수 있을 거야. 신입 때부터 익혀온 내 습관이야. (나간다) |
| **그래** | 감사합니다. |

전무, 다시 상식을 쳐다본 후 따라 나간다.

| | |
|---|---|
| **수행 임원** | 김 부장, 정 차장, 신 차장… 전부는 아니겠지만 내년에 복귀할 수 있을 거야. |
| **상식** | (놀라면) … |
| **수행 임원** | 김 상무는 독립할 생각인가 봐. 갖고 있는 라인이 든든하니까 너무 심려치 말게. (가는) |
| **상식** | 네… (쳐다보는데) |

| | |
|---|---|
| **동식** | 과장님. |
| **상식** | 왜? |
| **동식** | 내년엔 차장님 되실 것 같은데요? |
| **상식** | 쓸데없는… (자리로 가려다가 멀어지는 전무를 돌아본다) |

## S#12 — 엘리베이터 앞, 낮

엘리베이터 앞에 서 있는 사장과 최 전무와 수행 임원.

| | |
|---|---|
| **사장** | 오 과장 말이야. 차장 2년 차로 올리도록 해. |
| **최 전무** | ! |
| **수행 임원** | 알겠습니다. 내년 상반기에 바로 반영하도록 하겠습니다. |
| **사장** | 하반기 인사 발령이 언제지? |
| **수행 임원** | 일주일 됩니다. |
| **사장** | 그때로 하지. 직장인이 봉급과 때에 걸맞은 승진 아니면 뭘로 보상받겠나. |
| **최 전무** | … |

엘리베이터 열리고 마 부장이 내리다가 화들짝 놀라 확 수그리며

| | |
|---|---|
| **마 부장** | 아… 사… 사장님! |
| **사장** | 응, 김 부장 후임 정할 때까지 영업부 맡았다고? |
| **마 부장** | 아, 예. |
| **사장** | 응. (엘리베이터에 탄다) |

임원도 타고, 닫히는 엘리베이터를 향해 최 전무와 마 부장이 깊이 허리 숙인다. 문이 닫히고 최 전무, 고개를 들면, 숙이고 있던 마 부장이 최 전무의 눈치를 보며 허리를 세운다.

| | |
|---|---|
| **마 부장** | 전…무님… |

옆 엘리베이터가 열리자 무섭게 굳은 얼굴로 말없이 타는 최 전무. 문 닫히는 엘리베이터에 또 인사하는 마 부장.

## S#13 —— 상식의 아파트 외경, 밤

**상식 아내**　　(E) 얘들아~ 아빠 승진하신대~


## S#14 —— 상식의 집 거실, 밤

방에서 머리를 차례대로 뿅뿅뿅 내미는 세 아이.

**첫째**　　　진짜야?
**둘째**　　　진짜야?
**셋째**　　　진짜야?

러닝셔츠 차림의 상식, 빨래 개는 아내와 마주 앉아 있다.

**상식**　　　진짜지.

"와아아아아" 소리 지르며 방에서 우르르 나오는 세 아이.

**상식**　　　근데 승진이 뭔지 알아?
**아이들**　　(좋아하며) 몰라!
**상식**　　　(푸하하 웃는다)
**상식 아내**　아빠 차장 되신대!

온 집안을 "와아아아~~~" 소리 지르며 뛰어다니는 아이들.

**상식**　　　(기분 좋다) 아이구~ 이놈들아, 차장이 뭔지 알아?
**아이들**　　몰라!
**상식**　　　근데 뭘 안다고 이 난리야?
**셋째**　　　아빠가 기분 좋잖아!
**둘째**　　　엄마도!
**첫째**　　　그럼 우리도 기분 좋은 거지.
**상식**　　　(봉투 내놓는다) 그리고 이건, 우리 팀 특별 보너스.
**상식 아내**　특별 보너스? (얼른 받아서 열어보고 "오~!" 좋아한다. 옆에 둔 가계부 펼쳐 항목 보며
　　　　　　돈을 세어 세 묶음으로 나누는데)
**상식**　　　돈 들어갈 게 그렇게나 밀려 있었어?

| 상식 아내 | 애들 크니까 꼭 해야 할 게 많아. 지갑 줘봐. |
| --- | --- |
| 상식 | (근처에 있는 지갑 주며) 왜? |
| 상식 아내 | (상식 지갑에 5만 원쯤 꽂아준다) 적당한 데 써. |
| 상식 | (받으며) 카드 쓰면 되는데… |
| 상식 아내 | 누구 택시비라도 대신 내줘야 할 때가 있을 거 아냐. 남자 지갑 홀쭉한 거 보기 그렇더라. |
| 상식 | 에이~ 요즘은 지갑도 얇고 그런 게 더 유행이야. 현금 잘 안 가지고 다녀~ |
| 상식 아내 | (손 뻗으며) 그럼 주시든가. |
| 상식 | (지갑 뒤로 빼며) 난 유행을 안 타는 남자니까… |

웃는 가족들. 행복해 보이는 상식과 상식 아내.


## S#15 — 15층 통로, 낮

통로 벽면에 붙은 인사 발령 공고.

| 본부 및 팀 | 발령자 | 승진 직급 |
| --- | --- | --- |
| 영업3팀 | 오상식 과장 | 차장 |
| 신소재개발1팀 | 최철한 차장 | 부장 |
| 플랜트본부 | 심규진 부장 | 상무 |


## S#16 — 영업3팀, 낮

동식, 프린트물 챙기면서 일하고 있는 그래를 보며

| 동식 | 장그래, 필리핀 건, 케이슈어에 신고했지? 신고 안 돼 있으면 사고 났을 때 손실 보전 안 돼. |
| --- | --- |
| 그래 | 네, 신고했습니다. |
| 동식 | 가시죠, 차장님. |
| 상식 | (집중한 채) 잠깐만, 연구소에서 보내온 리포트 좀 보고. |
| 그래 | (쳐다보는) |
| 그래 | (Na) 오 과장님, 아니, 오 차장님은 여전히 헐렁한 듯 꼼꼼한 듯 변함없다. |

영업3팀을 둘러보는 그래. 자기 일을 하고 있는 동식과 조용한 풍경들. 연구소 프린트를 유심히 보고 있는 상식.

그래        (Na) 영업3팀은 고요했다. 누구 하나 박 과장 일을 입에 담지 않고,
　　　　　묵묵했다. 우리 팀이 이룬 성과는, 기쁘기보다는 슬프고, 안타까운 결과를
　　　　　남겨서일 것이다. 그래서 일로 피신한 것 같다. 오 과장님은 더욱 말이 없으셨다.
　　　　　그래서 일밖에 할 게 없는 거다.


## S#17 ─ 몽타주, 낮

#영업3팀 앞 통로. 상식, 동식, 그래, 통로에서 회의실 쪽으로 걸어간다.

그래        (Na) 3팀 내에서 오 과장님과 우리는 변화를 체감하지 못하지만,
　　　　　복도만 나서도 우리 3팀을 보는 남다른 시선을 느낄 수 있다.

지나가는 직원들, 힐끗거리며 3팀 사람들을 바라본다.

그래        (Na) 영업3팀이 한 일은 단지 팀 차원의 태만한 사람을 혼내준 것이 아니라
　　　　　회사의 곪아가는 환부를 도려낸 일이기도 했다. 그러나 우리 팀은 내부 고발로
　　　　　인한 불편한 시선을 받고 있었다.

불편하게 바라보는 직원들의 시선.

그래        (Na) 왜 조용히 처리하지 못했느냐.

또 다른 못마땅한 시선들.

그래        (Na) 동료를 버리고 이익을 취했느냐, 너희들은 깨끗하냐.

#사내 인트라넷 익명 게시판에 올라온 글 목록 Ins. "내부 고발, 꼭 필요한 조치였나" "실적은 무시하고 징벌만?" "결재자 줄줄이 처벌은 타당한가" "열 경찰이 한 도둑 못 지키는 법 아닙니까?" 등의 제목들.

그래        (Na) 사직서를 낸 상무님과 전출된 사람들에 대한 동정론이 회사 전산망을 타고
　　　　　전파됐다. 하지만 책임져야 하는 상황이란 것엔 누구도 부연하지 않았다.

#회의실3 앞. 상식, 동식, 말없이 회의실 안으로 들어가고 그래, 들어가며 문을 닫는다. 근처에 사람들, 그들을 보며 다시 숙덕거린다.


## S#18 ─ 헬기 옥상, 낮

옥상 끝에 서 있는 상식에게 다가가는 그래와 동식.

그래        (Na) 오 차장님은 따로 우리를 불렀다.
상식        앞으로 조금씩들 불편할 거다. 절대 반응하지 말고, 중요한 건⋯
                해야 할 일을 했다는 거야. 이것만 놓치지 말고 가자.
그래        (Na) 오 차장님은 가이드를 만들어줬다.

단단한 표정의 동식.

그래        (Na) 우리는 동의했다.

단단한 표정의 그래.

그래        (Na) 견뎌내는 일만 남은 거다.


## S#19 ─ 자원팀, 낮

정 과장, 하 대리 들어오며 하 대리에게

정 과장      야, 하 대리야, 안영이 그날 서부비료 지가 다 나르려고 했다면서?
하 대리      (휙 보며) 어떻게 아셨어요?
유 대리      섬유팀 한석율요. 동기들한테 엄청 떠벌리고 있더라구요.
정 과장      (웃으며) 니 욕 엄청 하더라.
유 대리      아, 나 진짜. 안영이 쟤 무섭다고 했잖아요.
정 과장      뭐 난 쫌 대견해지는 것 같기도⋯ (하 대리 눈치를 슬쩍 본다)

하 대리, 인상 쓰다가 말없이 통로 쪽을 보면 커피를 쟁반에 받쳐 들고 열심히 오는 영이가 보인다.

## S#20 — 휴게실, 낮

영이에게 퉁명스럽게 서류를 내미는 하 대리. 영이, 의아하게 보면.

**하 대리**  (퉁명스럽게) 너 러시아어 잘하지? 러시아 인증기관 쪽은 니가 맡아.

**영이**  (놀라서 본다) 네?

**하 대리**  (화난 척) 너처럼 악질적인 놈은 보다보다 첨 보겠어.

**영이**  (멍~)

**하 대리**  가만 두면 여기저기 사고 치고 다니면서 팀 얼굴에 똥칠할 놈이야.

**영이**  (보다가 받으며) 감사합니다.

**하 대리**  여자라고 힘든 일 빼주고 봐주고 그러지 않을 거야.

**영이**  열심히 하겠습니다.

하 대리 간다. 영이, 기쁜 마음으로 서류를 넘겨 본다.


## S#21 — 철강팀, 낮

강 대리, 백기가 재무팀에 올렸던 TF 건 재무팀 보고서를 다시 보고 있다. 프린트를 걸고 가지러 가던 백기, 그런 강 대리를 보다 다가간다.

**백기**  재무팀 결재 난 TF 보고서를 왜 다시 보고 계십니까? 뭐 잘못됐습니까?

**강 대리**  (서류 보며) 좀 장황하네요. (탁 덮으며) 좀더 깔끔하게 써야 합니다.

**백기**  (기분 삐끗해서) 장황하다구요…?

**강 대리**  (책상 위에 두고 자기 일하며) 그래요.

**백기**  (쳐다보다가) 어떤 점이 그렇습니까?

**강 대리**  (자기 일 하면서) 비전문적인 용어들이 꽤 많기도 하고, 무엇보다 이걸 장백기 씨가 진행하는 사업이라고 생각했다면 훨씬 더 주체적으로 이해를 했을 겁니다. 그래야 문장을 리드할 수 있어요. 그러지 않으면 이렇게 장황해지는 거죠.

**백기**  (기분이 썩 좋지는 않지만) …네, 잘 알겠습니다.

**강 대리**  (자기 일에 집중하면서) 잘 모르겠지요?

**백기**  (당황하는데) 네?

**강 대리**  (하던 일을 멈추고 책상 위를 뒤적거리다가 프린트물을 하나 준다) 한번 줄여봐요.

**백기**  (멍~해서 받는) …

## S#22 — 통로, 낮

프린트물 쥐고 꿍얼거리는 마음으로 걸으며

**백기**     뭐가 장황하다는 거야. 내 보기엔 그게 그건데… (다시 뒤를 보며 좀 삐죽이는 마음으로)
뭐가 비전문적인 용어라는 거야? 그 정돈 나도 트레이닝 돼 있다고.

손에 쥔 프린트물을 본다.

---

**<중동 항로와 관련된 특이사항>**

이슬람 최대 명절 중 하나인 라마단이 지난 8월 18일에 끝났습니다.
따라서 중동 항로의 거래량과 실재 적재 비율이 다시 늘어날 것으로 보입니다.
(라마단 직권의 실재 적재 비율은 95%에 육박했습니다)
또한 중동 항로 선사 협의체에서는 2012년 7월 중 컨테이너당
300달러의 성수기 할증료를 부과할 예정이었으나 이를 유예하였습니다.

---

일하고 있는 강 대리를 다시 돌아보는 백기.


## S#23 — 중앙 정원, 낮

'중동 항로와 관련된 특이사항'을 읽고 있는 백기, 펜을 꺼내 제목 "중동 항로와"에서 "와"를 줄이고,
"관련된"에서 "된"을 줄이고 다시 본다. 특이사항 밑에 영어로 "Special Subjects?" 썼다가 다시 지우고

**백기**     길다. 관련 특이사항. 특이한 사항. 관련 사항… (보다가) 이슈?!

제목을 "중동 항로 관련 이슈"라 하고는 마음에 드는 듯 보다가 다음 줄 본문 "이슬람 최대 명절
중 하나인 라마단이 지난 8월 18일에 끝났습니다"를 쓱 긋고 "라마단이 종료되고"라 고쳐 넣으
며 집중해서 줄여간다.


## S#24 — 휴게실, 낮

상식과 선 차장, 테이블 앞에 앉아 커피 마시며 이야기를 나누고 있다.

| 선 차장 | 박 과장 자리에 곧 충원되죠? |
| 상식 | (커피 마시며 끄덕끄덕) |
| 선 차장 | 이럴 때 제대로 된 사람이 와줘야 분위기가 쇄신되는 건데. |
| 상식 | (피식) 누가 오려고 하는 사람이나 있을까 모르겠네. |

이때, 우거지상으로 탕비실 쪽에서 들어오는 차 대리.

| 차 대리 | (선 차장 보고 얼른) 차장님. |
| 선 차장 | (돌아보며) 어. |
| 차 대리 | (우거지상으로) 잠시만요… |


## S#25 — 영업1팀, 낮

| 차 대리 | 마 부장님이 청국장 건으로 뭘 시키신 게 있는데요… |
| 선 차장 | 뭔데? |
| 차 대리 | 그게… (울먹) 도저히 무슨 말씀을 하신 건지 알아들을 수가 없어서요. |
| 선 차장 | 똑바로 물었어야지. |
| 차 대리 | 그게… |


## S#26 — 마 부장실, 낮(과거)

서류를 차 대리 얼굴 앞에서 탈탈 터는 마 부장.

| 마 부장 | 야! 이거 말이야. 미국 수출하려면 당연히 인증 있어야 하는 거 아냐? |
| 차 대리 | (당황해서) 네? 무슨 인증? |
| 마 부장 | 먹는 거는 말이야. 미국 뭐야? 그 뭐… FTA 뭐냐? 그거 있잖아. |
| | 그거 아이씨. 생각이 안 나냐? (차 대리 확 보며) 그거 있잖아! |
| 차 대리 | (쫄아서) 뭐… |
| 마 부장 | (버럭 화내며) 그거! 그거! 몰라?! 말을 못 알아들어어~?! 가서 찾아봐. |
| | (서류 확 던진다) |
| 차 대리 | 에… 에프티에이면… 한미 FTA 말씀하시는 겁니까? (잔뜩 움츠러들고) |
| | 거… 거기서 무슨 인증을…? |
| 마 부장 | (버럭!) 이렇게 말귀도 못 알아듣는 새끼가 어떻게 원인터엘 들어왔어? |
| | 너 학교 어디 나왔어?! 이러니깐 대학도 보고 뽑아야 된다는 거야! |

쫄아서 부들부들 떨고 있는 차 대리.


## S#27 — 영업1팀, 낮

**차 대리**　(울상으로) 도저히 뭘 시킨 건지…

**선 차장**　서류 줘봐. 내가 말씀드려볼게.

**차 대리**　(순간 화색이 됐다가 이내 걱정스럽게 서류 내밀며) 괜…**찮으시겠어요?**


## S#28 — 마 부장실, 낮

마뜩잖은 표정으로 자리에 앉아 선 차장을 올려다보고 있는 마 부장.

**선 차장**　청국장 수출에 꼭 받아야 하는 인증이 있습니까? 아니면 FTA 조건을
　　　　　말씀하시는 겁니까?

**마 부장**　아씨… 그 뭐… 조건인가 인증인가 있잖아.

**선 차장**　그 "그 뭐"에 들어가는 '그 뭐'가 뭘까요?

**마 부장**　(짜증스럽게) 식품 인증 뭐 받아야 하는 거 아냐? 이런 거 생물 수출하려면?

**선 차장**　생물? 청국장이 오징업니까? 꼴뚜깁니까?

**마 부장**　(점점 붉으락푸르락해지는 얼굴로 째려보면)

**선 차장**　(서류 휙휙 넘기며 쉬지 않고 이어서) 검토하셨으면 아시겠지만 기본적으로
　　　　　제조 공정도, 성분 분석표, 농약 잔유물 검사, 항산화제 사용 여부,
　　　　　장류 내 대장균 검사 등을 다 마친 청국장 완제품입니다. 공장 확인에
　　　　　견본 검사까지 다 받았는데 도대체 무슨 인증을 또 받고 무슨 조건을 더 채워야
　　　　　하는 건가요? 혹시 '그 뭐'가 기억나시면 그때 '그 뭐'에 대해서 다시 말씀해주세요.
　　　　　우선 저희 팀은 일정대로 진행하겠습니다. (꾸벅 인사하고 돌아서 간다)

**마 부장**　(기가 막힌. 고함!) 야! 여자라고 봐줬더니 말이야. (그 뒤로 소리 바락바락 지르며)
　　　　　너! 니 남편한테 고맙다고 해. 너 같은 여자랑 같이 살아주니까. 아씨~!

**선 차장**　(휙 돌아와서) 성희롱 두 번이면 감봉만으로 그치지 않을 텐데요? 부장님!

**마 부장**　뭐?! 야! 너 지금 뭐라 했어?!

인사하고 유유히 나가는 선 차장. 화가 나 어쩔 줄 모르는 마 부장, 앞에 있는 서류를 팡팡 내리
치며 화풀이한다.

## S#29 ── 영업1팀, 낮

| | |
|---|---|
| **선 차장** | 마 부장님께서 필요한 경우 따로 말씀을 하시겠다고 하니까, |
| | 예정대로 진행하면 됩니다. |
| **차 대리** | (안도의 한숨을 내쉰다) |
| **선 차장** | 앞으로 마 부장님 결재 건은 내가 처리할 테니까. 업무차 불러서 시키는 건 |
| | 모두 나한테 넘겨. |
| **차 대리** | 아까 오 차장님이랑 얘기하실 때요, 누가 3팀 가는지 정해진 거 없으시대요? |
| | 대리급에서 간다는 소문도 있던데… |
| **선 차장** | 왜? |
| **차 대리** | 저 영업3팀 가기 싫어요. 차장님 밑에서 오래 일하고 싶어요. |
| **선 차장** | (피식 웃으며) 우리 차 대리는 내가 못 보내지. |

차 대리, 기분 좋게 자리로 가는데, 휴대전화 알림 띵동 한다. 선 차장도 모바일 사내 인트라넷 확인하는데, "인사 발령 공고─보직 변경" 공지사항이 보인다.

| | |
|---|---|
| **차 대리** | (좋아하며) 차장님, 영업3팀에 갈 사람 정해졌네요. |

## S#30 ── 옥상 정원, 낮

그래와 동식이 커피 마시며 얘기하고 있다. 동식, 기분이 좋아 보인다.

| | |
|---|---|
| **동식** | 잘됐어. 천 과장님이 온대. |
| **그래** | 어떤 분이세요? |
| **동식** | 걱정 마. 노멀한 분이셔. 박 과장처럼 중동통은 아니어도 중동 경험도 많으시고. |
| **그래** | 네에… |
| **동식** | 원래 영업3팀 계셨었어. 천 과장님은 경력직으로 들어와서 첫 부서였고, |
| | 나는 악덕 상사 밑에서 시달리다가 너덜해져서 왔던 때라 서로 의지했지. |
| | 오 차장님 밑에서 우리 으쌰으쌰 하면서 잘했었어. 좋은 추억이 많아. |
| **그래** | (끄덕이고) 경력직은 공채 입사랑 뭐가 다릅니까? |
| **동식** | 그래 씨 같은 동기가 없지. 그러니까 마음 터놓고 이야기할 동료도 없을 테고. |
| | 입지 기반도 약하고. (웃으며) 이런 분위기에 우리 팀에 온다고 한 거 보니까 |
| | 역시 옛 전우가 그리웠나? |

동식, 그래 들어오는데, 영업3팀 박 과장 자리에 천 과장이 서 있는 게 보인다.

**동식**　　　(굉장히 반가워하며 얼른) 어? 천 과장님! 벌써 오셨어요?

**천 과장**　　어~ 김동식, 아니 김 대리지. 잘 있었어?

**상식**　　　(Off) 천 과장 왔어?

**천 과장**　　(돌아보고) 아, 차장님. 미리 인사드리러 왔습니다. 잘 부탁드립니다.

**상식**　　　말투가 그게 뭐야~ 새삼스레. 이상해졌는데?

**동식**　　　(그래를 인사시킨다) 우리 팀 신입입니다.

**그래**　　　(꾸벅 인사하며) 안녕하십니까? 장그래라고 합니다.

**천 과장**　　어… 그래 반가워. (악수 청한다)

그래, 악수 받으며 천 과장을 다시 본다. 깔끔하게 바짝 깎은 구레나룻과 넥타이핀의 천 과장.

**상식**　　　(자리로 가며 천 과장 자리 보고) 인사하러 와서 책상까지 정리했어?

**천 과장**　　(웃고) 그럼 저는 이전 팀 정리하고 오겠습니다. (꾸벅하고 돌아선다)

그래, 가는 천 과장의 뒷모습을 본다.

**그래**　　　(Na) 천관웅 과장. 37세. 오자마자 책상 위 정리부터 마쳤다.

말끔하게 정리된 천 과장의 책상을 돌아보는 그래. 포스트잇으로 하나하나 표시된 파일들, 단정하게 놓아둔 슬리퍼.

**그래**　　　(Na) 모든 물품은 원래 있었던 곳인 듯 자기 자리를 찾았다.

멀어지는 천 과장의 뒷모습을 보는 그래.

**그래**　　　(Na) 박 과장 같은 사람이 가고 난 이후 오는 사람은 상대적으로
　　　　　　편하게 느껴질 것이란 예상과 다르게 묘한 긴장감을 형성하는 사람이다.

**상식**　　　동식아, 장그래랑 생활물자팀에 가서 빅오일 샘플 좀 받아 와.

**동식/그래**　네.

## S#32 — 섬유팀, 낮

석율, 서류를 들고 와 성 대리에게 내민다. 성 대리, 서류를 받아서 보는 둥 마는 둥 건성으로 훑는다.

**성 대리**  (툭) 폴리에스테르 건은?
**석율**  (딱딱하게) 그걸 제가 왜 합니까?
**성 대리**  반차 내고 콧바람 좀 쐤으면 됐지. 왜 아직도 그렇게 꿍해 있어.
**석율**  그건 대리님 일이라고 제가 그때 말씀드리지 않았습니까?

성 대리, 기가 막힌 얼굴로 석율을 보면, 꾸벅 인사하고는 자기 자리로 돌아가는 석율. 성 대리, 열받아서 파일 확~ 닫으려고 하다가 서류에서 뭔가 발견하고

**성 대리**  어이~ 한석율이. 이리 와봐.
**석율**  (자리 앉으려다가 한숨 푹~ 내쉬며 다가온다)
**성 대리**  이게 맞아?
**석율**  뭐요? (하고 서류 보면)
**성 대리**  인수 신용장으로 써야 하는 걸 인수 통지로 썼잖아!
**석율**  (얼굴 굳어진다)
**성 대리**  (옳다구나 싶고!) 딱! 이 용어, 이걸 쓰는 상황이 있다고! 내가 시키는 대로 착착 트레이닝을 잘했어봐, 이런 걸 틀리나!
**석율**  (아뿔싸 싶은…) 죄송해요. 착각했어요. 수정하겠습니다.
**성 대리**  이게 이게~ 수정한다고 되는 게 아니야. 너 지금 내가 하는 말 잘 들어. 사람은 실패에서 배운다. (어르듯) 니가 내 진심을 알아줬으면 좋겠어. 너 자기계발서 같은 거 봐봐. 어떤 선배가 좋은 선밴지!

## S#33 — 16층 섬유팀 앞 통로, 낮

그래와 동식, 생활물자팀에서 큰 상자 들고 오다가 "자, 이제 절대 헷갈리지 마. 인수 신용장! 인수 통지!" 하는 성 대리의 잔소리를 들으며 고개 떨구고 있는 석율을 본다.

**그래**  Acceptance Credit을 Acceptance Advice로 착각했나 보네.
**동식**  (어~? 하듯 그래를 본다)

엘리베이터 안, 그래와 동식, 커다란 박스를 안고 있다.


동식    (피식 웃으며) 한석율이 임자 제대로 만났네. (고개 절레절레)

              성 대리 이기기 쉽잖을 텐데…

그래    (의아하게 보며) 네?

동식    아, 근데 장그래는 어떻게 그렇게 무역용어를 잘 외울까? (재빨리) AOG는?

그래    할인의 개시 시기 또는 지급 기일은 상품의 도착 시라는 것을 의미합니다.

동식    봐~ 망설임이 없어 아주. 자판기 같아.

그래    (웃는다) 용어끼리 꼬리가 물고 물리는 관계를 만들면 외우기 쉬워요.

              바둑도 그렇거든요.

동식    (의아하게 보다가) 니 말대로라면 기획서 핵심도 잘 파악해야 하는 거 아니야?

              그 안에 용어들 따라가다 보면 업체의 규모, 특성 등이 그대로 드러나 있어서 잘

              파악할 수 있을 텐데… 넌 만날 보고도 뭔 소린지 몰라서 묻고 또 묻고 그러냐?

그래    (멍~해서) 네?


엘리베이터 열린다. 동식, 그래를 보고 킥킥 웃으며 내리다가 종이에 뭔가를 쓰면서 오던 백기와
부딪힌다. 백기 손에 들려 있던 종이가 바닥에 떨어진다. 그래, 떨어진 종이를 주워준다. 줄이기
흔적이 역력한 내용이 써 있다. 백기, 얼른 종이를 받아 들고, 동식에게 꾸벅 인사를 하고 탄다.


동식    (가면서) 강 대리 그 친구 또 시켰구만.

그래    네?

동식    문장 줄이기 말야. 신입만 오면 저렇게 트레이닝을 시켜. 저걸 하고 나면

              한눈에 볼 수 있는 좋은 보고서가 나오거든.

그래    … (약간 뚱~해지는 마음)

동식    (말이 없자 흘깃 보며) 왜?

그래    좋은 보고서가 나온다면서… 저한텐 왜 안 가르쳐주셨습니까?

동식    (어이없이 보며) 뭐?

그래    (뚱~)

동식    (보면서 허허 웃는다)



## S#35 — 자원팀, 낮


영이, 통화하고 있고, 정 과장과 유 대리는 멍~하게 영이를 바라보고 있다.

| 영이 | (러시아어) 블라디미르 브소츠키 씨 되십니까? 보내오신 인증 결과 보고서에서<br>좀 이상한 게 있어서요. $CO_2$ 환산 톤으로 배출량을 산정하도록 되어 있는데<br>여기 사용된 단위는 저희 쪽에서 요청한 환산 단위와 다르네요. 아. 네. 그렇죠?<br>잘못 보내신 거죠? (잠깐 듣다가) 네, 그럼 제가 받은 보고서 다시 메일로<br>보내드리면 수정해주세요. 네, 고맙습니다. |
|---|---|

영이, 끊고 서류 하나를 열어 급하게 프린트를 누른다. 정 과장, 유 대리는 여전히 적응이 안 되고,
눈만 껌뻑껌뻑 영이를 쫓고 있다. 프린트가 다 되면 영이, 프린트를 추려서 복사하려고 나가는데,

| 정 과장 | (정신 들고) 안영이! 가는 김에 구둣방 가서 구두 좀 찾아다줘.<br>(하고는 책상 위에 만 원짜리 한 장 탁 내어놓는다) |
|---|---|
| 유 대리 | (얼른) 어~ 올 때 내 담배도 한 갑. 나 늘 피는 거 알지? 지난번에 박하 향으로<br>잘못 사왔잖아. 멘솔 말고. |
| 하 대리 | (일하다 말고 "후~" 하고 돌아보며) 넌 일하는 사람한테 그런 심부름을 시키냐.<br>메일 보내야 한다잖아. |

정 과장, 유 대리, 놀라서 하 대리를 바라본다.

| 영이 | (얼른 만 원 들고) 복사 먼저 하고 다녀와도 되겠습니까? |
|---|---|
| 정 과장 | 어? (하 대리 눈치 보며) 어… 어. |
| 영이 | (꾸벅하고 나가면) |
| 하 대리 | 저거 진짜… (영이를 못마땅하게 본다) |
| 정 과장/유 대리 | (뜨악해서 보는) |

## S#36 ── 탕비실 + 휴게실, 낮

영이, 웃는 얼굴로 복사하는데 그래, 들어온다.

| 그래 | 아, 영이 씨. |
|---|---|
| 영이 | (보며 웃다가 깜짝 놀라서) 어? 장그래 씨 남대문 열렸네요. |
| 그래 | 어? (깜짝 놀라서 바지를 보는데) |
| 영이 | 인사 잘~ 받았다. (깔깔깔깔~) |
| 그래 | (황당~하게 보다가 당황해서) 아… 안영이 씨. |

영이, 계속 깔깔깔깔 웃는데, 휴게실 쪽에서 들리는 석율의 소리.

**석율**        (E) 인정머리 없는 인간들, 동기가 늪에 빠졌는데 웃음이 나오냐? 웃음이?

그래와 영이, 의아한 얼굴로 휴게실 쪽을 보면 고뇌하는 장고처럼 앉아 있는 석율.

**영이**        한석율 씨, 왜 그러고 있어요?
**석율**        (못마땅하게 흘깃 본다) 당신들은 뭐가 그렇게 기분이 좋아?
**영이**        네?
**그래**        (자기도 모르게) 전 그렇게 좋은 것까진 아닌데요…
**영이**        (그래를 슥 본다)
**석율**        (힘 빠져서) 동기들… 저녁에 한잔할까?
**그래/영이**   (본다) …


## S#37 ─ 술집 외경, 밤


## S#38 ─ 술집, 밤

열받은 얼굴의 석율, 맥주를 벌컥벌컥 들이킨다. 맥주를 한 잔씩 앞에 놓고 앉아서 그런 석율을 보고 있는 그래와 영이.

**석율**        (영이를 탁 보며) 대놓고 핍박하는 상사! 대놓고 배추 취급하는 상사! (그래를 탁 보며)
               대놓고… (할 말이 없다) 하여튼 나쁜 상사 중에 제일 나쁜 상사가 뭔 줄 알아?

그때 석율의 전화가 울린다. 보면, 성 대리다. 확 구겨지는 얼굴의 석율, 울리는 휴대전화에 대고 화풀이하듯 말한다.

**석율**        후배 이용하는 상사야! 일 떠넘기고, 부려 먹고, 공 가로채고!
               (울리는 휴대전화 옆으로 확 던지고) 근데 그것보다 더 나쁜 상사가 뭔 줄 알아?!
**영이/그래**   (의아하게 보면)
**석율**        (울리고 있는 휴대전화 다시 들고 휴대전화에 말하듯!) 지가 무슨 짓을 하는지 모르는
               인간! 아냐, 모른 척하는 인간! (다시 휴대전화를 옆에 확 던져버린다. 계속 울리는 휴대전화)
**석율**        내 보기엔 모른 척하는 건데 사람들이 다 속아! 아니, 어떻게 그걸 속아?
               다들 마음이 그렇게 퓨어해? 특히 우리 팀 문 과장님! 눈이 없나? 귀가 막혔나?

집어 던져둔 석율의 휴대전화 계속 울린다.

| 영이 | 전화받아요. |
|---|---|
| 석율 | (짜증 난다. 휴대전화를 노려보다가 탁! 받아서) 네! |
| 성 대리 | (E, 취한 듯 혀 풀린) 석율아~ 한석율~ |
| 석율 | 왜요?! |
| 성 대리 | (E) 내가 잘못했다~ |
| 석율 | !? |
| 성 대리 | (E) 내가 요즘 생각 많이 했어. 니가… 이렇게 행동한 데는 다~아 이유가 있는 건데. 형이… 신경을 못 썼다. |
| 석율 | 어… |
| 성 대리 | (E) 나랑 술 한잔하자. 진지하게 이야기 좀 하자고! 지금! |
| 석율 | (그래와 영이 본다) … |
| 성 대리 | (E) 응?! 이 자식아! 석율아! |
| 석율 | 지금 어디신데요. |
| 영이/그래 | (의아하게 보는) |

## S#39 — 고급 술집 안, 밤

성 대리, 취한 채 혼자 비싼 양주를 마시고 있는데, 누군가 같이 마시다 간 듯 남은 빈 술잔과 사용했던 포크를 종업원이 치우고 있다. 그때 두리번거리며 들어오는 석율, 혼자 술 마시고 있는 성 대리를 본다. 순간 좀 짠해 보인다. 다가가는 석율.

| 석율 | 무슨 술을 혼자 마셔요? 청승맞게. |
|---|---|
| 성 대리 | (말소리에 휙 올려다보고, 반가움이 넘쳐 나는 얼굴로) 석율아! |
| 석율 | (약간 울컥하는 마음으로 보는) |

## S#40 — 술집, 밤

덩그러니 술집에 앉아 있는 영이와 그래. 뭔가 둘이 좀 어색하다.

| 영이 | 한석율 씨도 참… |
|---|---|
| 그래 | 그러게요. 참… |
| 영이 | …같을까요? |
| 그래 | 네? (벌떡 일어나며) 네! |
| 영이 | 장그래 씨. |

| 그래 | 네? |
|---|---|
| 영이 | 남대문 열렸네요. |
| 그래 | (멈칫했다가 영이 다시 보고) 안 속습니다. |
| 영이 | (난처한) 아… 이번엔 정말인데… |
| 그래 | ! (깜짝 놀라 바지를 보는데) |
| 영이 | 인사 잘~ 받았다. (깔깔~) |
| 그래 | (머리가 하~얘지는 것 같다. 그대로 숙이고 있다) |
| 영이 | 가죠. (휙 간다) |
| 그래 | (천천히 고개를 들어 영이를 바라본다… 중얼거리듯) 저 여자가 정말… |
| 석율 | (E) 저도 남자니까, |

## S#41 ― 고급 술집, 밤

석율, 만취해서 계속 마시는 성 대리를 앞에 두고 진지하게 얘기하고 있다.

| 석율 | 그냥 대놓고 시키는 건 남자답게 이해합니다. |
|---|---|
| 성 대리 | (취해서) 신입한테 내 일 니 일이 어딨냐~? 다~ 니 일이지! |
| 석율 | (달래는) 그러니까~ 시키는 건 저도 한다니까요. |
| 성 대리 | 그러니까! 다 니 일이라니깐. 내 일이 아니라 니 일! |
| 석율 | (달래는) 아니 그러니까 다 절 가르치시려고 일 시키시는 거잖아요. 이해한다니까요. |
| 성 대리 | 그러니까 내가 지금 말하잖아! 자식아! 내 일이 아니라 니 일이라고! 이 자식… 지금 보니까 너 소시오패스 같애. 한 말 또 하고 한 말 또 하고. |
| 석율 | (울컥!) 뭐… 뭐요? 소시오패스요? 제… 제가 왜 소시오패스예요?! |

Cut to.

| 석율 | (다시 자기 마음을 설득하려고 애쓰며) 그러니까 저는 진짜 선배님한테 멘토링도 받고, 다른 신입들처럼 일하면서 제대로 배우고 싶은 마음이거든요. |
|---|---|
| 성 대리 | (얘기 진지하게 듣는 것처럼 응응 끄덕이다가) 그러니까 인마! 그게 다~ 니가 할 일이야. |
| 석율 | (미치고 팔짝 뛰겠다) 아 그러니까 저도 무작정 안 하겠다는 게 아니라요~ 한다니까요. 하는데! 그래도 제가 한 일을 선배님이 한 것처럼 가로채시고 책임만 지우시는 건 아니죠~ |
| 성 대리 | (끄덕이다가 알아들은 듯 지긋하게 본다) |
| 석율 | 이건 선배님께서 배려해주셔야 할 부분이라고 봅니다. |
| 성 대리 | (알아들은 듯 끄덕이며) 석율아… |

| 석율 | 네. |
|---|---|
| 성 대리 | 너 진짜 소시오패스 같아. |
| 석율 | (못 참고 고함) 야! 성 대리! 제발 내 말 좀 들어보라고! |
| 성 대리 | (어? 갑자기 말똥한 눈빛) 너 지금 성 대리라고 했어? |
| 석율 | (당황해서) 어? |
| 성 대리 | 하… 나 이 새끼. 소시오패슨 줄 알았는데, 너 사이코패스구나? |
| 석율 | (어이없고 넋 나간) 사… 사이코패스? |
| 성 대리 | 하… 나 이 새끼랑 술 못 먹겠네. 술맛 다 떨어지네. |

하고는 주섬주섬 자기 가방을 챙겨서 비틀비틀 나간다. 석율, 당황해서 어쩔 줄 모르고 있는데, 옆에 쓱 내밀어지는 계산서. 석율, 응? 하고 바라보면 56만 4,000원이 찍힌 계산서다. 얼굴 서서히 일그러지며.

| 석율 | (분노 폭발하고) 으아아아아아~ 야이 씨삐삐삐 같은 새끼야!~ |

## S#42 ─ 거리, 밤

나란히 걸어가는 그래와 영이. 날리는 낙엽과 쌀쌀한 기운에 한기를 느끼는 영이, 얇은 옷차림에 팔을 감싸며

| 영이 | 이제 밤엔 꽤 춥네요. |
|---|---|
| 그래 | 윗옷 좀 빌려드릴까요? |
| 영이 | 괜찮아요. |
| 그래 | (양복을 벗어준다) |
| 영이 | (피식 웃고 받아 걸치며) 고마워요. 장그래 씨는 여친 생기면 사랑받겠어요. |
| 그래 | (머쓱한) 여친은 무슨…요. |
| 영이 | 뭘 그렇게 쑥스러워해요? 성인이. |
| 그래 | 누… 누가 쑥스럽다고. |
| 영이 | 금방 가을 가고 금방 겨울 가고 금방 봄 되고 그러다 보면 어느새 1년이에요. 우리. |
| 그래 | (영이를 본다) |
| 영이 | 왜요? |
| 그래 | (피식 웃으며 고개 살짝 떨구며) 우리, 때문에요. |
| 영이 | 네? |
| 그래 | (웃고만) |

[Flashback] 제2국 S#64

**상식**　　　니 애가 실수로 문서에 풀 묻혀 흘리는 바람에 우리 애만 혼났잖아!


[Flashback] 제2국 S#67

멍~하게 어둠 속을 응시하던 그래…


**그래**　　　(E) 우리 애…라고 불렀다…

**그래**　　　우. 우… (울컥해서 '리' 자는 안 들림) 애…


히히히히 웃으면서 눈가에 눈물 맺힌 채 뭔가를 노트에 끄적이는 그래.


**그래**　　　(작게 픽 웃고… 생각하듯) 지난봄에요… 그 우리가, (혼자 중얼거리듯) 고팠었거든요…

**영이**　　　네?

**그래**　　　(웃으며 영이 보고) 좀 있으면 다시 봄이고 1년이네요. 우리.

**영이**　　　(의아하게 웃으며 그래를 본다)


## S#43 — 몽타주, 밤

#철강팀. 야근하고 있는 백기. 일이 끝난 듯 프린트 건다. 기지개 켜고, 문장 줄이기 하던 종이를 꺼내 이어서 줄인다.
#고급 술집. 열받아서 혼자 병나발 불고 있는 석율.
#거리 걸어가는 영이.
#낙엽 쌓인 길을 걸어가는 그래.


## S#44 — 원인터 외경, 낮

**동식**　　　(E, 반갑게) 과장님, 오셨어요?!


## S#45 — 영업3팀, 낮

그래와 동식 앞에 서 있는 출근 차림 천 과장.

**천 과장**　　　(웃으며) 응, 나도 오늘부터 3팀원. (그래를 보면)

| | |
|---|---|
| 그래 | (인사한다) 안녕하십니까? |
| 천 과장 | 응, (자리 쪽으로 가서 가방 놓으며) 장그래 씨. |
| 그래 | 네. |
| 천 과장 | 아무래도 내가 가장 많이 업무 지시할 사람은 그래 씨가 될 것 같죠? |
| 그래 | 네. |
| 천 과장 | 나 격식 따져대는 사람 아니니까 편하게 지내요. 스타일은 맞춰 가면 되고. |
| 그래 | 네, 감사합니다. |
| 천 과장 | 그리고… 그 머리는 어떡할 건가? |
| 동식 | (웃으며 본다) |
| 그래 | (당황하고) 네? 머… 머리요? |
| 천 과장 | 음… 너무 긴데? 내 생각에 옷깃에 안 닿을 정도로 깎았음 좋겠는데… 앞머리도 그렇고. 본인 생각은 어때? |
| 그래 | 아! (당황한 채) 단정하게 정리하도록 하겠습니다. |
| 천 과장 | 깎겠다는 거지? |
| 그래 | 아… |
| 동식 | (픽 웃으며) 천 과장님도 참, 왜 학생 주임 빙의하고 그러세요. (앉으며) 추억의 두발 단속이에요? |
| 천 과장 | 어… (웃으며) 김 대리. 업무 브리핑 좀 받읍시다. |
| 동식 | 예. |
| 천 과장 | 회의실로 가지. |
| 동식 | 여기서 바로 드려도 되는데요. |
| 천 과장 | (웃으며) 이것저것 밀린 얘기도 좀 하고 말이지… 눈치가 없어~ (간다) |
| 동식 | (보고 웃으며 일어나 따라가면서) 에~이~ 천 과장님, 뭔지 알겠다. 우리 팀 간보시려는 거죠? |
| 천 과장 | (허허허 웃으며) 아이고~ 오 차장님 스타일 다 아는데 뭘 산을 봐. |


## S#46 ── 소회의실1, 낮

블라인드 쳐져 있는 내부. 경직된 얼굴로 서 있는 동식을 싸하게 쏘아보고 있는 천 과장.

| | |
|---|---|
| 천 과장 | 장난하냐? |
| 동식 | (굳은) 아닙니다. |
| 천 과장 | 회사가 장난이야? 내가 니 친구냐? |
| 동식 | 아닙니다. |
| 천 과장 | 새로운 사람 왔으면 긴장 좀 타자. |

| 동식 | 네. |
|---|---|
| 천 과장 | 3년 전, 너랑 나랑 뺑이 쳤던 즐거운 기억은 그것대로 두라고. |
| | 구질구질하게 평생 가져가지 말고… |
| 동식 | (당황스러운) 네… (천 과장 쳐다보다가) 저… 과장님… |
| 천 과장 | 왜? |
| 동식 | 우리 팀 오신 거… 다른 이유 있으신 건 아니시죠? |
| 천 과장 | (보다가) 적어도 나는 이유 없다. 보낸 사람들 생각은 모르겠지만. |
| 동식 | ! |
| 천 과장 | 괜히 니네 팀 타박하는 사람은 없겠지만, 보고 있는 사람들이 있다는 건 |
| | 알아야 해. (차갑게) 노려보고 있다는 걸. (동식의 어깨 툭 치고 가면서 동식의 옆에 서서) |
| | 날 의심하면 의심한 대로 할 거니까 딴생각하지 말고. |

문 쪽으로 가는 천 과장. 그대로 굳어 서 있는 동식.

| 천 과장 | 니네 잘못한 거 없어. 잘했어. 근데 그런 애들이 자기들 옆에 있는 건 깝깝한 거거든. |
|---|---|
| | (돌아보며) 아직 아무 지시 안 들고 왔지만, 만에 하나 필요할 땐 날 불러낼 거야. |
| | 어쨌든 난 캐릭터 잡았으니까 적응해라. |
| 동식 | (굳은 표정으로) 왜 천 과장님을 보낸 거죠? |
| 천 과장 | (답답한 듯) 아휴… 미치겠다. |
| 동식 | 네? |
| 천 과장 | (인상 쓰고 홱 돌아보며) 친하니까 보낸 거지, 인마! |
| 동식 | (본다) |
| 천 과장 | 안 친한 놈 보냈다가 또 니네 필터링에 걸려 어떤 사달이 날지 모르니까. |
| 동식 | … |
| 천 과장 | 적당히 잘 지내자고. (가버린다) |

어두운 얼굴로 그대로 서 있는 동식.


## S#47 — 영업3팀, 낮

들어오던 천 과장, 일하고 있는 상식을 보고 멈칫한다. 인사하며

| 천 과장 | 차장님, 오셨습니까? |
|---|---|
| 상식 | 어, 왔어? (웃으며 끄덕하는데) |

동식, 저벅저벅 들어온다. 상식, 들어오는 동식의 어두운 표정을 읽고는 바라보는데,

**천 과장**   업무 진행표 좀 봅시다, 김 대리.

**동식**      (자리에 앉으며) 예, 바로 보내드리겠습니다.

상식, 모른 척 다시 일을 하기 시작하는데, 그 위로.

**천 과장**   (Off) 이거 누가 진행했던 거야?

**동식**      (Off) 저희 팀에서…

상식, 둘의 대화가 점점 신경 쓰이고,

**천 과장**   요르단 건, 이거구만, 박 과장 뒤진 게… 이 계기로,

**동식**      그게 아니라 그만한 이유가…

상식, 일하던 손 딱 멈춘다. 둘을 본다.

**천 과장**   오후까지 자료 다시 봅시다. 이거 안 되겠어.

**동식**      아… 과장님.

**상식**      (큰소리!) 천 과장!

**천 과장**   예?

**동식/그래**  (놀라서 보면)

**상식**      재밌는 친구네.

**천 과장**   !

**상식**      일을 해 일을, 회사 나왔으면. 힘 빼지 말고.

**천 과장**   (당황해서) …

**상식**      왜 사람들이 게임에 빠져 허우적거리는 줄 알아?

**천 과장**   예?

**상식**      (일어나 저벅저벅 다가오며) 게임을 하니까 빠지는 거야.

**천 과장**   (어쩔 줄 모르고 보면)

**상식**      일하러 와서 게임이나 하고 있다간, (앞에 서서 내려다보며)
            자네부터 게임에 빠질 거야.

**천 과장**   …

**동식**      (씨익 웃음을 겨우 참고)

**그래**      (놀라 보는)

**상식**      (돌아서려다가) 끝나고, 술 한잔하자.

## S#48 — 섬유팀, 낮

앉아 있는 성 대리 앞에 56만 4,000원이 찍힌 술집 영수증을 내미는 석율.

| 성 대리 | 응? 뭐야? (석율을 쳐다본다) |
|---|---|
| 석율 | 어제 술값 영수증입니다. |
| 성 대리 | (어이없다는 듯 피식 웃으며) 하, 이놈 진짜… 석율아. |
| 석율 | (본다) |
| 성 대리 | 내가 정말 너한테 해주고 싶은 말이 있어. |
| 석율 | (본다) |
| 성 대리 | 사실 어제 얘기하려다가 너 기분 상할까 봐 얘기 안 했거든? |
| 석율 | 뭔데요? |
| 성 대리 | (짧게 한숨 쉬고) 사회생활 하려면 너 그 성격 꼭 고쳐야 할 거다. |
| | 한 번만 말할 테니 잘 들어. |
| 석율 | (뭔데? 하듯 보는) |
| 성 대리 | 너 어제 보니까… 좀 소시오패스 같더라. |
| 석율 | (허! 내장이 쏟아질 것 같다) |

영수증 다시 석율에게 쥐여주고 고개 절레절레 흔들며 일어서는 성 대리.

| 석율 | (멀어지는 성 대리 모습 보며 속으로 비명을 지른다, E) 으아아아아아~~악! |

## S#49 — 철강팀, 낮

빨간펜으로 지우고 고쳐서 너덜너덜한 종이를 펴놓고 여전히 고치고 있는 백기…

　　　　[Flashback] S#21

| 강 대리 | 장백기 씨가 진행하는 사업이라고 생각을 했다면 훨씬 더 |
| | 주체적으로 이해를 했을 겁니다. 그래야 문장을 리드할 수 있어요. |

| 백기 | (중얼중얼) 문장을 리드해… |

펜으로 "이슬람 최대 명절 중 하나인" 부분을 슥슥 지우는 백기.

**백기**　　　　길다… 짧게.

펜으로 "라마단이 끝났다!"라고 쓴다. 그때 서류 들고 들어오던 강 대리, 그러고 있는 백기를 흘긋 보고 멈춘다. 쳐다보고 있는 강 대리. 모르고 중얼중얼하면서 고치는 데 열중하는 백기.

**백기**　　　　아니지… 라마단… 2012년은 7월 20일에서 8월 18일까지.

해당부분 슥슥 지우고 옆에 다시 쓴다. "라마단(2012.07.20.~08.18.)이 끝났다."

**백기**　　　　문체가 건방져… (슥슥 지운다)

"끝났다"를 "종료되고"로 고치는 백기. 자리에 가서 앉아 자기 일을 시작하는 강 대리.
백기, 뒤의 문장을 이으면 한 문장으로 정리되고… "라마단(2012.07.20.~08.18.)이 종료되고 따라서"라고 쓴다. 그런 백기를 다시 돌아보는 강 대리…


## S#50 ─ 닭갈빗집, 저녁

술잔과 밑반찬들이 착착 놓인다.

| | |
|---|---|
| **김 씨 아줌마** | 오늘은 한 분이 느셨네? |
| **동식** | (웃으며) 네, 앞으로도 죽~이요. |
| **김 씨 아줌마** | (반찬 놓으며) 이제 네 꼭지가 꽉 찬 것이 되았어! 오늘도 닭갈비지? |
| **동식** | 딴것도 있어요? |
| **김 씨 아줌마** | 없어. (휙~ 간다) |
| **동식/그래** | (보며 웃고) |
| **상식** | (천 과장한테 술 따라주며) 천 과장, 아직도 퇴근하면 혼자 술 마시나? |
| **천 과장** | (받으며) 가끔요. (병 받아 상식의 잔에 따라준다) |
| **동식** | (병 받아 그래에게 따라주며) 천 과장님, 유명했죠. 그렇게 드시고, 집에 가면 또 드시고. |
| **상식** | 아무리 술 좋아해도 남의 기분 맞춰주는 술자리가 많아지다 보면, 자기만을 위한 술을 마시고 싶기도 하지. |
| **천 과장** | 맞아요, 술 잘 마신다고 이리저리 끌려가서 남들 기분 맞추며 마시다 보면 혼자 빤스만 입고 편하게 마시는 게 그리워요. |
| **동식** | 맞아요. 빤스 바람으로 야구 중계 보면서 마시는 맥주가 제일 맛있죠. |

| 천 과장 | 그건 바라지도 않아. 제때 퇴근해서 애들 통닭 시켜주고 옆에서 |
|---|---|
| | 맥주 한 잔 먹는 것만이라도 하고 싶다고… |

잠시, 말을 멈추는 천 과장…

| 상식 | (잔 들며) 자, 건배하자. 잘 왔다, 천 과장. |
|---|---|
| 일동 | (잔을 든다) |
| 상식 | (천 과장에게) 일, 재밌게 하자. 옛날처럼. |
| 천 과장 | (머쓱하게 웃는) |
| 동식 | (웃으며) 옛날처럼! |

건배! 하는 일동. 각각 쭉 마시고.

| 천 과장 | 3팀 오기 전에 이런저런 쓸데없는 생각에 빠져 있었던 점, 사과드립니다. |
|---|---|
| | 3팀 일원으로 확실하게 자리 잡겠습니다. |
| 상식 | (건배 제의하며) 그래, 마시자구. |
| 천 과장 | 장그래 씨, 나한테 궁금하거나 부탁하고 싶은 게 있나? |
| 그래 | 아. (망설이다) 저… |
| 천 과장 | 부담 갖지 말고 말해봐. |
| 그래 | 저, 머리 깎아야 하나요? |
| 천 과장 | (당황) 응? |

"하하하하하하~" 웃는 일동. 각각 따르고 마시고 유쾌하게.


## S#51 — 천 과장 집 현관, 밤

철컥, 현관문 열리면. 정돈되지 않은 엄마 신발과 아이 신발 한 켤레씩 놓여 있다. 조심스럽게 현관문 닫는 천 과장. 껌껌한 집안.


## S#52 — 천 과장 집 주방, 밤

불도 켜지 않은 주방. 더듬거리며 가서 냉장고 문을 여는 천 과장. 물을 꺼내 벌컥벌컥 마시는 천 과장. 냉장고에 있는 캔 맥주들 본다. 가만히 생각하다 냉장고 문 닫는다.

## S#53 — 천 과장 집 침실, 밤

어두컴컴한 침실, 등 돌리고 자고 있는 아내가 보인다. 조심스럽게 옷을 벗는 천 과장.

| | |
|---|---|
| **아내** | (Off) 들어왔어? |
| **천 과장** | (깜짝) 응, 방금 왔어. |
| **아내** | 바로 자? 어쩐 일이야? 집에 오면 꼭 한 잔씩 하던 사람이. |
| **천 과장** | (침대에 누우며 가볍게 숨을 후~ 뱉고는 잠시 생각에 빠진다… |
| | 편안해진 표정으로 눈 감으며) 마셨어… |
| **아내** | 새로 간 팀 괜찮나봐? 발령 때문에 고민하더니… |
| **천 과장** | (눈을 뜨며) 응?… (애매하게) 으응… (복잡한 표정으로 다시 눈을 감는) |

## S#54 — 원인터 외경, 낮

## S#55 — 영업3팀, 낮

바쁘게 출근하는 상식에게 천 과장. 동식, 그래 인사한다.

| | |
|---|---|
| **천 과장** | 차장님, 내년도 사업계획서 준비해야겠는데요. |
| **상식** | 응, 오전에 바쁜 업무들 없지? 회의 먼저 하자. |

일동, "네" 하며 주섬주섬 챙겨 일어난다.

| | |
|---|---|
| **농식** | (그래를 보며 웃으며) 장그래가 내년도 사업계획 회의까지 |
| | 참석할 수 있게 될 줄 몰랐네. |
| **그래** | (웃으며 챙기는데) |
| **동식** | (피곤한) 오늘부터 회의, 회의, 회의의 연속이다. 각오해두는 게 좋아. |
| **상식** | (서류 뭉치와 다이어리 들고 휙 나가며) 가자! |

서류 잔뜩 챙겨 들고 뒤이어 나가는 일동.

#통로 + 15층 각 부서들, 낮. 영업3팀 상사들을 따라 회의실3까지 걸어가는 그래, 걸어가면서 다른 부서들을 본다. 영업2팀, 자원팀, 철강팀의 바빠진 모습들(전화하고, 서로 서류 주고받고, 모여 서서 얘기하고, 컴퓨터 작업 하면서 옆 사람과 바쁘게 얘기하고 등등)이 눈에 들어온다. 영이, 백기도 그 와중에 섞여 바쁘다.

**그래**        (Na) 회사의 모든 팀이 내년도 사업계획을 짜서 예산, 실행 계획, 실적 관련
              목표치를 준비해야 하는 시즌이다. 하나의 사업 아이템은 여러 부서의 협력으로
              이루어지기 때문에, 잦은 회의와 수많은 서류를 작성해야 한다.

#회의실3, 낮. 각자 서류 보며 회의에 열중하는 영업3팀.

**그래**        (Na) 새로운 아이템부터 미뤄뒀던 기획서까지 다시 들여다보지만,
              뾰족한 수가 있는 것은 아니다.

#영업3팀, 밤. 프린트를 걸고, 출력물을 체크하는 동식. 캐비닛에서 파일들을 전부 꺼내는 천 과장.

#회의실3, 밤. 충혈된 눈으로 하품하면서 파일들을 보는 상식. 양손에 도시락을 사 들고 들어온 그래, 책상 위에 세팅하고.

#회의실4, 낮. 서류 검토하고 있는 상식과 천 과장, 노트북 보며 설명하는 동식.

#탕비실, 밤. 커피 타는 그래.

**그래**        (Na) 영업3팀은 몇 날 며칠 긴 밤을 보내고 있다.


# S#57 ── 소회의실, 낮

장시간의 회의 흔적이 역력한 책상 위다. 넋 나가고 지친 분위기의 상식, 동식, 천 과장. 커피 들고 들어오는 그래, 나눠주는.

**동식**        (얼굴에 손 얹은 채) 아… 지친다. 과장님 정말 며칠째예요~ 으아.
**상식**        (초점 없는 눈으로 멍하니) 머리가 꽉 막혔다.

그들을 쳐다보며 자기 자리에 앉는 그래. 노트북 안의 회의 내용을 다시 차분히 본다… 그 위로…

**사범**       (E) 네 바둑이 늘지 않는 이유를 말해줄까?


## S#58 ─ 기원, 낮 혹은 밤(그래의 과거)

바둑판을 앞에 두고 사범과 마주 앉은 어린 그래.

**사범**       너무 규칙과 사례에 얽매여 있어. 당연히 수는 연구해야 하고
             제대로 학습해야 하지만,
**어린 그래**   …
**사범**       불변의 진리로 여긴다면 바둑이 이 오랜 세월 동안 살아남았겠니.
**어린 그래**   그럼 어떻게 해야 합니까?
**사범**       격식을 깨는 거야. 파격이지.
**어린 그래**   파…격이요…?
**사범**       격식을 깨지 않으면 고수가 될 수 없어.


## S#59 ─ 회의실3, 낮

생각에 잠겨 있던 그래. 천천히 입을 연다.

**그래**       …요르단 사업은 어떠세요?
**상식**       (멈칫, 본다) 뭐?


## S#60 ─ 소회의실 밖 15층 사무실, 낮

조용하게 바쁜 사무실 풍경.


## S#61 ─ 회의실3, 낮

모두 놀란 얼굴로 그래를 보고 있다.

| 동식 | 장그래, 지금 뭐라고 그랬어? |
|---|---|
| 그래 | 요르단 사업을 다시 해보는 거요. |
| 상식 | … |
| 천 과장 | 요르단 사업이라면, 박 과장 거 말하는 거냐? |
| 그래 | 네… |
| 동식 | 장그래, 무슨 말을 하는 거야? |
| 천 과장 | 신입이라 잘 모르는 모양인데, 남의 사업 뺏어 오는 거 아냐. |
| 동식 | 요르단이란 말도 꺼내지 마, 당분간. |
| 그래 | 그 사업에서… 비리를 걷어내면 |
| 상식 | (본다) |
| 그래 | 매력적인 아이템 같아서요… |

상식, 경직된 얼굴로 보고, 동식과 천 과장, 당황한 얼굴로 본다.

| 그래 | (Na) 회의는 급속도로 냉각됐다. |

## S#62 ── 탕비실 앞 통로 + 소회의실3 앞, 낮

커피 한 잔을 뽑아서 나오는 석율. 맞은편 회의실3 대강 쳐진 블라인드 너머로 영업3팀의 모습이 보인다. 심각한 표정의 상식과 그래 그리고 천 과장과 동식의 모습… 다가가서 블라인드 사이로 기웃기웃 보며

| 석율 | 뭐가 저렇게들 심각해? (그래 보인다) 장그래는 얼굴이 왜 저래? |
|---|---|
| | (심각한 표정의 상식을 획 봤다가 다시 그래를 획 본다) 디지게 혼나고 있구만. |

기웃거리며 문 쪽으로 가서 귀 찰싹 붙이고 들어보려고 노력하는데 문이 벌컥 열리며 나오는 영업3팀. 얼른 떨어지는데 상식, 천 과장, 동식, 잔뜩 굳은 얼굴로 주르르~ 간다. 가장 마지막에 나오는 그래에게 착 붙는 석율.

| 석율 | 장그래? 왜 그래? 왜 혼났어? |
|---|---|
| 그래 | 혼 안 났습니다. (획획 간다) |
| 석율 | 엉? (보다가 조르르~ 쫓아간다) |

## S#63 — 철강팀, 낮

타닥타닥… 모니터에 최종적으로 줄인 내용을 입력하고 있는 백기. "PSS(USD300/TEU)를 유예함"을 넣고 다시 한 번 본 후 프린트를 탁! 누른다.

> **<중동 항로 관련 이슈>**
>
> 라마단(2012.07.20.~08.18.) 종료에 따라
> 중동 항로 물동량 및 소석률 회복이 예상됨.
> IRA가 7월 중 적용할 예정이던 PSS(USD300/TEU)를 유예함.

백기, 출력물을 들고 강 대리에게 간다. 내밀면서

| | |
|---|---|
| **백기** | 강 대리님. |
| **강 대리** | (잠시 쳐다보다가 받아서 훑는다) |
| **백기** | (약간 긴장해서 본다) … |
| **강 대리** | 좋습니다. (준다) |
| **백기** | (받을 생각도 않고 본다) |
| **강 대리** | (받으라고 제스처 하면) |
| **백기** | (받으려는데) |
| **강 대리** | 아! 잠깐만. |

내용 중 "7월 중 적용할 예정이던"에서 "할"에 빨간 펜으로 찍 긋고 준다. 백기, 찍 그어진 곳을 약간 삐끗한 마음으로 쳐다보지만 기분 나쁘진 않다. 받아서 꾸벅하고 돌아서서 나오는 백기. 입가에 점점 미소가 커진다.


## S#64 — 로비, 낮

코팅된 종이를 들고 보면서 들어오는 백기. 조금 뿌듯하고 가벼운 마음이다. 그때, 석율의 문자 온다.

| | |
|---|---|
| **석율** | (E) 장그래 대~박. |

백기, 미간이 살짝 찌푸려지지만 의아한.

## S#65 ── 휴게실, 낮

| | |
|---|---|
| 백기 | (흠칫) 뭐라구요? |
| 영이 | (약간 놀란 얼굴로) … |
| 석율 | 뭐라구요, 뭐라구요, 뭐라구요, 내가 100번도 더 되물었다니깐. |
| 백기 | … |
| 석율 | (고개 절레절레) 장그래… 아니, 어떻게 그런 발상을 할 수 있지? |
| 백기 | 정말 분위기 파악 못 하는 친구네요. |
| 석율/영이 | (보면) |
| 백기 | 지금 사내에서 영업3팀 바라보는 시선도 모르는 건가? 가뜩이나 내부 고발자 보는 분위기잖아요. 모두들 편치 않아 한다구요. |
| 영이 | 승부사 같아요. |
| 백기 | (굳은 얼굴로 영이를 본다) |
| 석율 | (호기심) 승부사? |
| 영이 | 네. (대수롭지 않게 보며) 가끔 그렇게 보여요, 이유는 모르겠지만. |
| 석율 | (틱!) 반한 거야? |
| 영이 | (당황해서) 네? |
| 백기 | (불편한) 영이 씨는 장그래 씨를 너무 높이 평가하고 있군요. |
| 석율 | (틱!) 질투하는 거야? |
| 백기 | (당황해서) 네? |
| 석율 | 장그래 이 자식은 대체 왜 그러는 거야?! |
| 영이/백기 | (어이없이 석율을 보면) |
| 석율 | 왜? 모두 까기 중이야. 왜?! 나 요즘 삐뚤어졌거든! |
| 영이 | (한숨) |
| 백기 | 아무리 오 차장님이라도 이번 건은 승인 안 하실 겁니다. 그래야 하는 거구요. (나간다) |
| 영이/석율 | (본다) |

## S#66 ── 통로, 낮

나오는 백기, 손에 든 코팅한 종이 본다.

| | |
|---|---|
| 백기 | … |

헛웃음 짓는 백기, 들고 있던 손을 툭 떨어뜨린다. "후~" 하는.

## S#67 —— 영업3팀, 낮

조용한 영업3팀, 각각의 책상에 말없이 앉아 있는 네 사람.

**그래**    (Na) 영업3팀 회의는 중단됐다. 예상할 수 있는 논쟁과 예상할 수 있는 오해, 예상 밖의 피해가 짐작된다. 그러나 신입의 입에서 나온 파격적인 아이디어에, 누구 하나 쉽게 아니라고 말하지 않는다.

일어나서 팔짱을 끼고 창밖을 보는 상식, 생각에 빠진다.

**그래**    (Na) 신입의 제안을 거부하기 위해서라도 마땅함이 필요하다, 그것이 팀이다. 그런데 이 제안은 좀⋯ 묘하다.

생각에 빠져 앉아 있는 동식.

**그래**    (Na) 하기 싫은 것이냐, 해봤자인 것이냐.

그래를 못마땅한 표정으로 보는 천 과장.

**그래**    (Na) 해서는 안 되는 것이냐.

마침내 돌아서서 영업3팀 밖으로 나가는 상식.

**그래**    (Na) 그럼에도 할 수도 있는 것이냐.
**선 차장**    (E) 그럼에도 해서는 안 되는 거죠.


## S#68 —— 휴게실, 낮

굳은 얼굴로 선 차장을 보는 상식.

**선 차장**    사업이 남아 있다는 거, 모르는 사람 없어요. 하지만, 아무도 맡을 생각을 안 하잖아요?
**상식**    타 팀의 성과를 떡 먹기로 가져온다는 오해가 싫으니까.
**선 차장**    네, 아무 이해관계 없는 팀조차도 그래요. 근데 그걸 사건의 당사자인 영업3팀이 하자는 거잖아요.

상식          그렇지.


## S#69 ─ 옥상 정원, 낮

상식 앞에서 흥분해 있는 고 과장.

**고 과장**     (흥분) 미쳤어? 그건 아니지~
**상식**        그럼 너희가 하든지.
**고 과장**     뭐어~? 신입 이야기에 넘어가서 너 어떻게 된 거 아냐?
**상식**        그럼 버릴까?
**고 과장**     버려, 버려, 그거 말고도 할 거 많아.
**상식**        많지 않으면 해도 될까?
**고 과장**     말장난하기야? 하지 마~ 명분이 약해.


## S#70 ─ 소회의실1, 낮

**선 차장**     네, 명분이 약해요.
**상식**        (보면)
**선 차장**     꼭 하고 싶다면 말이에요. 타당성을 확보해야 해요. 수익이 높은
               사업이란 것보다 더 높은 차원의 가치 말예요.
**상식**        …타당한 이유가 필요하다 이거지?


## S#71 ─ 통로 + 영업3팀,낮

굳은 얼굴로 걸어오는 상식. 3팀 안에서 일하고 있는 그래를 본다… 쳐다보다가 다가간다.

**상식**        장그래.
**그래**        (일어나며) 네.
**상식**        (본다)

S#72 — 옥상, 낮

상식 앞에 서 있는 그래. 굳은 표정이다.


**상식**   하나만 묻자. 요르단 건의 수익이 탐나는 거야? 그래서 이 사업 놓치기 아까운 거야?

**그래**   …그것만은 아닙니다.

**상식**   그럼 꼭 이 사업을 이어받아서 해야 하는 이유가 뭐야?

**그래**   …그게… 우리 팀의 일이 덜 끝난 것 같아서요…

**상식**   덜 끝났다?

**그래**   네… 마무리가 남은 것 같단 생각이 들어서요…

**상식**   무슨 마무리?

**그래**   회사의 매뉴얼과 시스템을 최대한 활용해서 최고의 이익이 남겨질 수 있게…
       그 사업을 원래대로 해놓는 것.


상식, 그래를 보다가 돌아선다. 난간 쪽으로 가는 상식. 생각한다. 그런 상식의 뒷모습을 쳐다보는 그래…


**상식**   (멀리 보고 있다가 갑자기 픽 웃으며) 그래, (끄덕끄덕) 신입사원이니까.

**그래**   (네? 하듯 의아하게 본다)

**상식**   (혼잣말처럼) 그것도 신입사원이니까 할 수 있는 생각이지.

**그래**   (보면)

**상식**   (갑자기 돌아서서…) 좋아. 해보자, 이 사업.

**그래**   !

**상식**   해보는 거야.


상식을 쳐다보는 그래. 엔딩.

# Episode 12

# 제12국

## S#1 ── 옥상, 낮

상식, 그래를 보다가 돌아선다. 난간 쪽으로 가는 상식. 한참을 생각한다. 그런 상식의 뒷모습을 쳐다보는 그래…

| | |
|---|---|
| **상식** | (멀리 보고 있다가 갑자기 픽 웃으며) 그래, (끄덕끄덕) 신입사원이니까. |
| **그래** | (네? 하듯 의아하게 본다) |
| **상식** | (혼잣말처럼) 그것도 신입사원이니까 할 수 있는 생각이지. |
| **그래** | (보면) |
| **상식** | (갑자기 돌아서서) …좋아. 해보자, 이 사업. |
| **그래** | ! |
| **상식** | 해보는 거야. |

상식을 쳐다보는 그래.


## S#2 ── 영업3팀, 낮

놀란 얼굴로 상식과 그래를 보는 동식과 천 과장.

| | |
|---|---|
| **상식** | 시장이 확실하잖아. 충분히 살릴 수도 있고. |
| **동식** | (심란한) 나… 납득하는 사람들이 많지 않을 겁니다. 무주공산 되니깐 실적 욕심까지 내는 거라고 생각들 할 거예요. |
| **상식** | 그런 건 신경 쓰지 마. 핵심은 일이야. 일단 마 부장이 출장 중이니까, 보고할 기획안하고 자료 먼저 만들어두자. |
| **동식** | 허락… 안 하실 겁니다. |
| **상식** | 일단 딴생각 말고 집중해. 설득은 내가 할게. |
| **천 과장** | (입 다문 채 불편한 표정) … |
| **상식** | 천 과장은 왜 말이 없어? |
| **천 과장** | (불편한) 사내 시선도 시선이지만… |
| **상식/그래** | (천 과장을 본다) |
| **천 과장** | 까놓고… 이 일 때문에 최 전무님 라인의 반이 날아간 상황 아닙니까? 지금 이걸 하겠다는 건, 전무님 엿 먹으라는 걸로 받아들이실 겁니다. |
| **상식** | … |
| **그래** | (상식을 본다) |
| **상식** | …정치적인 부분 걷어내고 일만 보면? 타당한 사업이야 아니야? |

| | |
|---|---|
| 천 과장 | … |
| 그래/동식 | (천 과장을 보는) |
| 천 과장 | …할 만한 사업입니다. |
| 상식 | 근데, 언제부터 구더기 무서워서 장 못 담갔어, 우리가? |

흔쾌하지 않은 얼굴로 상식과 그래를 보는 동식과 천 과장.


## S#3 ─ 옥상, 낮

굳은 얼굴로 옥상 문을 열고 나와 난간 쪽으로 가는 동식. 그 뒤를 말없이 따라가는 그래. 동식, 잠시 멀리 밖의 풍경을 보다가 돌아선다.

| | |
|---|---|
| 동식 | 장그래, 이건 정말 아니다. |
| 그래 | …네. |
| 동식 | 장그래가 왜 그런 제안을 했는지 이해는 하는데… 현실적으로 이건 정말 어려운 문제야. 우리가 지금까지 쌓은 커리어에도 문제가 생길 수 있어. |
| 그래 | …죄송합니다. |
| 동식 | (다시 돌아서며) 후~ (멀리 보다가 다시 돌아서서) 차장님이 하시겠다니까, 더는 다른 말 안 할게. (보다가) 열심히 하자. |
| 그래 | 네… |
| 동식 | 앞으로… 이런 일은 나한테도 미리 좀 의논해줬으면 좋겠어. 나도 장그래하고 그 정도 사이는 되는 거라고 생각해. |
| 그래 | (당황해서 더 숙이며) 죄송합니다. |
| 동식 | …됐다. (팔 툭 치며) 열심히 해보자. |
| 그래 | 네… |


## S#4 ─ 영업3팀, 낮

감정 정리한 듯한 얼굴의 동식과 여전히 조금 긴장해서 굳은 그래가 들어온다. 일하고 있던 상식, 두 사람 보며

| | |
|---|---|
| 상식 | 국내 업체하고 요르단 현지 수입 바이어부터 찾아야겠지? 국내 쪽은 꾸준히 중고 자동차를 확보할 수 있는 업체여야 해. |
| 동식 | 인천, 군산, 부산에 대형 중고차 매매상 쪽으로 접근해보겠습니다. |

　　장그래, 국내 업체는 규모 위주로 분류해서 보내줘.

그래　　　　네.

상식　　　　(OL) 아냐, 그건 천 과장이랑 같이 해. 장그래는 아직 재무제표 볼 줄 모르잖아.
　　　　　　확실한 분류를 맡기는 건 곤란해.

그래　　　　(멈칫해서) …

상식　　　　(그래 보고) 나랑 지난번 입찰 탈락했던 업체들을 다시 검토하자고.

그래　　　　네…

상식　　　　(일하며 툭) 천 과장은 어디 갔어?


## S#5 ── 헬기 옥상, 낮

복잡하고 초조한 얼굴로 담배를 꺼내는 천 과장. 깊은 생각에 빠진.


　　　　　　[Flashback] S#2

　　　　상식　　　　정치적인 부분 걷어내고 일만 보면? 타당한 사업이야 아니야?

　　　　천 과장　　　…

　　　　그래/동식　　(천 과장을 보는)

　　　　천 과장　　　…할 만한 사업입니다.

　　　　상식　　　　근데, 언제부터 구더기 무서워서 장 못 담갔어? 우리가?


담배를 무는 천 과장.


　　　　　　[Flashback] 전무실

　　　　소파 상석에 여유 있는 얼굴로 앉아 있는 전무, 그 앞에 천 과장이 앉아 있나.


　　　　천 과장　　　(의아하고 긴장된) 저를 왜 영업3팀에 보내시는 겁니까?

　　　　최 전무　　　일하라고 보내지. 가서 잘~ 도와서 영업3팀 한번 키워보라고.

　　　　천 과장　　　(당황해서) …

　　　　최 전무　　　(천 과장을 흘깃 봤다가 툭!) 자네… 말야. 풍치가 뭔지 아나?

　　　　천 과장　　　네?

　　　　최 전무　　　자네 생각엔 풍치를… 뽑는 게 낫겠어? 그냥 두는 게 낫겠어?

　　　　천 과장　　　(당황한 얼굴로 최 전무를 보는 천 과장)


담배를 문 채 "후~" 복잡한 얼굴의 천 과장.

## S#6 ── 은행 안 혹은 앞 ATM, 낮

찌리릭찌리릭 소리를 내며 정리되는 통장을 멍하니 보고 있는 영이. 정리가 다 된 통장을 받아 들고 잔고를 확인한다. 학자금, 카드 청구액, 교통비, 대출 이자 등이 출금되고 39만 9,300원이 남았다. 생긋 웃는 영이. 다시 맨 밑에 대출 출금된 금액과 항목명을 본다.

**영이**    (미소 지으며 중얼거리듯) 이제 끝났다. (홀가분한 한숨을 내쉰다)
**백기**    (Off) 영이 씨.

놀란 영이, 얼른 통장을 닫으며 보면 은행에서 서류봉투 들고 나오던 백기다.

**백기**    (통장 보고 얼굴 보며) 월급 받은 게 그렇게 좋아요?
**영이**    네?
**백기**    계속 웃고 있잖아요. (장난스럽게) 아~ 난 좀 실망인데. 영이 씨가 돈을
         좋아할 줄은 몰랐거든요.
**영이**    (걸으며) 왜요? 저도 돈 좋아해요. 부자 될 거예요.
**백기**    (나란히 걸으며) 다행이다.
**영이**    네?
**백기**    이제야 좀 사람 같아 보이네.
**영이**    네?

하다가 발을 삐끗한다. 놀라서 잡는 백기. 영이, 삐끗한 쪽 구두를 보면 굽이 헐렁헐렁하다. 영이, 주저앉아 벗어서 바닥에 탕탕 박아 넣으며 무심히

**영이**    며칠 전부터 굽이 헐렁거리더라구요. (다시 신고 바닥에 탁탁 쳐보고) 됐네요.
**백기**    (보다가 풋!) 완전 사람이네.
**영이**    네? (찌푸리며) 아니, 왜 자꾸 사람 사람,
**백기**    (OL, 휙 앞서가다가 돌아보고 까딱하며) 가요. 뭐 해요?
**영이**    (뚱~해서 간다)

## S#7 ── 자원팀, 낮

서류봉투 안을 뒤적이며 들어오던 백기, 외근 후 들어오는 다인과 마주친다.

| | |
|---|---|
| **다인** | 다녀왔습니다. |
| **백기** | (서류 꺼내면서) 네. (다인의 힐이 눈에 들어온다. 보며 중얼거리듯) 여자들은 꼭 그렇게 힐을 신어야 하나? |
| **다인** | (깜짝!) 네? |
| **백기** | 아, 아녜요. |
| **강 대리** | (들어오며) 장백기 씨, 자원본부 회의 들어갈 컨소시엄 자료 좀 챙겨주고 삼정 컨소시엄팀 쪽 회의 준비도 좀 부탁해요. |
| **다인** | 네. |
| **강 대리** | (책상 위 전화 온다. 받으며) 네, 철강팀 강해준 대립니다. |

## S#8 ── 탕비실, 낮

커피 타고 있는 그래 옆에서 열받아서 조잘대고 있는 석율.

| | |
|---|---|
| **석율** | (어이없어서) 지가 사이코패스면서 누구더러 소시오패스래? |
| **그래** | (묵묵히 커피만 타고 있다) |
| **석율** | 선배 뽑기는 복불복이라더니. 이게 뭐야? 입사하고 거의 반년이 다 돼가는데 한 거라고는 저 인간이 사이코패스란 걸 안 거밖에 없어. 어떻게 내 인생이 이럴 수 있어?! 응? 넌 정말 선배 복 하나는 타고난 거라고! (고개 떨구며) 다시 현장으로 갈까… |

천 과장이 들어온다. 그래를 보고 멈춰 선다.

| | |
|---|---|
| **석율** | 아! 천 과장님! 안녕하십니까! 섬유팀 한석율입니다. |
| **천 과장** | 어… |
| **석율** | 천 과장님! 존경합니다. 경력직으로 입사, 영업3팀 대리로 첫 스타트를 하심과 동시에 오 차장님과 강력한 팀웍을 보여주신 바 이후 생활물자팀 발령 1년 만에 과장으로 전격 승진하셨으며… |
| **천 과장** | (OL) 한석율 씨, 자리 좀 비켜주지. |
| **석율** | 에? |
| **천 과장** | (석율 무시하고 그래에게) 장그래 씨, 신입의 패기, 다 좋은데, |

| 그래 | (당황해서 천 과장을 본다) |
| 천 과장 | 주위 한번 돌아봐. 사내에서 영업3팀을 뭐라고 하나. |

당황한 얼굴로 천 과장의 시선을 받는 그래. 석율, 두 사람 사이에서 눈동자만 굴리다가 슬쩍 뒷걸음질 쳐 밖으로 나간다.


## S#9 — 탕비실 밖, 낮

엉덩이부터 나오는 석율, 휴~ 돌아서서 가면서

| 석율 | 저 사람도 별루다. (절레절레하다가 돌아보며 의아) 근데 장그래는 또 무슨 일이야? |
| | (호기심에 탕비실 앞으로 다가간다) |


## S#10 — 탕비실 안, 낮

마주 보고 선 그래와 천 과장.

| 천 과장 | 장그래 씨가 지금 무슨 일을 벌여놓고 손 놓고 있는지 알긴 해? |
| | 신입들이 흔히 저지르는 실수. 전체를 보지 못하는 거. |
| 그래 | … |
| 천 과장 | 회사 내의 정치와 사내 감정은 생각도 안 하고, 무조건 들이대구. (꾹 누른다) |
| | 회사란 게, 조직이란 게, 그렇게 간단하고 단순한 게 아니야. |
| 그래 | 죄송합니다. |
| 천 과장 | 스스로도 감당할 수 있는 제안을 하라구. 냉정하게 봐서, 장그래 씨 캐파로 |
| | 이 일을 얼마나 서포트 할 수 있어? 결국엔 묻어가려는 욕심, 그 이상도 이하도 |
| | 아닌 걸로 보일 수도 있어. |
| 그래 | …제가 더 열심히 하겠습니다. |
| 천 과장 | (어이없는) 열심히? (헛웃음 치며) 혼자 열심히만 하면 다 되는 줄 알아? |
| | 세상일이 그렇게 간단하면 열심히 안 할 사람들이 어딨겠나 이 친구야? |
| 그래 | (어두워지며 시선 떨구는…) |

## S#11 ─ 탕비실 밖, 낮

석율　　(눈이 왕방울만 해져서) 대~박~!


## S#12 ─ 중앙 정원, 낮

놀라고 굳은 얼굴로 석율을 보고 있는 백기, 반기는 얼굴의 영이도 있다.

석율　　와~ 오 차장님… (경도된) 완전 존경. 세~상에 신입 의견을,
　　　　(안 받으실 거라고 했던 백기의 말을 의식해서) 덥석 받으셨네?

백기　　(약간 화난) 영업3팀은 돈 되는 사업이면 정말 다 하는군요.

영이　　어쨌든 시작을 했으니 끝은 보겠네요. 끝장 보는 거, 장그래 씨 특기니까.

석율　　영이 씨는 보면, 은근 장그래 칭찬 많이 해. 장그래 좋아해?

영이　　(당황) 네?

석율　　나 섭섭해. 우리 칭찬은 한 번도 안하고 (백기) 그지 백기 씨?

백기　　(뭔가 기분이 좀 나쁜)

영이　　(당황) 제가 언제 그랬어요?

석율　　IT팀 박 대리님 일 때도, 장백기 씨 까지 않았어? 장그래는 끝까지 남아 있었다고
　　　　칭찬하고 우리 백기 씨는 그냥 들어왔다고 깠잖아. 그지 백기 씨?

백기　　(석율을 확 본다)

영이　　(당황) 아니, 그때는,

석율　　(OL) 맞다! 재무팀 김선주 부장 때도 결국엔 장그래 말 들었지? 그렇게 백기 씨가
　　　　가지 말라고 했는데 갔잖아. (백기한테) 그지 백기 씨?

영이　　(당황해서 백기 보면)

백기　　(헛기침 꿀럭꿀럭)

석율　　아! 그리고 하 대리님, 내가 들이박으라고 했지? 근데 장그래 하는 거
　　　　뿐 보고 시키지도 않았는데 트럭, (생각나서 울먹이며) 트럭을… 날 트럭엘 태워서
　　　　(째려보며) 김 여사 운전하면서…

영이　　(당황)

석율　　보면 은근 장그래 말은 잘 들어. (백기한테) 그지? 백기 씨. 엄청 기분 나빴지?
　　　　그지 백기 씨? 장그래는,

백기　　(OL, 버럭!) 장그래 씨 얘기는 왜 계속하는 겁니까?!

석율/영이　　(놀라서 끔벅끔벅 보다가)

석율　　할 만하니까 하는 거지~ 아니, 걔가 아니면 박 과장 요르단 중고차 사업을
　　　　다시 하자는, 그런 깜찍한 생각을 누가 하겠어? 장백기 씨 할 수 있어?

| | |
|---|---|
| 하 대리 | (Off, 화난) 이게 무슨 소리야! |

깜짝 놀라서 돌아보는 세 사람. 하 대리, 위협적으로 다가온다. 놀라서 쪼는 석율.

| | |
|---|---|
| 하 대리 | 영업3팀이 뭘 해?! |
| 세 사람 | (당황해서 보는) |

## S#13 ── 영업3팀 앞 통로 + 영업3팀, 낮

영업3팀, 그래와 동식이 일하고 있다. 잔뜩 화가 난 얼굴로 앞장서서 걸어오는 정 과장과 그 뒤에 하 대리, 유 대리. 동식, 통로 쪽에서 우르르 오고 있는 자원팀 사람들을 의아하게 본다. 들어오는 정 과장과 하 대리, 유 대리.

| | |
|---|---|
| 정 과장 | (버럭) 야! 김 대리! 이게 무슨 소리야?! |
| 동식 | 네? |
| 정 과장 | 박 과장 요르단 중고차 사업, 영업3팀에서 재추진한다는 게 무슨 소리냐구! |
| 동식/그래 | (조금 당황한다) |

주변, 놀라서 보거나 웅성거린다. 영이, 백기도 긴장해서 본다. 고 과장도 놀라서 보지만 올 것이 왔다는 표정이다.

| | |
|---|---|
| 동식 | (침착함 유지하려고 하며) 네, 한번 해보려구요. |
| 정 과장 | (기가 막힌) 뭐? 한번 해보려구요? 야! 우리도 가만있는데 니네가 뭔데 그걸 해?! 도둑놈들처럼! |
| 동식 | (울컥) 도둑놈이요? 그럼 자원2팀에서 하시든지요! |
| 정 과장 | (더 덤비며) 뭐?! 지금 그걸 하겠다는 얘기가 아니잖아! 좋은 사업인지 몰라? (주변 보며) 여기서 그거 모르는 사람들이 있어?! 몰라서 안 하는 거야? |

동식, 할 말 없이 보고. 그래, 창백해져서 본다. 정 과장을 동의하는 주변의 싸늘한 시선들. 고 과장은 답답한 마음으로 보는. 그때 천 과장, 이 상황을 쳐다보며 들어와 입구에 선다.

| | |
|---|---|
| 정 과장 | 셋업 한 우리도 가만있는데! 예의도 양심도 없냐? |
| 천 과장 | (차가운 표정으로 보고만) |
| 동식 | (울컥해서) 일하겠다는데 예의 양심이 무슨 상관이랍니까?! |
| 하 대리 | 야! 김 대리. 너까지 이러면 안 되지! |

| 정 과장 | (하 대리에게) 뭘 바라?! 상도덕도 없는 인간 밑에서 뭘 배웠겠어?! |
|---|---|
| 동식 | 상도덕을 모르는 사람이 누군데요? B/L을 그렇게 숨겨놓고! |
| | 우리 팀에 뒤집어씌우고! 그런 사람이 누군데 상도덕을 말하십니까?! |
| 정 과장 | 뭐어?! (하면서 동식의 멱살을 잡는다) |

말리는 그래와 정 과장을 떼내면서도 하 대리, 동식을 힐난한다.

| 하 대리 | 야! 김동식! 너도 이게 맞다고 생각해? |
|---|---|
| 동식 | 맞는지 틀린지는 오 차장님이 판단하실 문제고, 최소한 비리를 방치한 |
| | 자원2팀에서 그걸 물을 자격이 있는지부터 생각해봐! |
| 정 과장 | (다시 덤벼들며) 뭐 이 새끼야! 야! 이걸 마 부장님이 허락할 거 같아! |
| | 이게 될 것 같아?! |
| 동식 | 되면 어쩔 건데요?! |
| 정 과장 | 뭐 이 새끼가! |
| 상식 | (Off, 버럭!) 뭐 하는 짓이야! |

상식, 들어와서 모두를 노려보고 있다. 안의 모두, 흥분한 채 상식을 보고 상식, 그들을 보다가 옆에 천 과장을 본다. 오 차장의 눈길을 받지 않고 그냥 앞만 보고 있는 천 과장. 상식, 부릅뜬 눈으로 다시 모두를 본다.


## S#14 ─ 소회의실 안, 낮

벌어진 블라인드 빗살 밖으로 지나가는 사람들이 흘깃흘깃 보는 게 보인다. 블라인드의 빗살을 착 가리는 동식. 영업3팀원들… 가라앉은 분위기… 그래는 고개를 숙이고 있다. 동식, 자리로 와서 앉는다. 모두 말이 없다… 한동안 그러고 있는데

| 상식 | (숙이고 있는 그래 보고) 장그래, 고개 들어. 무슨 죄졌어? 일한다는데. |
|---|---|

그래, 고개 든다. 다시 조용한 분위기다. 천 과장, 여전히 답답하고 어이없는 감정인데…

| 동식 | (정적을 깨는 얕은 헛기침 후) 역시 1차 탈락 업체 중에서는 가려낼 게 없습니다. |
|---|---|
| | 다들 규모에서나 모든 면에서 부족하더라구요. |
| 상식 | (동식을 본다) 응 그래? 천 과장 본 것 중에선 어때? |
| 천 과장 | …서류만으로는 잘 모르겠습니다. 직접 방문해봐야 될 것 같습니다. |
| 상식 | 좋아. 얼마나 걸릴까? |

| 천 과장 | 닷새 정도요. |
|---|---|
| 상식 | 사흘 내에 맞추자. 동식이 같이 가고. 러프한 내용이라도 바로바로 쏴줘. |
| 동식 | 네. (천 과장 보고) 천 과장님과 지역을 분할하는 게 나을까요? |
| 일동 | (천 과장을 본다) |
| 천 과장 | …이동 중에 업무 보려면 한 명은 운전해야 해. |
| 상식 | 그래, 같이 움직이는 게 좋다. (일어난다) |
| 동식 | (일어나며) 장그래, 차량 지원 신청해줘. |
| 그래 | (일어나서 정리하며) 네. |

## S#15 ── 소회의실 밖, 낮

나오는 상식과 동식. 천 과장, 마지막으로 그래. 그래, 굳은 얼굴의 천 과장에 저도 모르게 눈이 머문다. 상식과 동식, 영업3팀 쪽으로 가는데 뭔가 깊은 생각에 빠진 듯한 천 과장은 밖으로 나 간다. 뒤에서 그런 천 과장을 쳐다보는 그래.

| 천 과장 | (E) 스스로도 감당할 수 있는 제안을 하라구. 냉정하게 말해서, 장그래 씨 캐파로 이 일을 얼마나 서포트 할 수 있어? |
|---|---|
| 그래 | (고개 떨구는) … |

## S#16 ── 전무실 앞, 밤

긴장하고 망설이는 얼굴로 전무실로 들어오는 천 과장. 비서, 인사하면.

| 천 과장 | 전무님… 계십니까? |
|---|---|
| 비서 | 네, 잠시만 기다리십시오. (전무실 문을 두드리고 들어간다) |

잔뜩 긴장한 얼굴로 기다리는 천 과장. 잠시 후 비서가 나온다.

| 비서 | 들어가십시오. |
|---|---|
| 천 과장 | (긴장한 얼굴로 전무실을 본다) |

## S#17 — 전무실 안, 밤

긴장해서 들어오는 천 과장, 일어나 소파로 가는 전무.

| | |
|---|---|
| **최 전무** | 응. 어서 오게. (앉으며 보고는) 얼굴이 좋군. |
| **천 과장** | 감…사합니다. |
| **최 전무** | 어때? 간만에 영업3팀이랑 일하니까, 일할 맛 나지? |
| **천 과장** | (긍정해야 하나 부정해야 하나 선뜻 대답을 못 하고) |
| **최 전무** | (웃음 띤 얼굴로 본다) |
| **천 과장** | 영업3팀에서… 박 과장의 요르단 사업을 재진행하고 있는데… |
| **최 전무** | (얼굴에 문득 힘이 들어간다. 본다) |
| **천 과장** | (말을 못 잇고) |
| **최 전무** | (다시 웃으며) 그래서? |
| **천 과장** | (긴장해서 머뭇머뭇) 제가… 어떻게 하면 좋을지 |

하는데 순간 싸늘해지는 전무. 멈칫하는 천 과장.

| | |
|---|---|
| **최 전무** | 자네, (특유의 웃음으로) 지금 무슨 소리를 하고 있는 건가? |
| **천 과장** | (멈칫 보면) |
| **최 전무** | (웃으며) 아니, 팀이 실익이 있는 사업을 한다는데 어떻게 해야 좋을지 모르겠다니. (너털웃음 짓듯) 그걸 나한테 물어? 이 친구… |
| **천 과장** | (당황해서 보면) |
| **전무** | 팀원이면 제대로 일을 해야지. 내가 그러라고 보냈던 걸로 기억하는데. |
| **천 과장** | (당황해서 보기만) |

## S#18 — 중앙 정원, 밤

구겨진 채 말이 아닌 얼굴로 걸어 나오는 천 과장, 거친 몸짓.

| | |
|---|---|
| **천 과장** | 후… (마른세수를 하고 다시 후… 한다) 빌어먹을… (후… 어이없는 웃음과 함께) 참, 살기 힘들다. 힘들어… (허공 보며 헛웃음… 그때 문자 온다) |
| **동식** | (E, 문자와 함께) 과장님, 저 먼저 들어가요. 내일 7시에 댁 앞으로 모시러 갈게요. |
| **천 과장** | … |

숙이고 앉아 있는 그래, 들어오던 상식, 그런 그래를 본다…

| | |
|---|---|
| 상식 | (지나가며) 왜 그러고 있는 거야? 너 그러다 거북이 목 돼. (자리로 가서 앉는데) |
| 그래 | (일어나서 보며) 제가… 잘못한 거 같아서요… 책임도 못 질 거면서… |
| | 그런 제안을 한 게… 너무 창피합니다. |
| 상식 | (어이없이 본다) 야, 이거 진짜 웃긴 놈이네. 너 진짜 창피한 게 뭔지 알려줘? |
| 그래 | 네? |
| 상식 | 제안? 책임? (흐흐흐 어이없이 웃으며) 야, 이거 니가 하자고 한 거 아냐. |
| | 내가 하자고 한 거야. |
| 그래 | (본다) |
| 상식 | 오냐오냐하니까 할아버지 상투 잡는다더니 (버럭) 야! 장그래! |
| 그래 | (깜짝 놀라서 벌떡 일어난다) |
| 상식 | 노력의 양과 질이 다른 장그래. (자료 갖고 와서 휙 주면서) 니가 지금 할 일은 |
| | 이 자료 읽고 또 읽고 숙지하는 거야. 내가 달라는 것만 챙겨주면 밥값 다 하는 |
| | 거라고. 그게 신입이 할 일이야. |
| 그래 | 네…? |
| 상식 | 100프로 못하겠어? 그럼 오버하지 말고 80프로만 해. 신입이 120프로로 하려고 |
| | 하는 것만큼 팀을 위험하게 하는 건 없어! |
| 그래 | (멍하다) |
| 상식 | (자리로 가는데) |
| 그래 | (멍~하게 나가는데) |
| 상식 | 어디 가? |
| 그래 | 물 마시러요… |
| 상식 | 어어~ 장 팀장님 물 마시게요? 저도 한 잔 갖다주십시오, 장 팀장님. |
| 그래 | (얼굴이 빨개져서 나간다) |

보면서 웃는 상식. 웃다가 점점 웃음기가 없어지고 일어나서 창밖을 보는 상식. 어두운 창밖의
풍경… 다시 무거워지는 마음.


## S#20 — 자원팀, 낮

| | |
|---|---|
| 영이 | (놀라서) 네? |
| 정 과장 | 왜 두 번씩 물어. 삼정물산하고 우리 철강팀하고 진행하는 멕시코 석탄 광구 |

| | 컨소시엄에 우리 팀도 인벌브 됐다고. |
|---|---|
| **영이** | (당황) |
| **정 과장** | 곧 그쪽하고 우리랑 철강하고 합동회의가 있을 거야. 앞으로 삼정 쪽하고 수출권 확보 다툼이 있을 거 같으니까 미리 준비해. |
| **하 대리** | 그쪽 담당이 신우현 팀장이죠? 빈틈없는 사람이라는데. |
| **영이** | (! 창백해지는) |
| **정 과장** | 출중한 사람이지. 올해의 상사맨으로 두 번 꼽혔지? (쳇!) 그 나이에. |
| **하 대리** | (마땅찮지만) 뭐, 대단한 사람이긴 하죠. |
| **정 과장** | 삼정물산 최연소 입사, 최연소 팀장 파격 진급. 5년 연속 1억 5천만 불 수주. 최연소 해외 법인장. 상사계의 블루칩. 팬클럽도 있다네? |
| **유 대리** | 저도 회원이에요. |

정 과장, 하 대리, 어이없이 보는데

**하 대리**      생긴 건 내가 낫지 않나?

정 과장, 유 대리, 어이없이 보는데 영이는 약간 넋 빠진 얼굴로 간다. 마침 통화하며 들어오던 백기를 지나간다. 백기, 창백한 영이 보며 "네, 알겠습니다" 하고 전화 끊는데

| **유 대리** | (나가는 영이 쪽 보며) 안영인 넋이 나갔네요? |
|---|---|
| **정 과장** | 경쟁 회사 경쟁팀이랑 컨소시엄인데 부담되겠지… 신입 입장에선. |
| **백기** | (나가는 영이를 돌아본다) |


## S#21 — 중앙 정원, 낮

후들거리는 다리를 겨우 지탱하며 앉는 영이, '어떻게 해야 하나…' 생각 중이다.

[Flashback] 삼정물산 미래자원팀 영이 자리
굳은 얼굴로 자기 책상 위 물품을 박스에 넣고 빈 사무실을 둘러보는 영이.
상자를 들고 나가는데, 우현, 쳐다보면서 들어온다.

| **영이** | … (숙이며) 안녕히 계십시오. |
|---|---|
| **우현** | 이렇게 나가는 거 아니다. |
| **영이** | …안녕히 계십시오. |

머리가 터지듯 아파오는 영이. 백기, 나와서 보다가 다가온다. 앉으며

| | |
|---|---|
| 백기 | 삼정이랑 컨소시엄 때문에 부담되죠? |
| 영이 | (약간 당황해서 본다) |
| 백기 | 너무 걱정하지 마세요. 신입이 뭐 할 일이야 뻔하지. |
| 영이 | 네… |
| 백기 | 저도 그쪽 담당이 그 유명한 신우현 팀장이라 긴장하긴 했죠. |
| 영이 | (더 굳어서 본다) |
| 백기 | 두 번 회의했는데 철저하더라구요. 우리 회사 사내 보안까지도 체크하던데요? 자원팀에도 호락호락하진 않을 거예요, 수출권 문제까지 걸렸으니까. |
| 영이 | … |
| 백기 | 근데 인간성은 괜찮은 거 같아요. 편하게 생각해요, 신우현 팀장은. |
| 영이 | (OL) 아, 장그래 씨는 잘하고 있겠죠? |
| 백기 | (멈칫) 네? |
| 영이 | (영혼 없이) 아까 보니까 기운이 하나도 없던데… |
| 백기 | (뻘쭘) 아… 네. |
| 영이 | 우리 팀이 화낸 것도 신경 쓰이고, 진행도 쉽지 않은 건인데 장그래 씨 |
| 백기 | (OL, 울컥!) 아니, 왜 자꾸 장그래 씨 얘기는 하는 겁니까?! |
| 영이 | 네? |
| 백기 | (벌떡 일어나서 간다) |
| 영이 | (당황해서 쳐다본다) |

## S#22 — 통로, 낮

화나서 걸어오는 백기. 맞은편에서 오던 그래가 인사하는데 백기, 쌩~하고 그냥 가다가 딱 선다. 확 돌아보며

| | |
|---|---|
| 백기 | 장그래 씨! |
| 그래 | (돌아보며) 네? |
| 백기 | (버럭) 남자가 왜 그렇게 기운 없이 다녀요?! |
| 그래 | (멍~) |
| 백기 | (화난 얼굴로 확! 간다) |
| 그래 | (끔벅끔벅) |

## S#23 — 영업3팀, 낮

상식, 일하고 있는데, 그래 들어온다.

**상식**    어, 장 팀장, 지금 요르단 몇 시지? 조 대리 연결 좀 해봐.
**그래**    (울상으로) 차장니~임.
**상식**    (웃는) 전화.


## S#24 — 요르단 암만 구시가지 일각(조 대리) + 영업3팀(상식), 낮(분할 화면)

#암만, 낮. 요르단 전경 위로

**조 대리**    (E) 오 과장님, 참, 차장님 되셨죠? 축하합니다. 네네, 여기 소문 다 퍼졌죠. 그냥 둘러대며 버티고 있습니다.

#영업3팀, 낮

**상식**    (통화) 현지 상황 파악이 필요해. 관련 업체 데이터를 좀 보내주겠어?

#요르단 암만 구시가지, 낮

**조 대리**    알겠습니다. 저 그런데 차장님, 사실 이거 그냥 버리기 아까운 사업인 건 확실합니다. 다시 진행하시려는 건 좋은 생각인데요. 문제는 이번 스캔들, 소문이 꽤 독하게 날 수 있습니다.

#영업3팀, 낮

**상식**    (통화) 알고 있어. 요르단 정부 관련해선 본사 차원에서 힘 좀 실어보도록 할게. (사이) 그래, 수고해. (전화 끊고 그래에게) 김 대리 쪽 자료 좀 넘어왔나?
**그래**    네, 업체 방문 끝날 때마다 바로 넘어옵니다.
**상식**    좋아, 그때그때 정리해둬. 올라오면 바로 회의하게. 오늘은 어디래?
**그래**    군산 쪽 돌고 계실 겁니다.

## S#25 ── 군산의 중고 자동차 업체, 낮

업체를 뒤로하고 동식과 천 과장이 걸어 나온다. 수염에 구겨진 옷에 피곤한 모습이다.

| | |
|---|---|
| 천 과장 | 만만치 않네. 물류 단지가 없으니 고만고만한 업체들이 난립해 있어. |
| | 규모 있는 업체가 필요한데. |
| 동식 | 규모 있는 업체는 대기업이랑 손잡으려 하지 않겠죠. |
| 천 과장 | 그렇지 않아. 오히려 부품 조달까지 용이하니까 패키지화하기 좋다구. |
| 동식 | 이 목록 가지고 세관으로 가서 밀수출 적발 업체 분류해보죠. |
| | 한두 군데가 아니딘데… |
| 천 과장 | 그러지. (하품하면서) 다음은 어디지? |
| 동식 | 운전 제가 할게요. |
| 천 과장 | (차 키 넘겨준다) |

## S#26 ── 고속도로, 낮

차들이 달리고 있는 도로.

| | |
|---|---|
| 동식 | (E) 정리, 대강 하고 넘기세요. 장그래가 마저 할 겁니다. |
| 천 과장 | (E) 제대로 하겠어? |
| 동식 | (E) 믿고 해야죠. |
| 천 과장 | (E) 안 피곤해? 교대할까? |
| 동식 | (E) 아직은요… |

## S#27 ── 여관 외경, 낮

## S#28 ── 여관, 낮

동식과 천 과장, 각자 돌아앉아 업무 전화 통화가 한창이다.

| | |
|---|---|
| 동식 | 네, 차장님. 업체는 충분히 확보했습니다. |
| 천 과장 | 예… 예. 제 이메일로 보내주시면 됩니다. 명함 갖고 계시죠? |
| | 비용 변동 생기면 안 되구요. 업체 정보 확실한 거죠? |

| 동식 | 요르단 쪽은 어떤데요? (듣고) 잘됐네요. 조 대리도 고생 많이 하겠네요. |
|---|---|
| 천 과장 | 추가하고 싶은 자료는 이번 주 내로 주셔야 합니다. 며칠 안에 결정이 나야 해서요. |
| | 네네. 그럼 서울 가서 연락드리겠습니다. 네. (끊고) |
| 동식 | 시간 얼마 없으니까 올라가자마자 정리해야겠어요. 네. 네~ |
| | (끊고 한숨 내쉬고 누우며) 체크아웃까지 두 시간 남았는데 조금만 자죠. |
| 천 과장 | (누우며) 그래, 그러자구. 후~ (눈을 감는다) |
| 동식 | …과장님. |
| 천 과장 | 응. |
| 동식 | 과장님은 계속 이 사업이 마음에 안 드시는 거죠? |
| 천 과장 | …너도 그렇잖아. |
| 동식 | …그래도 안 될 거라고 생각하고 일을 하진 않아요. |
| 천 과장 | 그게 다 무슨 소용이냐… 니 속 다 안다. 오 차장님 하시고 싶은 만큼 |
| | 하실 수 있게 서폿 하겠다는 거잖아. |
| 동식 | … |
| 천 과장 | 이해는 하는데, 그 시간 동안 쏟아부은 시간, 노력, 경비는 어쩔 거야? |
| | 그만큼 실적도 빠질 거고. 이건 미친 짓이라구. |
| 동식 | … |

조용히 눈을 감고 있는 두 사람.


## S#29 — 영업3팀, 낮

자료 보고 있는 상식과 그래.

| 상식 | 요르단 쪽은 역시 이 업체가 제일 낫네. 재무제표 양호하고, 실적 좋고, |
|---|---|
| | 주변국으로 재수출 실적도 좋고… 판로도 제일 탄탄한 거 같고… |
| 그래 | (일어나서 다가와서 본다) |
| 상식 | 보면 알아? |
| 그래 | (울컥) 저도 대강 아는데요. 재무제표만 빼고요. |
| 상식 | 그게 단데 그걸 빼면 어떻게 합니까? 장 팀장님. |
| 그래 | (어쩔 줄 모르는데) |
| 상식 | (업체의 재무제표 주며) 일단 슥 훑어봐. 그리고 처음부터 다시 봐. |
| 그래 | (본다) |
| 상식 | 숫자가 눈에 좀 들어온다 싶으면 항목별로 쭉 살펴봐. |
| 그래 | (보며) 네. |

| 상식 | 숫자가 한눈에 들어와야 해, 액수의 단위, 달러로의 변환이 바로바로 이뤄져야 돼. |
| 고 과장 | (Off) 에유~ 고사리손이라도 빌려야 할 판에 그렇게 가르쳐가면서 언제 하냐. |

영업2팀 자기 자리에서 옷 벗어 걸면서 얘기하고 있는 고 과장. 그래, 당황해서 보고 상식, 그래를 한 번 봤다가 짐짓

| 상식 | 그러게 말야, 그러니까 안영이가 왔어야 하는데… |
| 그래 | … |


## S#30 ── 옥상 정원, 낮

| 고 과장 | 마 부장 내일모레 오지? |
| 상식 | 응. |
| 고 과장 | 되겠냐? |
| 상식 | 하는 데까지 해봐야지. |
| 고 과장 | (제6국, S#75에서 상무가 박 대리에게 했던 것처럼) 참 낭만적인 차장이야. |
| 상식 | (뭐야~ 하듯) |
| 고 과장 | 그렇다. 뭐, 사업 아이템 하나 통과 못 시킨다고 죽기야 하겠냐? |
| | 문제는 딴 데 있지. |
| 상식 | (보면) |
| 고 과장 | 콘크리트 같은 영업3팀의 팀에 균열이 일어날 수 있다는 거. |
| 상식 | (고 과장을 보던 눈길을 돌려 멀리 본다) |
| 고 과장 | 리더십이 시험받을 수 있어. |
| 상식 | … |
| 고 과장 | (말없는 상식을 본다) 왜 말이 없어. |
| 상식 | (비장하게) 나는 위험한 일만 찾아다니는 킬리만자로의 표범. 바람처럼 왔, |

고 과장의 개소리 알람이 울린다. 왈왈왈~

| 고 과장 | 어? 약 먹을 시간이네. (하고는 홱 돌아서 가버린다) |
| 상식 | (쩝 보다가 다시 깊어지는 얼굴…) |

## S#31 — 영업3팀, 낮

그래, 업체의 재무제표를 보고 있다.

| | |
|---|---|
| **상식** | (E, S#29) 숫자가 한눈에 들어와야 해, 액수의 단위, 달러로의 변환이 바로바로 이뤄져야 돼. |
| **그래** | 모양이 눈에 들어와야 한다. 수 싸움은 그다음. (서류의 전체를 훑듯 보면서) |
| **그래** | (Na) 형태를 익혀라. 그리고 그 형태의 빈틈과 약점을 끊임없이 연구해라. 그렇지. 각 항목의 의미를 정확히 알고, 숫자의 개수만 보고도 규모를 파악해내는 것. 그렇게 된다면 각 항목에 대한 숫자가 말하는 규모를 파악할 수 있을 것이다. (빈 A4 용지에 기록하는 그래) 바둑에서처럼, 한눈에 알 수 있는 '틀'을 구축하는 거다. (그러다 곧이어 멈칫한다) |
| **그래** | (Na) 그런데… (보다가) 내가 바둑으로 성공했던가? 이 게임에서 성공하기 위해… 실패한 게임의 룰을 들고 와도 되는 건지, 내가 그래도 되는 건지… |

그러고 있는데 동식과 천 과장, 피곤한 모습으로 들어온다.

| | |
|---|---|
| **그래** | (벌떡 일어나며) 다녀오셨어요? |
| **동식** | 어, 차장님은? |
| **상식** | (오며) 잘 다녀왔어? |
| **동식/천 과장** | (인사하고) |
| **상식** | 수고 많았어. 바로 퇴근하고 싶겠지만 보고 먼저 받아야겠는데… |
| **천 과장** | 그러시죠. |
| **동식** | 좋은 업체 많네요, 의욕도 있고. |
| **상식** | 가자. (나가고) |

천 과장과 동식도 나가고, 그래도 급히 노트북 들고 나간다. 통로로 나가 소회의실3 쪽을 향해 우르르 가는 영업3팀. 들어오던 고 과장을 지나며, 동식, 그래, 천 과장이 인사하고 가면

| | |
|---|---|
| **고 과장** | (보며 쯧쯧) 저거 또 3일 밤낮 새울 태세네. 어후… 헛수고는 아니어야 할 텐데… |

## S#32 — 몽타주, 밤

#소회의실. 상식, 동식, 그래, 천 과장이 각자 노트북 펼쳐둔 채 활발하게 회의 중이다.

#영업3팀. 다급히 프린트물들을 뽑아 소회의실1로 급히 가는 그래.

그래        (Na) 천 과장님과 김 대리님이 만든 리스트를 약식으로 1차 점검한다.

#소회의실. 책상 위에 펼쳐진 문서들을 보며 대화하는 상식과 동식과 천 과장.

그래        (Na) 연간 공급 능력이 되는 업체인지, 건전한 재무 상태를 유지하고 있는지.

#지쳐가는 영업3팀 팀원들의 모습, 의자에 뒤에 기대거나 잠시 엎드려 있거나… 쓰러지고 엎어져 있는 커피 종이컵들 옆에 수북이 쌓인 문서들, 커피를 나르는 그래… 다시 문서를 보며 일하는 영업3팀 팀원들.

그래        (Na) 그들의 비전이 우리와 맞고 현실성이 있는지, 철저하게 검토한다.

샌드위치를 사 오는 그래.

그래        드시고 하세요.

동식, "후우~" 하며 하던 일 멈추고 기지개를 펴며

**동식**        와~ 푸짐하네.

나머지도 하던 일 멈춘다. 샌드위치를 꺼내서 각각의 앞에 두는 그래.

**상식**        (샌드위치 들어 포장 벗기며) 천 과장, 몇몇 업체는 추가 설명을 좀 들어야 할 곳이 있네.
**천 과장**        네, 그렇잖아도 오늘 전부 전화 돌릴 참이었습니다.
**동식**        (벗겨 먹으면서) 제가 할게요.
**그래**        (샌드위치 먹으려는데)
**상식**        아! 참! 장 팀장님이 먼저 먹고 먹어야지.
**그래**        (그대로 돌이 된다)
**천 과장/동식**        (어리둥절하게 본다)
**상식**        어, 소개 안했지. 장그래 팀장님이셔.
**천 과장/동식**        (멀뚱하게 보는데)

껄껄껄껄 웃는 상식, 동식도 뭔지는 모르지만 따라 웃고 그래도 창피한 웃음 지으며 이들을 본다. 천 과장도 어이없는 웃음.

**그래**       (Na) 잠시의 휴식, 모두가 웃고 있지만 다른 속내들. 불편한 공기가 전달하는
                      불편한 진실이 이 어색한 웃음들 속에서 더더욱 위태롭게 드러나고 있는 중이다.

다시 웃음을 멈추고 말없이 샌드위치만 뜯고 있는 영업3팀.


## S#33 — 15층 입구, 밤

어두운 입구로 들어오는 누군가의 발. 최 전무다. 드문드문 불 꺼진 사무실을 둘러보다가 불 밝힌 소회의실3 쪽을 본다. 영업3팀의 실루엣이 보인다. 천천히 가는 전무. 소회의실3 안에 어색하게 웃는 동식과 말없이 샌드위치를 뜯고 있는 영업3팀 팀원들 모습이 보인다. 알 수 없는 표정으로 보고 있던 전무가 느긋한 표정으로 돌아선다. 소회의실3 안의 그래, 무심코 밖을 돌아보다가 슥 돌아서서 가는 전무의 뒷모습을 얼핏 본다.


## S#34 — 그래의 방, 밤

피곤한 얼굴로 힘없이 들어온다. 앉은뱅이책상 주변과 그 위로 널브러지거나 쌓여 있는 책들과 서류들. 그리고 옆에 쓰레기들. 책상 앞 벽에 겨우 붙어 덜렁거리는 세계 지도. 요르단에 표시도 되어 있다.

**그래 엄마**     (들어와서) 뭘 건드려야 될지 몰라서 못 치웠다.
**그래**           그냥 두세요. 제가 치울게요.
**그래 엄마**     응. (얼른 나간다)

터덜터덜 와서 지친 듯 벽에 기대앉는다. 맞은편 책상 위 풍경과 세계 지도가 무심하고 지친 눈길 안에 들어온다. 그러고 있다가 옆으로 그대로 휘~익 쓰러져 눕는 그래…


## S#35 — 원인터 외경, 낮

**마 부장**     (E) 야! 오상식! 너 미쳤어?!

## S#36 — 마 부장실, 낮

기가 막힌 얼굴을 휙 돌려 상식을 노려보는 마 부장.

**마 부장**　(헛웃음) 너 돌았냐?

**상식**　부장님 이건,

**마 부장**　(OL) 그래, 이건 말야, 누가 떡 먹다가 목에 걸려 확 죽었는데,
　　　　니가 옆에 있다가 홀랑 주워 먹는 거야. 그걸 꼭 처먹어야겠어? 어!

고함 소리에 쳐다보는 자원팀 사람들.

**상식**　저희가 아니라도 꼭 되살려야 하는 사업입니다.

**마 부장**　글쎄 그걸 왜 니가 판단하냐구?! 사내 비리 파서 여럿 길어 자빠뜨리고,
　　　　이 팀 저 팀 서로 의심하게 만들어놓고는 그 사업을 니가 먹겠다고?
　　　　이래서 내가 널 싫어하는 거야, 이 이기적인 새끼야. 당장 그만둬!

**상식**　부장님, 일단 저희가 준비한 자료를 보시고 판단해주십시오.

**마 부장**　너 이걸 전무님이 허락할 거 같아?!

**상식**　(보는)


## S#37 — 전무실, 낮

창밖을 보고 있는 최 전무와 소파에 앉아 있는 마 부장.

**마 부장**　죄… 죄송합니다. 제가 오상식이 그 자식 시커먼 속내를 미리 짐작했어야 했는데.

밖을 보고만 있는 최 전무의 뒷모습.

**마 부장**　심려 마십시오, 전무님. 못 하게 해놨으니.

**최 전무**　(OL) 왜 막아?

**마 부장**　네?

**최 전무**　(돌아서서 빙긋 웃으며) 회사에 이익 되는 좋은 사업인데, 왜 못 하게 하나?

**마 부장**　(혼란해서 보면)

**최 전무**　원인터 에이스 부서의 부장이나 되는 사람이 그렇게 사리 판단, 상황 파악이
　　　　안 돼서야 되겠어?

**마 부장**　(멍한) 네?

## S#38 — 마 부장실, 낮

마 부장 앞에 선 상식.

| | |
|---|---|
| 마 부장 | 좋겠어, 오상식. 니 소원대로 전사적으로 스포트라이트 받게 됐어. |
| 상식 | (의아하게 보며) 네? |
| 마 부장 | (코웃음 치며) 니 기획안을 위해서 전사적 보고회 자리를 마련했어. |
| 상식 | (당황) 부, 부장님. |
| 마 부장 | 전무님 이하 회사 전 임원이 이 PT에 참.석.하.신.다. (야유하듯) 공평하게 평가받을 수 있는 좋은 기회야. |
| 상식 | 피…티라뇨. 부장님. 이건 단순한 사업 아이템, |
| 마 부장 | (OL) 단순한 사업 아이템? 너 정말 이게 단순하다고 생각하고 있는 거야? |
| 상식 | (보면) |
| 마 부장 | 너 이거 전무님한테도 부담이야. 안 된다고 하면 사적인 감정 앞세운다고 덮어씌울 거 아냐? 그렇다고 안 되는 사업을 된다고 할 수도 없고! 그러니까 공정하게 하겠다는 거 아냐?! |
| 상식 | … |
| 마 부장 | 왜? 일 벌여둘 땐 언제고 판 깔아주니까 이제 와 오금이 저려? 아닌데, 그럴 오상식이 아닌데? 흥! |
| 상식 | (보기만) |
| 마 부장 | 니가 바라던 거 아냐? 전사적으로 개망신 한번 당해보는 거, 전사적으로 니가 내부 고발자라고 광고하는 거. |
| 상식 | (굳어지는 얼굴…) |
| 마 부상 | 왜? 그렇게 확신 있다면서 왜? 이번 주까지 디테일 다 만들어서 PT 준비해. |
| 상식 | (굳은 얼굴로 보는) |

## S#39 — 옥상, 낮

무거운 얼굴로 걸어오는 상식… 난간을 붙잡고 "후…" 하며 고개를 떨궜다가… 다시 고개 들어 멀리 본다…

놀란 얼굴로 보는 동식과 천 과장. 당황한 얼굴의 그래.

| | |
|---|---|
| **동식** | 차…장님. |
| **상식** | (아무렇지 않은 듯) 판이 커졌으니까 우리도 사이즈 늘려야겠지. |
| | PT용 PPT 작업 들어가야겠다. |
| **그래** | … |
| **동식** | 차장님, |
| **천 과장** | 차장님, |
| **상식** | 무슨 말 하려는지 알아, 시간 없다. 부담된다. 뭣보다… 전무님 속내가 |
| | 뭔지 잘 알아. 그렇지만, |
| **일동** | (보면) |
| **상식** | 그래서, 여기서 접어? |

모두 침묵하는 분위기가 좀 흐르다가 동식이 먼저 입을 연다.

| | |
|---|---|
| **동식** | 아뇨. 그럴 순 없죠. 여기까지 왔는데, 해보지도 않고. |
| **천 과장** | (동식을 굳은 얼굴로 본다) |
| **상식** | (천 과장 보며) 천 과장. |
| **천 과장** | …그렇게 하십시오. |
| **상식** | (그래 봤다가) 장 팀장 의견은 필요 없고, |
| **그래** | (고개 숙인다) |
| **상식** | 지금까지 우리가 봤던 자료들 다 요약해야 하고 정보 출처도 명확히 해야 해. |
| | 업체에서 받은 러프한 가격 산정도 해야 할 거고, 뭣보다 중요한 건 |
| | 그 많은 사람들을 설득하기 위한 전략을 세워야 해. |
| **천 과장** | (툭) 한 달은 걸리겠네요. |
| **상식** | PPT 작성은 김 대리가 해. |
| **동식** | 네, 원고 작성과 발표는 차장님이 직접 하셔야죠. |
| **상식** | 그래야지. 천 과장은 리허설 준비해주고 요르단 쪽 연락해. 중동 총괄 김 부사장님이 |
| | 요르단에서 원격 화상으로라도 회의에 참석하셔야 할 거야. |
| **그래** | (Na) 영업3팀은 새로운 긴장감에 휩싸였다. 다시 셋업. 일이 시작됐다. |

## S#41 — 자원팀, 낮

정 과장 앞에 서서 멍한 영이.

| | |
|---|---|
| **정 과장** | 뭐? 비행기가 연착돼? 얼마나 더 있어야 돼? |
| **영이/유 대리** | (돌아보면) |
| **유 대리** | 어? (영이 봤다가) 5시에 삼정물산 컨소시엄 회의 아니야? |
| **영이** | (불안해서) 네… |
| **정 과장** | 안 돼, 딴 사람 못 내보내. 일본 바이어는 담당자 바뀌는 거 싫어한단 말이야. 알았어. 이쪽 회의는 알아서 해볼게 일 마치면 바로 와. 끊어. (끊고) 안영이 씨. |
| **영이** | (일어나 간다) 네. |
| **정 과장** | 하 대리 회의 때까지 못 들어온다. 삼정 수출권 문제, 하 대리랑 같이 준비했으니까 안영이 씨가 상대할 만큼은 되지? |
| **영이** | (당황해서) 네? 아… 아니, 전 |
| **정 과장** | 대안 없어. 오늘 회의는 티셔츠라 생각하고 부담 갖지 말고 할 만큼만 해. |
| **영이** | (당황해서 어쩔 줄 모르고…) |

## S#42 — 원인터 외경, 낮

## S#43 — 소회의실3, 낮

정 과장과 악수하고 있는 우현.

| | |
|---|---|
| **우현** | 신우현입니다. |
| **정 과장** | 반갑습니다. 사원2팀 정희석 과장입니다. 우리 철강팀 강 대리와 장백기 씨는 아시죠. |
| **우현** | (미소. 강 대리와 백기에게) 안녕하십니까? |
| **강 대리/백기** | (인사하고) |
| **정 과장** | 자, 앉으시죠. |
| **일동** | (앉는다) |

## S#44 — 소회의실 밖, 낮

노트북과 다이어리, 회의 자료 들고 회의실을 바라보고 서 있는 영이. 쉽게 문을 열지 못하다가…
결국 차분하게 결심하고 문을 두드리려고 한다.

## S#45 — 소회의실 안, 낮

가볍게 웃고 있는 일동, 그때 문 두드리는 소리. 조용히 문이 열린다. 우현, 처다보는데 영이 들어온다.

| | |
|---|---|
| **우현** | ! |
| **정 과장** | 어, (우현에게) 우리 팀 신입 안영이 씹니다. |
| **우현** | (당황해서 보는) |
| **정 과장** | 하석준 대리는 오늘 사정이 있어서 참석 못 했습니다. |
| **영이** | (인사하며) 안녕하십니까? |
| **우현** | 아… 아, 네. 안녕하세요. |
| **백기** | (당황한 우현을 조금 의아하게 본다) |

맞은편에 앉는 영이에게서 눈을 못 떼는 우현. 영이, 냉정을 유지하며 노트북을 연다.

| | |
|---|---|
| **정 과장** | 그럼 회의 시작하겠습니다. |
| **우현** | (영이를 보던 시선을 얼른 거두고 침착하게 정 과장을 본다) |
| **정 과장** | 이번 컨소시엄은 사업 영역을 자원 연계 분야로 확장할 수 있는 아주 중요한 건으로 보고 다양한 접근과 지원을 아끼지 않을 예정입니다. |

영이, 고개도 안 들고 냉정한 얼굴로 타이핑(혹은 노트)만 하고 있다. 백기, 그런 영이를 조금 의
아하게 본다.

| | |
|---|---|
| **정 과장** | 컨소시엄에 추가로 인벌브 된 우리 자원팀 입장에서는 계약사항에 있어 변경되어야 할 부분이 있다고 생각합니다. 본격 회의에 들어가기 전에 그 부분에 대해서 협의를 먼저 했으면 합니다. |
| **우현** | 음, 여러 가지로 예민한 부분이 되겠군요. |
| **정 과장** | 원활하게 풀어나갔으면 하는 바람입니다. 안영이 씨. |
| **우현** | (영이를 본다) |
| **영이** | 네, (긴장한 얼굴로 우현을 보다가) 수출권 문제입니다. |
| **우현** | (영이를 본다) |

| 영이 | 우리 자원팀이 들어가고 지분 현황이 바뀌었는데, 우리 쪽에서는 여전히 같은 지분의 수출권만 갖고 있는 부분에 대해 재고됐으면 합니다. |
|---|---|
| 우현 | 독점 계약을 따낸 업체는 삼정입니다. 지질 검사와 탐사도 우리 쪽에서 수행했죠. |
| 영이 | 지질 검사 및 탐사는 삼정물산에서 맡으셨지만, 우리 원인터 철강팀과 플랜트팀이 일찍부터 인벌브 되어 광구 설계부터 도맡아 했습니다. 역할이 적었다고 생각하지 않습니다. |
| 우현 | 수출권은 초기 계약 단계에서 합의된 부분입니다. |
| 영이 | 삼정물산에서 주장하시는 수출권 협의는 원인터 자원팀이 들어오기 전에 만들어진 부분이고, 삼정물산의 기술 부족으로 저희 원인터가 컨소시엄에 포함되게 된 점을 감안해주시기 바랍니다. |
| 우현 | (영이를 본다) |
| 영이 | 저희 쪽은 동남아시아 시장과 내수시장을 보장해주시기 바랍니다. |
| 우현 | (영이 빤히 본다) |
| 영이 | (피하지 않고 본다) |
| 일동 | (약간 긴장한 정적) |
| 우현 | (끄덕하고) 좋습니다. 검토해보도록 하겠습니다. |
| 일동 | (긴장이 살짝 풀린 듯…) |

고개 숙이며 서류를 보는 우현의 입가에 살짝 미소가 도는 걸 보는 백기. 영이의 얼굴은 계속 굳은 채다.

| 강 대리 | 그럼 이어서 저희 철강팀 쪽 의견을 말씀드리겠습니다. 장백기 씨. |
|---|---|
| 백기 | 아, 네. 저희 철강팀은… |

발표하는 백기와 회의에 집중하면서도 영이를 한 번씩 보는 우현. 노트북에 회의 내용을 기록하는 데만 의도적으로 열중하는 영이. 그런 두 사람을 잠깐씩 보는 백기.


## S#46 — 엘리베이터 앞, 저녁

우현 일동을 배웅하는 정 과장과 백기와 영이.

| 정 과장 | (악수하며) 수고하셨습니다. |
|---|---|
| 백기 | 다음 회의는 삼정물산 쪽에서 하는 걸로 얘기가 됐습니다. |
| 우현 | 네, 그럼 다음에 뵙겠습니다. |

인사하고, 영이한테도 까딱하고 엘리베이터에 탄다. 닫히는 엘리베이터를 보던 백기, 영이를 보면 고개 숙이고만 있다. 돌아서서 가는 정 과장과 백기. 그러나 영이는 그대로 서 있다. 들어가면서 그런 영이를 의아하게 보는 백기. 영이, 잠시 감정을 가다듬고 들어가려는데 문자 오는 소리. "잠깐 보자. 신우현" 보고 굳어지는 얼굴의 영이.

## S#47 — 커피숍, 밤

굳은 얼굴로 오는 영이. 우현이 앉아 있는 게 보인다. 잠시 생각을 가다듬고 다가가는 영이.

| | |
|---|---|
| 영이 | 팀장님. (목례한다) |
| 우현 | (차분히) 앉아. 길지 않아. 바이어 미팅 있어서 곧 일어나야 돼. |
| 영이 | (앉는다) |
| 우현 | 오늘은… 미리 말해줬으면 덜 당황했을 텐데. 지난번 윈터 로비에서 봤을 때… 그래, 니가 입사한 걸지도 모른단 생각은 했었다. 자원팀에 있을 줄은 몰랐어. |
| 영이 | …죄송합니다. |
| 우현 | 회사는, 다닐 만하니? |
| 영이 | …네. |
| 우현 | 재밌게? |
| 영이 | 네. |
| 우현 | (끄덕이며) 그래. 됐다. (일어난다) |
| 영이 | (따라 일어난다) |
| 우현 | 앞으로도 오늘 같을 거다. 일로 보는 거야. |
| 영이 | …잘 모르겠습니다. 팀장님 보는 게 아직은 편치 않습니다. |
| 우현 | … (가다가 돌아서서) 안영이. |
| 영이 | (보면) |
| 우현 | 오늘, 잘했다. |
| 영이 | … |
| 우현 | (미소) 누가 사수였는지 모르겠지만, 잘 가르쳤네. (보다가 간다) |
| 영이 | (굳은 얼굴로 그대로 서서) … |

## S#48 — 회사 앞 거리, 밤

맥없이 걸어오는 영이… 좀 전의 상황과 함께 두 사람의 과거가 떠오른다.

[Flashback] S#47

**우현**        (미소) 누가 사수였는지 모르겠지만, 잘 가르쳤네.

**영이**        …


[Flashback] 영이 삼정물산 재직 당시 회의실, 낮
중국 측 바이어1, 2와 회의 중인 우현과 영이, 영어로 대화 중이다.


**우현**        중국의 기술력으로는 아직 무리가 있다 생각합니다. 합의된
               시간 안에 생산하려면 우리 삼정이 시추를 하는 게 맞습니다.

**중국 바이어1** 한국도 기술력이 부족한 것으로 압니다.

**영이**        서로가 기술력 부족이 이유라면 이 회의는 계속
               평행선이겠는데요…

**중국 바이어1** (간보듯) 부족한 기술력에 대한 대안이 없으면 어렵지 않겠소?

**영이**        (조금 생각하는 척하더니) 그럼 기술력을 먼저 보완하는 쪽이
               맡는 건 어떻습니까?

**중국 바이어1** (얼른) 당연히 그래야 하지 않겠습니까? 그래서 우리는 이미 미국 쪽
               유명 시추업체와 손잡으려고 현재 컨택 중에 있으며 긍정적인 대
               답을,

**영이**        (각서 사본들을 꺼내 보여주며) 저희 삼정과 미국 광물 시추 전문 업체
               R&C와의 MOU 각서입니다. R&C는 시추 분야 세계 최고 수준을
               자랑하는 회사란 건 알고 계시죠?

**중국 바이어1** (얼굴 굳고)

**우현**        한국에서 시추하는 걸로 합의하시죠.

**중국 바이어1** (어쩔 수 없다. 납득하듯 웃는)


[Flashback] 삼정물산 회의실 밖 혹은 로비, 낮
나오는 우현과 영이. 바이어들과 악수하고 인사하고 보낸다.


**우현**        잘했다.

**영이**        (웃는)

**우현**        (걸으면서) 중국과 아랍 쪽 바이어는 여자가 담당자란 생각을 못 해.
               앞으로 어떤 회의에선 남자들 사이에 있을 땐 늘 가운데 앉아.

**영이**        (웃으며) 네.

**우현**        (웃으며 가는)

**영이**        팀장님.

**우현**        응.

| 영이 | 감사합니다. |
| 우현 | (웃는) |

눈물이 고이는 영이, 앞에서 백기가 걸어온다. 영이는 못 본다. 백기, 아는 척하려다가 눈물을 닦는 영이를 본다. 백기, 약간 당황하다가…

| 백기 | 영이 씨. |
| 영이 | (당황) |
| 백기 | (다가간다. 보다가) 퇴근 아직이에요? |
| 영이 | 아… 네. 퇴근이에요? |
| 백기 | 네… |

서로 말없이 있다가

| 백기 | 그럼 먼저 갈게요. |
| 영이 | 장백기 씨… |
| 백기 | 네? |
| 영이 | 술 한잔할래요…? |
| 백기 | (본다) |


## S#49 ── 몽타주, 밤

#술집 혹은 야외 벤치. 자기 생각에 빠져서 조용히 술만 마시는 영이… 백기도, 그냥 그 앞에 있어주는 게 목적인 사람처럼 말없이 술을 마신다. 술을 마시며 영이를 보는 백기.
#구두 가게 인근 거리 일각. 혼자 걸어가는 백기. 불 켜진 구두 가게 앞을 지나가다가 쇼윈도 안의 구두를 쳐다보는 백기.
#혼자 걸어가는 영이.
#구두를 쳐다보고 있는 백기.


## S#50 ── 그래 방 안, 밤

들어오는 그래, 가방 내려놓고 책상이 깨끗하게 정리된 것 본다.

**그래 엄마**　(문 열고) 요즘 왜 이렇게 늦냐.

| | |
|---|---|
| 그래 | 일이 많잖아. |
| 그래 엄마 | 내가 좀 치웠다. 코 푼 휴지까지 버린 건 없으니까 재주껏 찾아 써. |
| 그래 | 내가 한다니까. |

그래 엄마 나가면 윗옷을 벗으며 책상 쪽을 죽~ 훑어보던 그래, 책상 앞에 붙은 지도를 보며 넥타이를 풀면서 갸웃거리며 간다. 이리 보고 저리 보다가

| | |
|---|---|
| 그래 | 엄마가 거꾸로 붙였나 보네? (보다가 웃으면서) 이렇게 보니까 호주가 제일 눈에 띄네. (뜯어서 제대로 붙인다) 안 보이네. 호주 미안~ (웃는다) |


## S#51 ─── 원인터 외경, 낮


## S#52 ─── 섬유팀, 낮

석율, 여기저기 놓여 있는 샘플 박스들 체크하면서 옮기면서 정리하고 있다. 성 대리, 의자에 흔들흔들 앉아서 통화 중이다.

| | |
|---|---|
| 성 대리 | 어~ 오빠야. 영화 보러 안 갈래? 어~ 오빠랑 형 동생 하는 사람이 영화 관계자거든. 안 돼? 알았다. 나중에 술이나 땡기자. (전화) 어~ 오빠야. 오빠 영화 시사회 표가 있는데… 7시, 안 돼? 9시? 잠깐만. (끊고 다시 건다) |
| 석율 | (모른 척 일하고 있지만 거슬리기 짝이 없다. 미간이 찌푸려지고) |
| 성 대리 | (거들먹거리며) 예, 송 홍보팀장님. 어제 전화드렸던 사람입니다. |
| 석율 | (일하던 그대로 슬쩍 돌아본다) |
| 성 대리 | 그 이벤트 당첨된… 아뇨 그거 말고, |
| 석율 | (어이없는) |
| 성 대리 | 네네, 9시로 변경될까요? (버럭) 안 돼요? 저도 대기업에서 홍보 일부터 다 해본 사람인데요. 홍보 이렇게 하시는 거 아닙니다! (표정 풀며) 예… 예… 두 장요. |

한심한 표정 꾹 누르고 샘플 박스 들고 성 대리 곁을 지나가는 석율. 팔을 툭툭 쳐서 보면, 가슴 포켓에 꽂힌 석율의 펜을 휙 뽑아 메모하는 성 대리.

| | |
|---|---|
| 성 대리 | 네, 9시. A 754 (중간에 볼펜이 나오지 않자 쓰레기통에 툭 버리고) 8531. 예, 감사합니다. 네~ (끊고 석율에게) 다른 거 없어? 7548531… |

쓰레기통에 툭 버려져 있는 펜. 그걸 보는 석율의 기막힌 표정.

**성 대리**    없냐고?

성 대리를 보며 분노 폭발 직전의 석율, 벌겋게 터질 듯한 얼굴로!

**석율**    (E) 야!


# S#53 ── 옥상 정원, 밤

멀리 보며 야! 야! 야! 고래고래 고함지르고 있는 석율. 한쪽에 서서 그런 석율 보고 있는 그래와 영이, 백기.

| | |
|---|---|
| **석율** | 직장 생활에서 제일 괴로운 걸 알았어. 보기 싫은 놈을 매일 봐야 하는 거.<br>(부들부들) 너무 짜친 거짓말과 잘못들이라서 말하는 사람을 열라 치사하게<br>만드는 거. (더 부들부들) 근데 그런 놈을 상사들이 좋아한다는 거! 그리고!<br>(고래고래 고함) 내가 한 일이 다 그놈의 것이 된다는 거! (동의를 구하듯 세 사람을 홱! 보면) |
| **백기** | 싸우고 싶어요? |
| **영이** | 어떻게 싸울 건데요? 신입이. |
| **그래** | 일단 기다려야 하지 않을까요? |
| **석율** | (세 사람 말에 정신없다. 당황) 뭐? |
| **그래** | 싸움은 기다리는 것부터 시작입니다. |
| **영이** | (그래를 본다) … |
| **백기** | 상대가 강할 때요. |
| **석율** | (멍~ 보다가 썩소 지으며) 강하기는… |
| **일동** | (멈칫 보면) |
| **석율** | 대리밖에 안 되는 사람이 강하면 얼마나 강해서? (흥! 하듯 그래를 보고는)<br>진짜 싸우는 법을 모르는 것 같은데… 싸움은… 선빵이야. (홱 보며)<br>너도 나한테 선빵 날렸잖아! |
| **그래** | (당황하면) |
| **석율** | 까짓 거 그만둘 각오하면 되는 거지! (버럭버럭) 기면 기고! 아니면 아닌 거라고!<br>(휙 간다) |
| **백기** | (웃고 영이에게) 속 괜찮아요? |
| **영이** | (당황) 네? 아… 네. |
| **그래** | (영이와 백기를 본다) |

| 백기 | 술 세네요? |
|---|---|
| **영이** | (그래에게) 영업3팀분들은 계속 밤새는 거 같던데. |
| **그래** | 아… 네… 겨우 PPT 작성은 마쳤어요. |
| **백기** | (그래를 흘깃 보고 간다) |
| **영이** | (백기를 보고 다시 그래를 보며) 원고와 리허설 작업이 남았겠군요.<br>진짜는 지금부터겠네요? |

## S#54 ── 몽타주, 낮

#영업3팀. 원고를 수정하고 있는 상식.

| 그래 | (Na) 그렇다. 진짜는 지금부터다. |
|---|---|
| **동식** | (보며) 여기서는 좀 강조해서 모션을 주는 게 어때요? |
| **상식** | 아냐. 보수적인 임원들은 너무 오버하는 걸로 볼 수 있어. |

#소회의실. 일어서서 발표하는 상식과 회의실에 쭈욱 앉아 있는 영업3팀.

| 그래 | (Na) 요르단 사업의 개요와 추진 방향에 대해 오 차장님의 리허설이 펼쳐진다. |
|---|---|
| **상식** | 그럼 영업3팀 요르단 중고차 수출에 관한 사업 보고를 시작하겠습니다. |
| **동식** | (PT 파일을 보면서) 목소리 톤 좀 더 올려주세요. |
| **그래** | (Na) 리허설에 맞춰 김 대리님이 작성한 PPT 페이지는 앞뒤가 바뀌거나<br>용어가 추가되거나 삭제 수정되었고 |

동영상 파일을 확인하는 영업3팀.

| 천 과장 | 지금 그 문장을 한 호흡으로 하면 좋겠는데요. |
|---|---|
| **상식** | 너무 바빠 보이지 않을까? |
| **그래** | (Na) 화면을 돌려 보며 표현 방법과 부적절한 호흡 등을 체크하고<br>모두를 설득시킬 수 있는 PT 전략을 짜냈다. |

상식, 서서 중얼중얼 PT 발표를 연습하고 있다. 그러나 표정이 그리 밝지 않다. 상식의 뒤로 PT 자료 수정하고 있는 동식을 돌아보는 그래의 표정도 밝지 않다.

| 그래 | (Na) 그런데 나는 계속 뭔가 찜찜함을 내려놓을 수가 없다. (Dis.) 뭐가 문제일까? |
|---|---|
| **상식** | (정리하면서 팀원들 안 보고) 밥들 먹고 와서 계속하자. |

## S#55 — 옥상, 낮

원고를 들고 난간 쪽으로 오는 상식, 들여다보며 중얼중얼 발표하듯 읽는데 여전히 찜찜한 얼굴이다.

상식　　　(갸웃하며) 왜 이렇게 안 붙지… (다시 손에 든 원고를 본다)

　　　　　[Flashback] S#38
　　　　　**마 부장**　　　(E) 왜? 그렇게 확신 있다면서 왜?

상식　　　정말… 확신이, 있는가…?

그때 들어오는 동식, 상식 보고 '역시 그럼 그렇지' 하는 표정으로 다가오며

동식　　　제가 이럴 줄 알았어요…
상식　　　(당황, 퉁!) 밥 안 먹고 왜?
동식　　　그런 차장님은요? 점심 약속 있으시다면서요?
상식　　　…
동식　　　뭐 걸리는 거 있으세요? 내내 표정이 좀 그러셨어요.
상식　　　(깊은 한숨) …이걸로는 설득이 안 될 것 같아.
동식　　　…
상식　　　너는 이게 설득이 되냐?
동식　　　(선뜻 말을 못 한다)
상식　　　너도? 찜찜해?
동식　　　후… 네, 저도 뭔지 모를 찜찜함이 있는 게 맞지만요… 대세에 지장은
　　　　　없다고 봐요. 지금까지 준비는 완벽해요. 설득력이 약하다고 느끼신다면
　　　　　다른 이유겠죠. 압박감이나 부담감이나… 심리적인 다른 요소요.
상식　　　(흔쾌하지 않은 얼굴로) 정말… 그것뿐일까…?

## S#56 — 영업3팀, 낮

혼자 들어오는 그래, 자리에 앉아 PT 자료를 앞부터 쭉 넘겨서 읽는다. 그래도 풀리지 않은 수수 께끼를 안은 얼굴로 뒤부터 다시 천천히 넘겨 본다. 답답한 듯 한숨을 쉬고 일어나는데 통로에

걸려 있는 세계 지도가 무심코 보인다… PT 자료를 다시 한 번 살펴보는 그래, 천천히 지도 앞으로 가더니 고개를 숙여 가랑이 사이로 거꾸로 본다. 세계 지도가 거꾸로 보인다. 다시 벌떡 일어나서 제대로 된 지도를 본다. 다시 거꾸로. 다시 똑바로, 거꾸로. 왔다 갔다 왔다 갔다 미친 사람 같다. 오던 동식과 상식, 멈칫 선다. 그러고 있는 그래를 의아하게 본다.

| | |
|---|---|
| 상식 | 쟤 뭐 하는 거야? |
| 동식 | (끔벅끔벅) 스트레스가… 심한가 보네요. |

그래, 몇 번 그러더니 어지러운지 비틀거리며 벽을 집고 정신을 차리려고 고개를 흔들다가 웩웩하며 비틀비틀 걸어온다. 어이없이 보는 상식과 동식. 그래, 두 사람 보고 정신없이 꾸벅하고 탕비실 쪽으로 간다.


## S#57 — 탕비실, 낮

들어오는 그래, 머리를 흔들며 커피를 꺼내 탄다. 그러다가 이내 고민에 빠진다. 들어오다가 그런 그래를 보는 동식.

| | |
|---|---|
| 동식 | 뭐 하는 거야? 가을 타? |
| 그래 | (멈칫! 보다가 광고 멘트처럼) 커피탑니다아~ |
| 동식 | (어이없는…) 어디 아퍼? (커피 타는) |
| 그래 | 아뇨. (커피 젓다가) 저… 대리님. |
| 상식 | 왜? |
| 그래 | 지난번에요… 업무에 대해서 먼저 의논하라고… |
| 동식 | 왜? 뭐 할 말 있어? |
| 그래 | 네… 저… 이번 PT에 대해서요. |
| 동식 | 응. |
| 그래 | 저는 이상하게 뭔가 계속 찜찜한데요… |
| 동식 | (멈추고) 찜찜? (다시 타며) 이 상황이 안 찜찜한 사람이 어딨어? |
| 그래 | 네… 근데 전 상황도 상황이지만 PT 내용이요. |

그때 상식, 들어오다가 멈춰 선다. 두 사람의 대화를 듣는다.

| | |
|---|---|
| 동식 | (본다) PT 내용이 왜? |
| 그래 | 뭘까… 하면 할수록 우리 사업의 마이너스적인 요소가 부각되는 것 같아서요. |
| 상식 | 그게 무슨 소리야?! |

| 그래 | (깜짝 놀라 본다) 아, 아닙니다. |
|---|---|
| 상식 | (그래를 인상 쓰고 본다) |

## S#58 ── 소회의실1, 낮

굳은 얼굴로 앉아 있는 상식 앞에 주눅 들어 앉아 있는 그래.

| 상식 | 얘기, 계속해봐. |
|---|---|
| 그래 | (머뭇머뭇) |
| 동식 | 차장님, 그냥 하는 소리예요. |
| 상식 | 해봐. 왜 마이너스적인 요소만 부각된다고 생각해. |
| 그래 | 그… 그건 우리 PT 자료가 매뉴얼보다 더 매뉴얼 같아서요. |
| 천 과장 | (기가 막힌) 완벽하단 거잖아. 그게 문제야? |
| 그래 | 네. 아, 아뇨. 그게… PT라는 게 보통 사업의 개요부터 시작하잖아요… 그걸 따르다 보니 우리 사업은 어쩔 수 없이 변명과 해명으로 시작하는 PT가 되는 것 같아서요. |
| 상식 | (뭔가 느낀 듯 꿈틀한다) |
| 동식 | (역시 뭔가 깨닫지만…) |
| 천 과장 | (굳은 얼굴로 쳐다보기만) |
| 상식 | (약간 화난 듯) 그래서? |
| 그래 | 그러니까 기존 룰을 따르기보다 (머뭇) 판을 흔들면… |
| 동식 | 장그래, (상식 눈치 보며) 그건 아니지. |
| 상식 | (약간 화난 것처럼 보이는) 판을 흔들어? |
| 그래 | 네… 그러니까 (다이어리에서 세계 지도를 펼쳐 보이며) 지도를 볼 때요. 북쪽을 위쪽으로 생각하는 것도 일종의 관습 아닐까… 실제로 우주에 떠 있는 지구는 위아래 구분이 없지 않을까요? 그래서 (지도에서 호주를 짚으며) 이 아래에 호주가 있잖아요. 이걸 (지도를 홱 뒤집어서 보여주며, 지도만 CG 단독에, E) 이러면 여기 있던 호주가 지도 한가운데에 있게 보이거든요. 잘 보여요, 호주가. (다시 똑바로 하며) 원래대로 하면 얼른 눈에 안 들어오고. |
| 상식 | (! …) |
| 동식 | … |
| 천 과장 | (굳은 얼굴로 그래를 본다) 장그래 씨, 그건, |
| 상식 | (OL) 개요부터 시작하는 것도 관습이다? 관습에만 충실하다 보면 꼭 드러내야 할 게 오히려 가려질 수 있지. |
| 천 과장 | (불안한 눈길로 상식을 본다) |
| 상식 | …그래, 그것 때문일지도 모르겠어. 나도 내내 찜찜한 게 있었거든. |

| 동식 | (못 참고) 차장님, (그래를 봤다가 다시 상식을 보며) 장그래가 말하는 판을 흔든다는 게 구체적으로 뭔지 모르겠지만, 지금 내용 구성을 다시 바꾸시겠다는 생각이시라면 전 반댑니다. |
| 일동 | (동식을 본다) |
| 동식 | 지금도 살얼음판인데 말입니다. 당장 내일이 리허설이구요, |
| 천 과장 | 저도 김 대리와 같은 생각입니다. 차장님, (그래를 화난 얼굴로 봤다가) 지금은 선택과 집중을 할 때지 판을 엎어서 다시 시작할 때는 아니라고 봅니다. |
| 동식 | 차장님과 장그래의 문제 의식에 공감하는 부분, 네 저도 있습니다. 그렇다고, 검증되지 않은 위험한 판을 대안으로 끌고 올 만큼 문제가 있다고 보지 않습니다. |
| 그래 | (당황해서 어쩔 줄 모르고 있다) |
| 상식 | …장그래, 가서 지난 보고서들 정리 좀 해둬. |
| 그래 | (당황해서 보다가) 네… (나간다) |
| 남은 사람들 | … |

## S#59 — 영업3팀, 낮

불안한 얼굴로 걸어 들어와서 앉는 그래… 불안한 마음을 다스리며 이것저것 정리한다.

## S#60 — 소회의실, 낮

갈등과 긴장 상태의 세 사람.

| 상식 | 내가 먼저 설득이 돼야 상대방을 설득시킬 수 있다는 건, 변함없지? |
| 동식/천 과장 | … |
| 상식 | 내가 안 되는데 남을 설득시키려고 하니 장그래 말처럼 변명밖에 되지 않는 거야. 듣는 사람도 다 눈치챌 거라고. |
| 동식/천 과장 | … |
| 상식 | (동식 보며) 장그래 폴더트리 만들 때 기억나지. |
| 동식 | (본다) |
| 상식 | 우린 틀 안에서만 묘수를 찾아내려 했는데, 장그래는 틀 자체를 생각하지 않았어. 목적에만 100프로 집중한 생각을 한 거거든. |
| 동식 | … |
| 상식 | 팀의 존폐 여부, 균열. 누군가의 체면. 그런 것들이 만든 틀 말고 이 일이 돼야 |

한다는 순수한 목적에만 집중해봐. 갈 수 있는 길인지, 아닌지…

동식/천 과장　…


## S#61 —— 영업3팀, 낮

서류를 보는 듯 마는 듯 보며 가만히 앉아 있는 그래. 동식 전화 온다.

동식　　　　(E. 굳었지만 침착한 소리로) 장그래, 들어와.


## S#62 —— 소회의실, 낮

그래, 들어오면 분위기…

상식　　　　네가 그려본 상황을 PPT로 만들어봐. 발표는 내가 어떻게든 해볼 테니
　　　　　　네 그림을 보여줘.

그래, 당황해서 동식과 천 과장을 본다. 동식은 시선을 살짝 피하고 천 과장은 여전히 화난 얼굴
로 앉아 있다.

동식　　　　…내일 아침까지 줘. 수정하고 보완할 시간이 필요하니까.
그래　　　　저는,
동식　　　　(OL) 컴퓨터 작업으로 시간이 많이 걸릴 것 같은 부분은 수기로 해서 넘겨.

구겨진 얼굴로 말없이 앉아 있던 천 과장.

천 과장　　　후… 이건 말도 안 됩니다. (일어나서 나간다)

쳐다보는 상식과 동식… 그래는 숙이고 있는.


## S#63 —— 구름다리, 밤

속이 끓어오르는 얼굴로 걸어오는 천 과장. 급기야 어이없는 웃음까지 드는데… 뒤에서 동식 오며

| 동식 | 과장님. |
|---|---|
| **천 과장** | (멈춰 선다) 오 차장님이 어쩌다 저렇게까지 된 거냐? |
| 동식 | (본다) |
| **천 과장** | 내가 알던 그 오 차장, 오상식이 아닌 것 같다. 이렇게까지 사리 분별이 안 되던 사람이 아니었잖아. |
| 동식 | 변한 거 없으세요 |
| **천 과장** | (동식을 보다가) 너는, 동식아. 이 영업3팀 떠나야 너도 핀다. |
| 동식 | 과장님. |
| **천 과장** | 너도 알잖아. |
| 동식 | (본다) … |
| **최 전무** | 무슨 얘기들이 그렇게 심각한가? |

두 사람, 깜짝 놀라서 보면 웃으며 걸어오는 최 전무. 두 사람, 얼른 숙이며 인사.

| **최 전무** | 영업3팀, 정신없겠군. 보고회가 모렌가? |
|---|---|
| **천 과장** | 네, 전무님. |
| **최 전무** | 으음, 바람이나 좀 쐬려고 나왔더니 잠잠하네. (떨어진 낙엽들 보며) 종일 사무실에 들어앉아 있다 보면 가을이 가는지 겨울이 오는지 도통 알 수가 있어야지. 나이가 들면 계절을 잃는 게 제일 아까워. |
| **천 과장/동식** | … |
| **최 전무** | (두 사람 보고 웃으며 동식의 팔을 격려하듯 툭툭 치고 간다) |

쳐다보는 동식과… 천 과장.


## S#64 — 전무실, 낮

창밖을 보고 서 있는 전무. 그 뒤에 긴장해서 서 있는 천 과장.

| **천 과장** | …영업3팀 일이… 잘될 것 같지 않습니다. |
|---|---|
| **최 전무** | (밖을 보고만 있다) |
| **천 과장** | … |
| **최 전무** | 왜…? |
| **천 과장** | 오 차장이 무리수를 두고 있는 것 같습니다. |

가만히 창밖만 보고 서 있던 전무, 감정 없이 마른 목소리로

| 최 전무 | 그것 참… 마음이 안 좋군. |
| 천 과장 | … |

## S#65 ── 몽타주(영업3팀과 옥상), 밤

#깊은 밤, 미친 듯이 작업을 하는 그래.
#자기도 모르게 졸다가
#옥상에 올라가 졸린 눈을 비비고 바람을 맞고
#커피를 마시고 다시 작업을 하고
#상식에게 작업물을 메일로 보내는 그래. Dis.
#책상에 엎드려 잠들어 있는 그래. 문자 오는 소리에 깨는 그래.
#휴대전화를 보면 상식의 문자다. "YES"

| 그래 | … |

## S#66 ── 영업3팀, 아침

출근하는 동식. 엎어져 자고 있는 그래가 보인다. 쳐다보다가 자리로 가면 책상 위에 놓인 그래의 작업물. 들고 쳐다보던 동식, 그래를 깨운다.

| 동식 | 장그래, 장그래. |
| 그래 | (놀라 일어난다) 나오셨어요. (동식 책상 위 보며) 아! 제가 다 해서 |
| 동식 | 봤어. 사우나라도 좀 하고 와. 차장님 오시면 말씀드릴게. |
| 그래 | 아… 네… (일어나 가려다가 돌아서서) 대리님. |
| 동식 | 응. |
| 그래 | 죄송합니다… |
| 동식 | (보다가 작게 한숨) 나도 모르겠다. 장그래 지적이 틀린 건 아냐. 차장님의 고민도 있었고, 상황도 알아, 알겠는데… (그래의 작업물 보며) 나 솔직히 이번 일 잘 안 되면… 장그래한테 화가 많이 날 것 같아. 그리고… 오래갈 것 같다. |
| 그래 | …죄송합니다… |
| 동식 | 다녀와… (앉는다) |

## S#67 — 엘리베이터 앞 + 사무실 입구, 아침

무거운 얼굴로 엘리베이터 기다리는 그래. 열린다. 천 과장 내린다. 그래, 인사한다. 천 과장, 싸늘하게 받고 가면 그래 탄다. 뒤이어 다른 엘리베이터 열리고 상식이 내린다.

| | |
|---|---|
| 상식 | 천 과장. |
| 천 과장 | (돌아서서 인사) 차장님. |
| 상식 | (걸으며) 좋은 아침이야. |
| 천 과장 | …네. (마른 소리로) 좋은 아침입니다… |

들어가는 두 사람.

| | |
|---|---|
| 그래 | (Na) 밤을 새워 완성한 자료를 보고 김 대리님이 PPT 수정 보완 작업을 했다. 그리고 리허설이 시작됐다. |

## S#68 — 암만 시내 외경, 낮

| | |
|---|---|
| 상식 | (E) 위성 연결 확인하고… |

## S#69 — 원인터 대회의실, 낮

전면에 빔 프로젝터 켜져 있고, 요르단 지사가 화상 연결되어 있다. 정면에 서서 프로젝터를 보고 서 있는 상식. 뒤에 서 있는 동식과 천 과장.

| | |
|---|---|
| 상식 | (화면 보며) 조 대리, 내 소리 들립니까? |

## S#70 — 요르단 지사(조 대리, 김 부사장) + 대회의실(영업3팀), 낮

벽 뒷면을 가리는 가리개 천을 벽에 고정시키고 있는 조 대리와 현지 직원1.

| | |
|---|---|
| 조 대리 | 네, 잘 들립니다. 화면 테스트부터 할까요? |
| 상식 | (프로젝터 올려다보며) 화면 확인하게 부사장님 한번 앉아주시죠. |

화면 안으로 김 부사장이 들어와 앉는다.

김 부사장    수고 많습니다. 김석우 부사장입니다.

상식    부사장님 안녕하십니까? 건강은 어떠신지요.

김 부사장    좋습니다. (웃으면서) 한국에서만큼 술을 덜 마시게 되네요.

상식    좋네요. 부사장님, 어떤 색 옷을 입으실 건가요?

김 부사장    (재킷 들어 올려 보여주며) 연한 회색 정장을 입으려는데 문제가 될까요?

상식    좋습니다. 뒤에 회사 로고가 부사장님 머리 위를 누르는 것처럼 보이는데 위치를 조금 옮겨주시죠.

김 부사장    (옮겨 앉고) 됐습니까?

상식    네, 좋습니다.

김 부사장    오 차장, 이거 정말 좋은 사업이요. 버리지 않고 다시 챙겨줘서 고마워요.

상식    (겸손하게 웃고) 곧 리허설을 하겠습니다. PT 자료를 좀 수정했습니다.

김 부사장    (의아) 수정요?

상식    네, 조금 전 새로 보내드린 자료를 열어주십시오.

그래, 회의실 한쪽 끝에 앉아서 노트북으로 작업을 하고 있다. 동식, 다가와 그래의 모니터 안을 들여다본다. 함께 보는 그래에서.

상식    (요르단 연결 화상 보면서) 다음 장 보시면…

발표하고 있는 상식. (육성 없음) 발표를 듣는 동식과 천 과장과 화상 연결 속 김 부사장과 조 대리가 당황한 몸짓과 얼굴이 된다. 서로 당황하고 불안하게 쳐다보는 사람들. 하얗게 질려서 굳어 있는 그래.

그래    (Na) 오 차장님의 최종 리허설을 들은 후, 나는 입을 다물었다. OJT 때 배운 룰이 흔들리는 모습을 실전으로 처음 봤다. 기존의 판이 흔들리는 모습을 본 후, 나 역시 판 위에 있었음을 새삼 자각했다. 그리고 의심에 빠졌다. 하찮은 나로 순식간에 돌아왔다.

당혹스러운 얼굴의 동식과 역시 당황한 상식. 당황한 그래와 당황한 화상 모니터 속 사람들.

김 부사장    오 차장… 이거, 이대로 되겠어?

조 대리    (난감 걱정) 오 차장님…

김 부사장    이거 나는 듣도 보도 못한 PT야.

상식    …

**김 부사장**     내가 잘못 생각한 건가? 오 차장, 이거 꼭 되게 만들려고 했던 사업 아닌가?

상식, 동식, 천 과장, 그래, 각각의 불안한 표정.


## S#71 ── 대회의실 밖, 낮

잠시 후… 창백한 얼굴로 문을 열고 나오는 그래. 돌아본다.

**그래**     (Na) 내가 지금까지 무슨 짓을 한 건가…?

고개를 떨구고 마는 그래. 그때, 문이 열린다. 상식이 나온다. 고개 떨구고 서 있는 그래를 보다가

**상식**     장그래, 뭐 하는 거야?! 기도해?!
**그래**     (후딱 고개 들며) 아… 아닙니다.
**상식**     들어가.
**그래**     네.

하는데 그래 너머를 보는 상식의 얼굴에 다시 긴장이 어린다. 그래 돌아보면 복도 끝에서 코너를 돌아 오고 있는 임원진. 맨 앞에 선 전무가 상식을 본다. 상식 역시 전무를 본다. 전무와 임원진을 보는 그래. 엔딩.

# Episode 13

제13국

## S#1 — 대회의실 밖, 낮

그래 너머를 보는 상식의 얼굴에 다시 긴장이 어린다. 그래 돌아보면 복도 끝에서 코너를 돌아 오고 있는 임원진들. 맨 앞에 선 전무가 상식을 본다. (법무팀, 재무팀 포함 상무 여덟 명과 마 부장까지 총 아홉 명) 상식 역시 전무를 본다. 전무와 임원진을 보는 그래. 일각에서 지나가다가 그런 풍경을 보게 되는 석율. 분위기에 압도되어 자기도 모르게 긴장하며 입이 쩍 벌어지는 석율. 다가온 전무와 임원진에게 인사하는 상식과 그래.

**최 전무**      (웃으며) 오 차장.
**상식/그래**      (목례한다)
**최 전무**      (웃음 띠고 둘러보며) 왜 나와 있나?
**상식**      네, 들어가십시오. (숙이며 물러선다)

그래도 물러선다. 전무, 웃으며 끄덕이며 상식을 보고 어깨에 손을 올린다.

**상식**      …
**최 전무**      잘해봐.
**상식**      …

전무, 들어가고 뒤이어 줄줄이 들어가는 임원들. 석율, 후다다닥 가고. 상식, 고개 들어 본다. 그래, 임원들 보면서 긴장으로 꿀꺽한다. 그래, 상식을 보면

**상식**      들어가자.

## S#2 — 대회의실 안, 낮

들어서는 상식과 그래. 긴장한 그래의 눈에 펼쳐진 풍경. 상석에 여유 있게 앉는 전무와 그 양옆으로 쫙 앉아 있는 임원들. 착석하면서 서로 가벼운 인사 나누는 임원들.

**그래**      (Na) 서로 가볍게 인사하지만 공기는 결코 가볍지 않다.

상식은 빔 프로젝터 앞 전면에, 천 과장은 모서리의 단상 노트북 앞에 서 있고, 그 뒤 놓인 간이 의자 몇 개. 누구 하나 아군이 없는 듯한 긴장감에 더 경직되는 그래다. PT 자료 프린트물이 든 파일을 나눠주는 그래와 동식. 그런 그래를 설핏 보는 최 전무. 마뜩찮은 얼굴 혹은 무표정한 얼굴로 페이지를 넘기는 임원들.

**그래**　　　(Na) 다들 그렇고 그런, 익숙하고 뻔한 보고를 머릿속으로 그리고 있을 것이다.

프린트를 보다가 무언가를 끄적이는 임원1.

**그래**　　　(Na) 반대할 거리를 찾거나,

찡그린 얼굴로 프린트를 보는 임원2.

**그래**　　　(Na) 이미 준비해 왔거나. 우리의 기대대로 되지 않을 것이란 느낌은
　　　　　　노골적으로 전달된다.

간이 의자로 돌아온 동식과 그래가 앉는다. 앉아서 다시 분위기를 본다. 압도적으로 영업3팀을 누르는 불만 섞인 임원들의 눈빛이 대회의실 안에 가득하다. 주변을 둘러보던 임원1이 툭 말을 꺼낸다.

**임원1**　　영업3팀은 무식한 건가 용감한 건가. 어떻게 이렇게 겁이 없어?
**임원2**　　앞에 박 과장 건은 잘 처리했다구. 그럼 거기서 끝내야 하는 거 아닌가?
**임원3**　　사장님 격려받고 이래저래 치하에 승진까지 했으면 됐지. 과유불급 아냐?

굳어가는 상식의 표정. 눈치 보며 긴장한 동식. 그들을 가만히 보고 있던 최 전무의 얼굴에 보일 듯 말 듯 웃음이 스친다. 천 과장의 시선이 자기도 모르게 한 뼘쯤 떨궈진다.

**최 전무**　　(빙긋 웃으며) 자, 시작하지.

여전히 마뜩잖아하는 임원들⋯ 그때 문이 열리면서 민 비서가 들어온다. 모두, 놀라서 돌아본다.

**민 비서**　　사장님 오십니다.

모두, 깜짝 놀라서 벌떡 일어난다. 사장, 들어오자 최 전무, 구겨진 얼굴로 일어난다.

**상식**　　　사장님⋯
**사장**　　　(웃으며) 궁금하기도 하고, 다음 스케줄까지 시간이 애매하기도 해서 말야.
　　　　　　(최 전무를 보며) 나도 들어도 되지?
**최 전무**　　(겉으로만 웃으며) 무슨 말씀이십니까. 당연한 말씀을⋯
**사장**　　　(최 전무를 보며) 앉지.

임원들 얼른 옆으로 한 칸씩 연달아 움직이고, 굳은 표정의 최 전무, 옆으로 한 칸 옮겨 간다. 사

장, 최 전무가 앉았던 상석에 앉는다. 어떤 의미인지 아는 임원들 모두 숨소리를 죽이고 있다.

**사장**       (별 관심 두지 않고) 끊어서 미안하네. 오 차장, 시작하지.

상식, PT 화면 쪽으로 다가가 시작 전 인사를 꾸벅한다.

## S#3 ── 자원팀, 낮

하 대리, '러시아 산림 탄소 배출권 건 입금 내역'을 프린트해서 정 과장에게 갖다주며

**하 대리**     러시아 산림 탄소 배출권 건 대금 들어왔습니다. 확인해보십시오.
**정 과장**     (자료 넘겨 보며) 오케이! 이제 이 사업은 일단락된 거네. (하 대리 툭툭 치며) 잘했어.
             (하 대리 눈치 슬쩍 보면서) 안영이가 일을 잘하긴 해.

하 대리, 말없이 자기 자리로 돌아가서 일하는데, 영이, 커피 들고 들어온다.

**정 과장**     안영이. (서류 뭉치 들춰보며) 노르웨이 광물팀 추가 사업인데, 간단한 건이니까
             수정 작업 좀 해줘.
**영이**        네?

정 과장, 슬쩍 하 대리 눈치를 보면, 모른 척 열심히 자기 일만 하는 하 대리. 정 과장, 영이에게 서류 뭉치를 건넨다. 영이, 받은 서류를 넘겨보는데, 석율이 휘둥그레져서 부지런히 온다.

**석율**       안영이, 안영이. (그 와중에도 자원팀 사람들에게 꾸벅 인사하고) 안영이, 영업3팀
             PT 시작된 거 보고 왔는데

주변 자원팀 일동, 석율을 본다.

**석율**       (약간 흥분해서) 와~ 전무님이 좌~악, 그 뒤로 임원들이 좌~악. 이건 뭐
             분위기가 분위기가… 뭐냐, 콘크리트 반죽이 좌아아~악 덮치는 기분인데
**영이**        …
**석율**       냉기가 냉기가 쏴아악~ … (몸서리치다 고개 저으며) 텄어.

자원팀 일동의 비웃음 속에 영이의 심란한 한숨과 석율의 계속되는 호들갑.

조용한 PT장 안, 느긋한 얼굴로 앉아서 상식 쪽을 보고 있는 사장. 인사하고 고개를 든 상식, 장
내를 긴장한 얼굴로 돌아본다. 여전히 비호의적으로 보고 있는 분위기와, 날카로운 시선으로 앉
아 있는 최 전무. 다시 상식을 보는 그래.

> [Flashback] 제12국 S#70
> 발표하는 상식. 발표를 듣는 동식과 천 과장과 화상 연결 속 김 부사장과
> 조 대리가 당황한 몸짓과 얼굴이 된다. 서로 당황하고 불안하게 쳐다보는 사람들.
> 하얗게 질려서 굳어 있는 그래. 당혹스러운 얼굴의 동식과 역시 당황한 상식.
> 당황한 그래와 당황한 화상 모니터 속 사람들.

| | |
|---|---|
| 그래 | (다시 얼굴이 질려 고개를 떨군다. 떨려오는 손을 꽉 쥔다) |
| 동식 | (본다…) 그냥 감상하는 마음으로 있어. |
| 그래 | (동식을 본다) 네… |
| 상식 | (Off) 잠시 화면을 봐주시기 바랍니다. |

그래, 동식. 긴장한 얼굴로 상식 쪽을 본다. 천 과장도 상식 쪽을 본다. 화면에 '93년도 인도네
시아 천연자원 부정거래' 관련 내용이 나타난다. 그런 상식을 보는 그래, 숨이 막히는 듯하다.

| | |
|---|---|
| 상식 | (화면을 보며) 93년도 인도네시아 천연자원 부정거래 사건입니다. 환치기하는 |
| | 수법으로 회사에 막대한 손실을 끼친 사건입니다. |
| 그래 | (Na) 선전포고. 총성 없는 전쟁이 드디어 시작됐다. |

임원들 바로 불쾌하게 인상 쓰면서 약간 웅성거리는 장내. 암담한 마음으로 장내를 보는 그래와
그럴 줄 알았단 마음으로 장내를 보는 천 과장.

| | |
|---|---|
| 임원1 | 갑자기 저 얘기를 왜 꺼내는 거야? |
| 상식 | (바뀌는 화면 보며) 2002년도 미얀마 텅스텐 수출 관련 비리 사건, 2007년에는 |
| | 싱가포르 포도주 수출 비리 사건, 2011년 러시아 의료용 전자기기 수출 비리 사건이 |
| | 발생했습니다. 2002년의 미얀마 텅스텐 수출 관련 비리 사건의 경우... |

임원들의 일그러진 표정을 보면서도 흔들림 없이 PT를 계속하는 상식의 얼굴 위로,

| | |
|---|---|
| 그래 | (Na) OJT 때와 지난번 박 과장 사건 때 들었던 비리 사례들이 보다 |
| | 디테일하게 다뤄졌다. |

점점 커지는 웅성거림 속에 불쾌한 불만 섞인 웅성거림이 들린다.

**그래**    (Na) 파장은 예상대로다.

아까와는 다르게 눈에 띄게 굳은 사장의 얼굴. 어두운 임원들의 얼굴. 외면하거나, 난처하거나, 불쾌한 표정들. 옆 임원을 책망하듯 슬쩍 곁눈질해서 보는 임원도 있다. 일그러진 얼굴로 상식을 보는 임원들. 차가운 얼굴로 그냥 정면만 응시하고 있는 사장.

**그래**    (Na) 그 사건으로 밀려난 누군가의 빈자리를 차지한 미안함이나 난처했던 당시를 떠올렸을 것이다. 그게 어쨌다는 거냐? 뭘 말하고 싶은 거냐? 그것을 묻는 표정들. 그리고…

그래, 전무 쪽으로 눈길을 돌린다. 여유 있는 얼굴의 최 전무.

**그래**    …
**천 과장**  (복잡한 마음으로 작게) 후…
**상식**    회사는 각 사건을 신속하고 정확하게 해결했습니다. 깔끔하게 정리한 것입니다. 그리고, (임원들을 본다) 그 사업을 지워버렸습니다. 우리 회사는 언제나 그랬습니다.

그래, 다시 상식을 본다.

**그래**    (Na) 그러나 멈추지 않는다.

눈에 띄게 미간에 힘이 들어가며 불편한 심기를 드러낸 사장. 임원들 역시, 사장의 불편한 심기를 모두가 느끼고 불편해진다.

**최 전무**  …
**임원1**   (혼잣말) 끝났네.
**임원2**   오 차장! 지금 뭐 하는 거야?!

그래, 긴장으로 몸이 뻣뻣해질 지경이다. 꿀꺽. 상식, 최 전무를 본다. 최 전무, 상식의 시선을 받는다. 두 사람만의 묘한 긴장감이 흐른다.

**동식**    (자기도 모르게) 후…
**천 과장**  (다문 입에 저도 모르게 힘이 들어간다)

상식, 최 전무에게서 시선을 거둬 임원2를 돌아보면서, 장내에 있는 모두에게 말한다.

| | |
|---|---|
| 상식 | 문제가 생긴 사업은 두 번 다시 입 밖에 꺼내기 싫어하는 문화. 우리가 선택하고 회사가 걸어온 길입니다. |
| 그래 | (Na) 밀어붙이고 |
| 상식 | 그렇다면, 우리가 지워버린 그 사업들, 지금 어디에서 어떻게 되어 있는지 아십니까? |
| 그래 | (Na) 쏟아붓는다. |
| 임원들 | (당황한다) |
| 그래 | (Na) 확신이다. |
| 그래 | (상식을 본다) |
| 그래 | (Na) 마음속에서 몇 번의 전쟁을 치러야 저런 확신과 신념을 가질 수 있게 되는 것일까? |

그래와 동식과 천 과장, 완전히 긴장해서 상식을 보고 있다.

| | |
|---|---|
| 상식 | (장내를 보면서) 지금부터 보실 내용은 우리가 생각하기도 싫어 지워버렸던 사업을 가져간 타 업체의 실적들입니다. |
| 임원들 | ! |

사장의 얼굴이 확 구겨진다. 냉정을 유지하던 동식도, 무표정을 연기하던 천 과장도 흔들린다. 동식의 미간에 힘이 들어간다. 그래의 긴장감은 터지기 일보 직전이다. 상식, 흔들림 없이 리모컨을 누르고, 화면에 타 업체의 실적들이 막대그래프나 원그래프 등으로 쭉쭉 그려진다.

| | |
|---|---|
| 상식 | 신성물산 3억 불 달성, 해선상사 2.7억 불 달성, HW그룹 1.5억 불 달성. |

일동, 화가 나 웅성거리는 소리들이 점점 커진다. 그러나 꿋꿋하게 화면에 떠오르는 사례들.

| | |
|---|---|
| 그래 | (Na) 사례가 하나하나 지나가고, |

화면이 바뀌고 원인터 진행팀들이 잡았던 예상 수익이 나온다. 약간 흥분해 웅성거리던 임원들이 굳은 표정으로 화면에 주목한다. 동식 역시, 미간에 힘을 준 채 어느새 화면과 설명에 집중하고 있다.

| | |
|---|---|
| 그래 | (Na) 당시 진행팀이 잡았던 예상 수익이 나온다. |

말없이 굳은 얼굴로 보는 임원들. 천 과장, 입을 굳게 다물고 이 상황들을 주시하고 있다.

| 그래 | (Na) 근사치다. 정확한 예측들이다. 바둑에선 상대가 나를 무시하는 한가한 수를 두거나, 지나치게 과욕을 부리거나, |
|---|---|
| 상식 | (단단한 표정으로) 죄를 처벌했으니 그 일은 잊혀야 맞습니까? |

조용한 장내… 장내의 분위기를 주시하는 천 과장.

| 그래 | (Na) 중요한 곳임에도 애써 싸움을 피하듯 꾀를 부리면, |
|---|---|
| 상식 | 저희는 죄만 들어내기로 했습니다. |
| 그래 | (Na) 끝까지 추궁한다. |

집중해 있는 사장. 그런 사장을 보는 천 과장… 아까와는 다르게 굳어 있는 전무의 얼굴. 동식 역시 미간에 힘이 풀린 채, 아까와는 다른, 집중하는 긴장감으로 보고 있다.


## S#5 ── 요르단 현지 사무실, 낮

김 부사장, 노트북을 통해 대회의실 영상을 땀까지 흘리며 집중해서 보고 있다. 상의는 말끔한 정장 차림이지만 하의는 반바지, 불안한 듯 다리를 달달 떨고 있다. 김 부사장 뒤에 초조한 얼굴로 서 있는 조 대리.

| 조 대리 | 리허설 때랑은 완전히 다른데요? |
|---|---|
| 김 부사장 | 정신 차리지 않으면 우리 때문에 망친다. (긴장하며) 저 친구, 완전히 작두에 올라선 것 같아. |


## S#6 ── 대회의실, 낮

처음보다 훨씬 집중해서 듣고 있는 장내 분위기. 그리고 몇몇은 동화된 호의적인 눈빛.

| 상식 | (담담하게) 그럼 지금부터, |
|---|---|
| 그래 | (Na) 판을 바꾸고, 새 판을 짠다. |

사장, 상식을 보던 눈을 거둬 임원들을 본다. 훨씬 여유 있는 얼굴이다.

| 상식 | 지금부터 요르단 중고차 수출 사업 확장 프로젝트 프레젠테이션을 시작하겠습니다. |
|---|---|

그래          (Na) 오 팀장님은 익숙한 원인터의 보고 매뉴얼로 돌아왔다.

집중해서 듣고 있는 임원들. 천 과장도 아까와는 다른, 완전히 PT에만 집중한 채 보고 있다.

#화면에 요르단의 이모저모가 비디오가 흐른다. 열띤 PT 중인 상식의 뒷모습.
#화면 PPT에 요르단 중고차 수입 규모와 거래 액수가 보이고,

상식          요르단의 중고차 수입 규모와 거래 액수는 보시는 바와 같습니다.

#요르단 국내 협력업체의 실적과 규모.

상식          우리가 선정한 국내 협력업체는…

몰입해서 듣는 임원들과 점점 만족스러워지는 얼굴의 사장. 점점 굳어가는 표정의 전무. 그런 사장과 전무를 보는 천 과장…


## S#7 — 영업2팀, 낮

텅 빈 영업3팀 자리를 불안한 듯 쳐다보는 고 과장.

고 과장       (걱정하며) 힘들게 산다. 힘들게 살아.
황 대리       아직 한창이겠죠?
고 과장       (못 말리겠다는 듯 절레절레)


## S#8 — 대회의실, 낮

상식          그럼 이제 요르단 암만 지사를 연결해서 김 부사장님께 요르단 현지 업체에 대한
             설명을 듣겠습니다.

천 과장, 기기 작동하면 화면에 요르단의 김 부사장이 화상으로 연결되어 드러난다.

김 부사장     (긴장감 누르고 차분하게) 사장님 이하 임직원 여러분 안녕하십니까.
             이곳 요르단에서는 본 사업과 관련해 매우 긍정적인 반응이 있었고,

## S#9 — 요르단 암만 지사, 낮

**김 부사장**    몇몇 업체를 만나본 결과 대부분 매우 호의적이며 적극적으로 함께 사업을
추진해보고 싶다는 의견을 타진해왔습니다.

테이블 밑에서 카메라에 나오지 않게 조심스레 슥슥 멘트 종이 넘겨주는 조 대리. 진땀 뻘뻘 흘
리며 발표 이어나가는 김 부사장.

**김 부사장**    이에 영업3팀과 검토해 가장 적합한 업체를 선정했습니다.


## S#10 — 대회의실, 낮

**김 부사장**    보고서 18페이지를 봐주십시오.

임원들, 김 부사장의 말에 따라 보고서를 넘겨 18쪽을 찾는다. 유심히 보며 고개를 끄덕이거나 체
크를 하는 임원들. 화면 안에서 김 부사장, 한결 안정된 표정으로 보고서를 보며 발표를 하고 있다.

**그래**    (Na) PT가 진행되며 김 부사장님이 가지게 된 확신은 임원들에게 그대로
전달된 듯했다.

집중해서 서류를 보며 발표를 듣는 임원들.

**상식**    (E) 이상으로 영업3팀 요르단 중고차 수출 사업 건에 관한 보고를 마치겠습니다.
(담담하면서도 확신에 찬 표정) 감사합니다.

조용한 장내. 무표정한 얼굴로 앞만 보고 앉아 있는 최 전무⋯ 동식과 그래, 긴장한 얼굴로 상식
을 보다가 서로 마주 본다. 천 과장 역시 긴장한 얼굴로 반응을 기다린다. 셋 다 터질 것 같은 긴
장과 압박. 잠시 후⋯ 누군가 적막을 깨고 "괜~찮네" 하자, 기다렸다는 듯 웅성웅성 터져 나오
는 소음. 서로 보며 끄덕끄덕. 최 전무의 눈치를 보는 임원들도 있지만 이미 기운 전세. 사장은
얼굴에 살짝 미소까지 보인다. 그래, 순간 맥이 확 풀리며 숨을 내뱉는다. 눈에는 눈물이 그렁하
다. 굳은 얼굴로 말없이 앉아 있는 최 전무⋯ 상식, 최 전무를 본다. 최 전무, 그런 상식을 보다가

**최 전무**    자신들이 밝혀낸 문제로 징계를 당한 부하 직원의 일을 받는다는 게
쉽지 않았을 텐데, 부담은 없었나?

갑자기 장내가 조용해진다. 그래, 동식, 천 과장, 긴장한 채로 상식을 본다.

| | |
|---|---|
| 상식 | 그래서 더 사업 본연의 가치를 지키려고 노력했습니다. |

전무와 상식의 시선이 마주친다. 한 치도 밀리지 않는 상식의 눈빛. 천 과장, 그런 상식을 본다.

| | |
|---|---|
| 사장 | 준비가 상당히 잘된 보고인데, 영업3팀 자체로 감당이 되던가? |
| 상식 | 요르단 현지 팀의 도움도 컸습니다. |
| 사장 | 음… (끄덕끄덕) 그런데 이 사업을 다시 하자고 제안한 사람이 그 팀 막내라지? |
| 상식 | 네, 신입사원 장그래입니다. (하며 그래를 쳐다본다) |
| 그래 | (꾸벅 인사한다) |
| 최 전무 | (그래를 의미 있게 본다) |
| 사장 | 겁이 없구만. |
| 그래 | (깜짝, 당황, 긴장) … |
| 사장 | (웃으며) 그래. |
| 그래 | (긴장해서) 네. |
| 상식 | (찡그리고 보고) |

일동, 웃음이 터진다. 동식도 웃고. 천 과장도 피식 웃는다.

| | |
|---|---|
| 사장 | (웃고는) 왜 그런 제안을 하게 된 거지? |
| 그래 | (긴장에 굳고 당황해서) 그… 그… 그건… (망설이다가) 우… 우리 회사이기 때문입니다. |
| 사장 | (뜻밖의 대답에 그래를 본다) 우리… 회사? |
| 일동 | (잠시 무슨 말이지? 하는 표정으로 본다) |
| 그래 | 네… 우…리 회사요… |

[Flashback] 제4국, 합격하고 와서 원인터 건물 기둥을 만지는 그래.

| | |
|---|---|
| 사장 | 하하하하. 그래. 우리 회사지. 남의 회산가? |
| 임원2 | (웃으면서 머쓱하게) 하하~ 뻔한 말인데 왠지 우리가 좀 염치없게 느껴지네요. |
| 임원1/3 | (동의) 그러게 말이야. |
| 사장 | (웃으며) 고맙네. |
| 그래 | (꾸벅하면서) 감사합니다. |
| 임원들 | (큭큭 웃는) |
| 사장 | 요르단 중고차 수출 사업은… (싱긋 웃으며) 꼭 성과를 낼 수 있도록. |
| 상식 | 감사합니다. |

**영업3팀 일동** 감사합니다. (고개 숙여 인사한다)

최 전무, 굳고 일그러진 표정으로 이들을 바라본다.


## S#11 ── 대회의실 밖, 낮

미소 띤 얼굴로 사장 나오고, 뒤로 사장 비서가 따른다. 웃으면서 우르르 나오는 임원들. 굳은 얼굴의 전무 나오면 임원들, 사장에게 인사하고, 사장 간다. 가면서 어딘가에 전화하는 사장, 그 뒤를 따르는 사장 비서와 몇몇 임원들.

**사장** 어~ 이 대표, 오늘 골프 말야… 다음으로 미룰까? (잠시 생각에 잠기다가)
오늘은… 그냥… 우리 회사에 있고 싶군. (간다)

뒤에 남은 임원들 삼삼오오 걸어가며 소회를 나눈다.

**임원2** 간만에 상사맨의 기백이 느껴지는 PT였어.
**임원1** 생각해보니까 이 전무, 20년 전에 저렇게 한번 들이박지 않았어?
**이 전무** 아~ 그렇지이~

무용담처럼 이야기하면서 간다. 최 전무, 굳은 얼굴로 대회의실을 한 번 돌아본다. 상식을 보는 최 전무. 상식도 본다. 돌아서서 가는 최 전무. 뒤따르는 비서.


## S#12 ── 대회의실 안, 낮

열린 문으로 문밖 최 전무가 돌아서는 모습을 보고 있는 천 과장, 아주 잠깐이지만 약간 통쾌한 표정이 휙 스친다.

**상식** 다들 애썼다.
**동식** 고생하셨습니다, 차장님.
**천 과장** …

상식, 아직도 긴장해 있는 그래의 팔뚝을 가볍게 툭 치면 그제야 긴장이 풀려 다리가 후들거리며 꺾이는 그래. 잡아주며 웃는 동식과 상식. 살짝 시선을 떨구는 천 과장.

S#13 ── 원인터 외경, 낮


S#14 ── 영업3팀 사무실, 낮

요르단 김 부사장과 통화 중인 상식.

| | |
|---|---|
| **상식** | 부사장님께서 어려운 역할을 해주셨습니다. |
| **김 부사장** | 아니야. 자네들이 해낸 거야. 아, 그리고 난 곧 두바이로 건너가야 하는데, |
| | 계약이나 다른 일정은 어떻게 할 생각인가? |
| **상식** | 다음 일정은 조율을 거친 후에 말씀드리도록 하겠습니다. |
| | 네… 예, 고생 많으셨습니다. 감사합니다. (전화 끊고 천 과장을 본다) |

천 과장, 말없이 서서 서류를 정리하고 있다.

| | |
|---|---|
| **상식** | 천 과장. |
| **천 과장** | (멈춘다. 잠시 그대로 있다가 돌아본다) 네. |
| **상식** | 마음고생이 많았을 텐데 끝까지 잘해줘서 고마워. |
| **천 과장** | (본다) |
| **상식** | 천 과장이 있어서 큰 힘이 됐어. |
| **천 과장** | (보다가) …저도 오랜만에 좋았습니다. |

이심전심의 마음으로 보고 있는데… 동식이 들어오면서 천 과장에게

| | |
|---|---|
| **동식** | 보고회 참석하신 분들께 감사 메일 제가 넣을까요? |
| **천 과장** | 내가 할게. 넌 각 소관 부서에 메시지 보내서 최종 확인받아. 근데 장그래는 |
| | 어디 갔어? |
| **동식** | 아직도 맹 진사 댁 맹 서방네 맹돌이 같아서 바람 좀 쐬고 오라고 했어요. |


S#15 ── 원인터 입구, 낮

그래, 입구에 서서 메모를 꽂아둔 기둥을 만지고 있다. 벅찬 마음과, 고생한 팀원들에 대한 미안함과 고마움 등이 뒤섞인 표정이다. 한동안 그러고 있는 그래…

## S#16 ── 중앙 정원, 낮

그래, 영이, 백기, 각각의 표정으로 모여 있다.

| | |
|---|---|
| 그래 | (쑥스러운) 별로 할 말 없는데… |
| 석율 | 이거 봐~ 목에 힘 들어간 거~ 그래, 사장님 참석하는 보고회는 니가 첨이었다 이거지? |
| 그래 | 아니, 그게 아니고 |
| 석율 | 니 아이디어를 오 차장님이 받아줬을 때부터 목에 힘은 들어갔을 거고! |
| 백기 | (악수 내밀며) 축하해요, 장그래 씨. 솔직히 이렇게 잘해낼 줄 몰랐어요. |
| 그래 | (…잡으며) 고맙습니다. |

악수한 채 서로 보는 백기와 그래.

> [Flashback] 제2국 S#10
> 백기, 그래를 본다. 파쇄에 열중하고 있는 그래의 뒷모습.

| | |
|---|---|
| 백기 | 그거 보고 있음 기분 이상하더라구요. |
| 그래 | (돌아본다) |
| 백기 | 그 꼴 되지 않게 잘해야겠단 생각 같은 거? |

서로 악수한 채 보는 두 사람. 영이의 목소리가 둘 사이의 묘한 긴장감을 깬다.

| | |
|---|---|
| 영이 | (웃으며) 축하해요, 장그래 씨. |
| 석율 | 축하한다, 친구. |
| 그래 | 고맙습니다. |

웃으며 그래를 보는 영이. 그런 둘을 보는 백기의 마음이 편치 않다.

| | |
|---|---|
| 백기 | (웃으며) 먼저 내려갈게요, 메일 보낼 게 있어서. (간다) |
| 영이 | (보다가 석율, 그래에게) 나도요. |

## S#17 ── 엘리베이터 안, 낮

백기, 영이 나란히 있다. 백기, 말없이 어두운 얼굴로 있다. 영이, 여전히 어두운 얼굴로 말없이

| 영이 | (부드럽게) 욕심이 너무 많은 거 아녜요? 최고 스펙의 직원이 바닥부터 시작하는 사람의 몸부림까지 탐내는 거예요? |
|------|------|
| 백기 | 네? |
| 영이 | 그러지 마세요. 사실 영업3팀 일이 정상적이라고 볼 순 없잖아요. 문제가 일어난 걸 수습하고 있잖아요. 애초에 아무 문제가 없게 일을 해내는 게 더 제대로인 거 같아요. |
| 백기 | (보다가 싱겁게 웃으며) 그럼 조삼모사인가? |
| 영이 | (웃으며) 그렇죠, 조삼모사. 우리는 어쨌든 다다르기만 하면 되는 거겠죠. |

엘리베이터 열린다. 영이, 웃으며 내려서 간다. 백기, 웃으며 보다가도 금방 다시 심란한 얼굴로.


## S#18 ── 철강팀 앞 통로 + 철강팀, 낮

통로에서 철강팀을 보며 걸어 들어오는 백기… 빈 자신의 자리를 보며 다가간다. 들어온 백기, 자리에 앉는다. 그대로 잠시 앉아 있다가 일하려고 컴퓨터를 연다. B/L 드래프트 정도를 만들고 있는 백기, 주문량을 확인하며 입력하고 있지만…

> [Flashback] S#16 옥상
>
> | 석율 | 아~ 이거 봐~ 목에 힘 들어간 거~ 그래, 사장님 참석하는 보고회는 니가 첨이었다 이거지? |
> |------|------|
> | 그래 | 아니, 그게 아니고 |
> | 석율 | 니 아이디어를 오 차장님이 받아줬을 때부터 목에 힘은 들어갔을 거고! |

어두운 얼굴로 착잡하게 입력하다가 일하던 서류 좌라락 넘겨본다. 마음에 차지 않는 듯 불만스러운 표정으로 서류를 탁! 덮어버리고, 책상 위에 정리된 파일들 보는 백기. "미얀마 EPC" 아래 "담당자 강해준" "철강재 수입, 수출, 담당자 강해준" "브라질 건설용 철강재 수출, 담당자 강해준". 파티션 위에 고개를 내밀고 사무실을 쭉 둘러보는 백기. 다들 일하기 바쁜데 그 모습에 더욱 착잡해지는 얼굴… 고개 돌려 빈 강 대리의 자리를 보다가 다인에게

| 백기 | 신다인 씨, 강 대리님 어디 가셨습니까? |
|------|------|
| 다인 | 어… |
| 강 대리 | (Off) 왜요? |

들어오는 강 대리, 백기 깜짝 놀라 일어난다.

| | |
|---|---|
| **강 대리** | (윗옷 벗어 걸며) 왜요? |
| **백기** | 아… 아닙니다. |
| **강 대리** | (흘깃 보고 앉는다) |
| **백기** | (그대로 강 대리를 쳐다보고 있다. 끝나고 한잔하자고 말하고 싶은) |
| **강 대리** | (일을 준비하다가 백기를 돌아보며) 무슨 할 말 있습니까? 장백기 씨? |
| **백기** | (깜짝 놀라서) 아, 아닙니다. (다시 자기 일 하는 듯…) |

## S#19 ── 로비 엘리베이터, 밤

엘리베이터 열리고 나오는 영업3팀. 퇴근이다. 상식, 그래, 동식 그리고 천 과장, 홀가분하면서
도 밝은 모습이다.

| | |
|---|---|
| **동식** | 기분 좋네요~ |

다른 엘리베이터 열리고 백기 나온다. 역시 퇴근. 인사하는 백기.

| | |
|---|---|
| **상식** | 어, 퇴근인가? |
| **백기** | 네. |
| **상식** | (웃으며) 그래, (어깨를 툭툭 쳐주며) 오늘 하루도 견디느라고 수고했어! |
| | 내일도 버티고 모레도 견디고 계속계속 살아남으라고! |
| **백기** | (? 어쨌든 웃으며) 감사합니다. |
| **천 과장** | 양미리 잘하는 데 있는데 거기 갈까요? |
| **상식** | 어? 그래?! 닭갈비 먹자. (휙 간다) |

동식, 천 과장 보며 웃으며 따라간다. 그래, 백기에게 인사하고 따라간다. 착잡한 얼굴로 쳐다보
는 백기. 한 줄로 늘어서 가는 영업3팀의 뒷모습.

| | |
|---|---|
| **천 과장** | 근데 우리 큰일 치르고 너무 소박한 거 아니죠? |
| **상식** | 대박한 거지. |
| **동식** | 에헤이 춥다! |

웃으며 나가는 영업3팀을 쳐다보던 백기… 잠시 그대로 있다가 전화를 든다. 석율의 번호를 찾아
보다가… 다시 영이의 번호를 찾아본다… 그러다가 다시 연락처를 열어 강 대리를 찾아서 보는

| | |
|---|---|
| **강 대리** | 퇴근이에요? |
| **백기** | 아, 네. 가시는 겁니까? |
| **강 대리** | 그래요. 내일 봅시다. (간다) |
| **백기** | (멀어지는 강 대리를 본다) |

## S#20 ── 닭갈빗집 외경, 밤


## S#21 ── 닭갈빗집 안, 밤


닭갈비가 지글지글 익고 있다. 상식, 그래에게 한 잔 따라준다. 그래, 받고 술병 잡으려는데 상식, 됐다는 시늉 하고 천 과장에게 따른다. 천 과장의 잔에 졸졸 들어가는 술… 그 술을 바라보고 있는 천 과장… 상식도 짧게 천 과장을 봤다가 동식에게 따라준다. 동식, 술병 받아서 상식의 잔을 채운다.

**상식**　　고생들 했다.

잔을 부딪치고 쭈욱 들이켜는 네 사람.

| | |
|---|---|
| **상식** | 호사다마랬어. 이런 날 취하면 사고 나. 너무 많이 마시지 말자. |
| **동식** | 네, 알겠습니다. 아주머니 여기 소주 한 병 더! |
| **상식** | (숟가락으로 머리 통! 때리며) 에라이~! |
| **김 씨 아줌마** | (술 갖고 와서 휙 따르며) 네 꼭지가 꽉 찬 것이 되얏다고 했지?! |
| **동식** | 되얏네! 미아리에 돗자리 깔아야겠네! |

일동 웃고, 김 씨 아줌마 끄덕이며 가면

**천 과장**　　닭갈비 서운하게 웬 강술이에요. (얼른 한 점 집어 먹는다)

상식과 동식도 웃으며 집어 먹고 그래도 맛있게 먹는다. 웃으며 닭갈비를 먹고 술을 마시는 네 사람.

## S#22 — 도시 전경, 밤

가을 옷을 입은 사람들, 부는 바람에 겉옷을 여미며 걸어가는 거리.


## S#23 — 술집, 밤

백기, 홀로 앉아 맥주를 벌컥벌컥 들이킨다. 그러다가 갑자기 푹! 허탈하게 웃음 터트린다.

> [Flashback] 제6국 S#82 정원
>
> **백기**　　장그래 씨도 참 답답하네요. 그걸 이제 알았어요?
> 　　　　　…우리는 아직 할 수 있는 일이 없다니까요.

> [Flashback] 제7국 S#16 술집 안
>
> **백기**　　이해합니다. 장그래 씨하고는 공유가 안 되는 얘길지도 모르니까.
> 　　　　　절차란 건, 장그래 씨가 생각하는 것보다 훨씬 중요한 걸지도
> 　　　　　모르죠. 일종의 약속이니까요. 많은 사람들은 그 약속을 믿고
> 　　　　　준비하고 계획하고 실행하거든요. 최소한, 약속을 믿고 사는
> 　　　　　사람들이 바보가 되는 일은 없어야 하는데. (그래를 보고 싱긋 웃는다)

> [Flashback] 제11국 S#65 휴게실
>
> **백기**　　정말 분위기 파악 못 하는 친구네요. 지금 사내에서 영업3팀
> 　　　　　바라보는 시선도 모르는 건가요?

어이없이 푹 웃는다. 자신에게 한 말인지, 장그래에게 한 말인지 모르겠다. 다시 술을 벌컥벌컥 마시는 백기.


## S#24 — 백기 집, 아침

햇살이 비추는 창과 방 안. 침대에 누워 꾸무럭꾸무럭 움직이는 무언가. 이불이 쓱 젖혀지는데 보면 숙취에 부은 백기다. 백기, 순간 눈을 번쩍 뜬다. 재빨리 머리맡에 시계를 확인하는데 보면, 8시 30분이 넘었다. 혼비백산해서 침대에서 굴러떨어지듯 일어나는 백기. 어제 벗어놓은 채 바닥에 나뒹구는 양복을 닥치는 대로 입고 튀어 나간다.

## S#25 ─ 버스 정류장 인근 도로, 낮

급하게 막 뛰듯이 가는 백기. 몰골이 말이 아니다. 백기, 버스 정류장을 보고 달려가면서 시계를 본다. 8시 40분.

**강 대리**　　　(E) 장백기 씨, 차 과장님은 지각을 가장 싫어하시는 분입니다.

백기, 택시 잡으려고 하면서 전화기를 꺼낸다.


## S#26 ─ 탕비실, 낮

휘파람을 불며 커피를 타고 있는 석율, 그래 들어오다가 본다.

**그래**　　　(커피 타며) 기분 좋은가 봐요.
**석율**　　　선빵, 생각만 해도 10년 묵은 숙변이 내려가는 것 같아. 역시 인생은 기면 기고 아니면 아닌 거야.
**그래**　　　(찡그리며 본다)
**석율**　　　(왼쪽 가슴에 손을 대고) 이 안에 사표 있다.
**그래**　　　(어이없이 본다)
**석율**　　　(전화 온다. 보고 의아하게 받는) 응? 장백기 씨?
**그래**　　　(? 본다)


## S#27 ─ 도로, 낮(S#25와 같은 장소)

**백기**　　　(다급하게) 한석율 씨, 저기, 부탁이 있는데요.


## S#28 ─ 탕비실, 낮

말끔한 얼굴에 여유 있는 모습의 석율.

**석율**　　　(못 믿겠다는 듯) 에헤? (휴대전화를 입에만 갖다 대고) 여보세요. 여보세요. 너 누구냐? 장백기 씨 맞아요? (다시 귀에 댄다)
**그래**　　　(의아하게 보면)

| | |
|---|---|
| 백기 | (E, 난감, 다급) 빨리요. |
| 석율 | 에헤~ 장백기 씨가 이런 부탁을 다 하고… 오케이! 지금까지 본 장백기 씨 중에 오늘이 제일 맘에 드네! (손가락 딱!) 오케이! (끊는다) |
| 그래 | (의아) 뭐예요? |
| 석율 | (그래를 보다가) 비밀. 우리 백기 씨 스타일 지켜줘야지. (휑~ 나간다) |
| 그래 | ? |

## S#29 ── 도로, 낮(S#25와 같은 장소)

조금 안심한 얼굴로 황급하게 택시를 잡으려는 백기.

## S#30 ── 철강팀 통로 + 철강팀, 낮

양복 윗옷을 들고 주변을 예의 주시하면서 오는 석율, 몸을 싹 숨기면서 철강팀을 본다. 차 과장 자리와 강 대리 자리를 휙휙 본다. 출근한 흔적은 있지만 비어 있다. 석율, 주변을 살피며 잽싸게 간다. 얼른 양복 윗옷을 의자에 걸어두고 책상 위 노트북을 켠다. 잽싸게 나오는 석율, 일각에서 오는 강 대리와 만나지만 여유 있고 공손하게 인사하고 간다. 속으로 휘파람 불며 시계 보며 가는 석율.

## S#31 ── 로비 엘리베이터 앞, 낮

흐트러진 모양새의 백기, 다급히 뛰어온다. 엘리베이터로 급히 가서 열림 버튼을 누른다. 바로 열리는데 석율이 있다.

| | |
|---|---|
| 백기 | (숨차서) 아, 한석율 씨. |
| 석율 | 타요, 장백기 씨 마중 왔으니까. (시계 보며) 10분 지각이네? |

백기 타면, 석율이 백기 꼴 보고 찡그리며 머리를 만져준다. 피하는 백기.

| | |
|---|---|
| 백기 | 부탁은. |
| 석율 | (손가락으로 오케이 동그라미) |
| 백기 | 고마워요. (15층 누르고 16층도 누른다) |
| 석율 | 벗어. |
| 백기 | 네? |

| 석율 | 그리고 들어갈 거야? (가방 휙 뺏으며) 윗옷 벗어줘. 이따 찾으러 와. |
|---|---|
| 백기 | 아… (윗옷을 벗어준다) |
| 석율 | (받으며) 강 대리님한테 좀 부탁하지. 사수가 그런 것도 못 해주나? |
| 백기 | 아… 난 아직 좀 어색해서 그런 건… |
| 석율 | (끄덕이며) 어색… 그럼 고민 토로나 의논 상대도 안 되겠네? |
| 백기 | 아무래도 그렇죠. |
| 석율 | 삭막하네. 뭐, 사이코패스도 선배 역할 못 하긴 마찬가지지만. (찌푸리며) 사우나는 텄어? |
| 백기 | (찌푸리며) 네? |
| 석율 | 아니지. 사우나 텄으면 어색할 리가 없지. 어쨌든 친해지기 전까지 절대 사우나 트지 마. |
| 백기 | 네? |
| 석율 | 어색해서 미쳐 죽어. 봐라. 같이 탕 안에 있다고 생각해봐. 어후~ 먼저 일어나기도 민망하고 참고 있자니 불고. 앉아서 때 밀 때도 그래. 나란히 앉자니… 그렇고, 생판 남도 아닌데 따로 앉자니~ 그것도 그렇고. 이러지도 못하고 저러지도 못하고. |
| 백기 | (멍~) |
| 석율 | 비누라도 묻혀 나가는 걸 봐도 말을 해줄 수도 없어요. |
| 백기 | (의아) 왜 말 못 해요? |
| 석율 | (진저리) 그럼 지 홀딱 벗고 있는 몸 쳐다보고 있었다고 생각할 거 아냐! |
| 백기 | (어이없는) 에~? |

엘리베이터 도착 띵~! 소리에 석율이 "완전 범죄!" 한다. 백기, 내릴 준비 하고 문이 열리는데 그 앞에 서 있는 강 대리. 그대로 멈칫 서는 백기.

| 강 대리 | (심드렁하게 보며) 지각이네요. |
|---|---|
| 백기 | (그대로 얼어붙어서) 네? |
| 강 대리 | (석율에게) 한석율 씨, 와서 옷 가져가요. |
| 석율 | 네. (하며 꾸벅하고 내린다) |

## S#32 — 철강팀, 낮

백기, 혼내는 차 과장 앞에서 고개를 푹 숙이고 서 있다.

| 차 과장 | 내가 누누이 말하지 않았어? 회사 생활 중에 제일 나쁜 게 지각이라고! |
|---|---|

혼나면서 곁눈질로 강 대리를 흘끗 보는 백기. 강 대리, 전혀 흔들림 없이 자기 할 일에만 열중하고 있다. 그런 강 대리가 야속한 백기, 착잡한 눈으로 본다.

| | |
|---|---|
| **차 과장** | (Off) 이건 다~ 자기 관리가 안 돼서 그런 거야! 자기 관리! 장백기 씨! |
| **백기** | (얼른 돌려 숙이며) 죄송합니다. |
| **강 대리** | (그냥 자기 일만 한다) |

## S#33 — 통로 + 영업3팀, 낮

상식, 박 부장 후임 이진태 부장과 함께 통로를 걸어오고 있다.

| | |
|---|---|
| **상식** | 재무팀에서 예산 배정에 관해서 체크하고 있고, 법무팀과는 계약 관련 미팅이 잡혀 있습니다. 다른 파트들도 오늘내일 중에 미팅이 잡혀 있습니다. 부장님도 가능하시면 같이 들어가시는 게 어떻겠습니까? |
| **이 부장** | 응, 그러지. 살살 하는 척해. 아직도 곱지 않은 눈들 있어. |
| **상식** | (웃으며) 네. |

영업3팀으로 들어서면 그래, 동식, 천 과장 일어나서 꾸벅 인사한다.

| | |
|---|---|
| **일동** | 안녕하십니까? |
| **상식** | 이번에 우리 영업부 맡으신 이진태 부장님이셔. |
| **일동** | (다시 제대로 인사한다) 안녕하십니까? |
| **상식** | (천 과장 가리키며) 천관웅 과장은 아시죠. |
| **천 과장** | 부장님 여기서도 모시게 됐네요. |
| **이 부장** | (웃으며 고개 끄덕이며) 그러게. |
| **상식** | (동식을 보면) 김동식 대리입니다. |
| **동식** | 안녕하십니까. |
| **이 부장** | (쓱 보고) 풍채로만 보면 부장이네. |
| **일동** | (기분 좋게 웃는다) |
| **상식** | (그래를 소개하는) 사원 장그랩니다. |
| **이 부장** | 응, (웃으며) 알아. |

이때, 화장실 쪽에서 나오며 마 부장, 웃고 있는 그들을 보며 일그러지는 얼굴로 지나간다.

| | |
|---|---|
| **이 부장** | 이번 일로 영업3팀이 입지가 좀 단단해졌나? 그럼 내가 미안한데? |

| 상식 | 네? |
| 이 부장 | (웃으며) 난 그냥 거저먹는 거 같잖아. |
| 상식 | 그럼 커피도 거저 한잔하고 가시죠, 부장님. |
| 이 부장 | 그럴까? |

다시 웃음 터지는 하하호호 즐거운 영업3팀. 점점 일그러지며 걷는 마 부장.


## S#34 — 통로, 낮

일그러진 얼굴로 걷고 있는 마 부장 뒤로, 빠르게 걸어오는 그래. 마 부장 옆에서 인사를 꾸벅하고 지나간다. 마 부장, 욕하기 일보 직전인 표정으로 그래를 노려본다.


## S#35 — 탕비실, 낮

그래, 탕비실로 들어오면 영이가 커피를 타고 있다.

| 영이 | 커피 심부름? |
| 그래 | 아… 네. 새로 오신 부장님까지 단체 커피 타러 왔습니다. |
| 영이 | 그럼, 오늘 영업3팀 커피는 제가 쏠게요. |
| 그래 | (의아하게 보면) |
| 영이 | 오 차장님한테 축하드린다는 말씀을 못 드렸으니까 커피로 대신 전해주세요. |
| | 꼭 안영이가 탄 커피라고요. |
| 그래 | (피식 웃으면) |
| 영이 | (종이컵 착착 꺼내두고, 커피 스틱 하나 꺼내 들어 보이며) 아메리카노로. |
| | (뜯어서 뜨거운 물을 한 잔 붓는다) |

영이, 잔을 그래에게 주고 자신의 잔을 든다. 그래와 짠 하고 부딪히는 두 사람. 웃으면서 커피를 마시고.

| 영이 | (다른 잔들에도 커피를 부어 타며) 영업3팀은 연말이 따뜻하겠는데요. |
| 그래 | 아~ 그렇군요. 벌써 연말. |

마 부장, 탕비실로 들어온다. 마 부장이 들어오는 걸 모르는 영이. 커피 타며 말을 이어한다.

| | |
|---|---|
| 영이 | (웃으며) 실적 쌓느라 연말 되는지도 몰랐던 거예요? 이러다 오 차장님 <br> 내년에 오 부장님 되시는 거 아니에요? |

두 사람, 웃다가 마 부장 발견하고, 마 부장에게 인사한다. 인사 받을 생각도 않고 영이를 노려보는 마 부장.

| | |
|---|---|
| 영이 | 부…장님, 커피 드릴까요? |
| 마 부장 | (말없이 노려보는데) |
| 정 과장 | (말하면서 들어온다) 안영이 씨, 부장님 회의 들어갈 준비 |

하다가 마 부장 보고 멈칫 선다. 뒤로 따라 들어오던 하 대리와 유 대리도 멈칫 선다.

| | |
|---|---|
| 정 과장 | 아, 부… 부장님. |
| 마 부장 | (찡그리고) 회의? 얘가 무슨 회의 준빌 해? |
| 정 과장 | 아… 그… 그러니까 이… 이번 노르웨이 건을 안영이 씨가 맡기로 했습니다. <br> 짧게 브리핑 드릴려구요. |

마 부장 '이것들이'라고 말하듯 정 과장, 하 대리, 유 대리를 싹 노려본다. 눈 내리깔고 쫄아 있는 정 과장과 두 사람.

| | |
|---|---|
| 정 과장 | 하… 하지 말까요? |
| 마 부장 | 나중에 니가 따로 보고해. 회의실에서까지 분 냄새 맡기 싫어. (확 나간다) |
| 영이 | … (고개를 조금 떨군다) |
| 그래/하 대리 | …/(약간 굳은 얼굴로 마 부장 나간 쪽을 본다) |
| 정 과장 | 네… 네! (영이를 흘끔 본다) |
| 하 대리/유 대리 | (영이를 흘끔 본다) |

## S#36 ─ 탕비실 밖, 낮

커피 다섯 잔 들고 나온 그래와 영이, "후…" 한숨을 내쉰다.

| | |
|---|---|
| 그래 | 영이 씨. |
| 영이 | (웃으며) 정말 맷집이란 게 생기나 봐요. 왜 아무렇지도 않지? |
| 그래 | (본다) |
| 영이 | (웃으며) 이제 슬슬 즐기기도 하고. |

| 그래 | (웃는) |
|------|--------|
| 영이 | 갈게요. 커피 꼭 제가 탔다고 말씀드리세요. (웃으며 자원팀으로 간다) |
| 그래 | … |

## S#37 — 원인터 외경, 낮

## S#38 — 섬유팀 통로 + 섬유팀, 낮

석율이 걸어 들어오는데 성 대리, 문 과장에게 혼나고 있다.

| 문 과장 | 내가 진짜 이따위 걸로 부장한테 깨져야겠냐. (석율에게 서류 확 내밀며) |
|---------|------|
|         | 한석율 씨! 이거 자네가 한 거지? |
| 석율 | (당황해서 얼른 확인하고) 이거… 대리님이… |
| 성 대리 | (얼른 끼어들고) 제 불찰입니다. 제가 알아듣게 얘기해놓겠습니다. |
| 석율 | 아뇨, 그게… 아니라… 대리님이… |
| 성 대리 | (재빨리 버럭) 내가 말한 건 이 결산 자료 지금 보여드리기 어려우니 빼라는 거였잖아! |
| 석율 | (성 대리를 본다) |

<blockquote>

[Flashback] 제12국 #53

| 석율 | 대리밖에 안 되는 사람이 강하면 얼마나 강해서? |
|------|------|
|      | (흥! 하듯 그래를 보고는) 진짜 싸우는 법을 모르는 것 같은데… |
|      | 싸움은… 선빵이야. |

</blockquote>

| 석율 | 대리님이 다 건네주시면서 순서대로 묶어 정리해놓으라고 했잖아요. |
|------|------|
| 성 대리 | (버럭) 뭐야?! 내가 언제?! |
| 문 과장 | 어허! 이 사람들, 지금 뭐 하는 거야?! 쯧! (나가버린다) |
| 석율 | 그럼 제가 왜 처박아둔 자료 굳이 출력해서 거기에 끼워 넣습니까? |
| 성 대리 | 따박따박 말대꾸할 거야? |
| 석율 | 그렇잖습니까? 왜 제가 하지도 않은 일 때문에 욕먹어야 하냐고요! |
| 성 대리 | 그게 팀이야! 공동 운명체! 혼나도 같이 혼나고 책임도 같이 지는 거! |
| 석율 | 거기서 대리님은 왜 만날 빠지는데요? |
| 성 대리 | (당황) 뭐? |
| 석율 | 이제 자기 일은 자기가 좀 하십시오. 팀도 팀 나름입니다. |
| 성 대리 | (어이없는) 이 새끼 봐라? 책임? 허! (지금의 성 대리와는 달라진 눈빛으로) |

진짜 책임이, 뭔지 보여줘?

**석율**          (꿀꺽하면서도 성 대리의 시선을 받는)


## S#39 ─ 영업3팀, 낮

그래에게 서류 파일 넘겨주는 동식.

**동식**          장그래 씨, 여기 요르단 현지 업체 자료니까 지난번에 메일 보냈던
                무역보험공사 담당자 있지? 그쪽에 다시 전달해.
**그래**          네, 근데 지난번에 신고했는데 또 자료를 보내야 하는 거예요?
**동식**          신고는 우리 손실을 대비하는 거고. 혹시 다른 업체들이 비슷한
                피해 입으면 안 되니까.

동식, 급히 재킷 챙겨 입고 나간다. 비어 있는 영업3팀 돌아보며 후우 한숨 쉬는 그래. 동식에게
받은 서류를 넘겨 보며 탁탁탁 타이핑하는 모습이 능숙하다. 바쁜 걸음으로 들어오는 상식과 천
과장. 얼른 일어나서 인사하는 그래. 대충 인사 받고 자기 책상 위에 파일 뒤져보는 상식.

**상식**          바로 화학팀 회의지.
**천 과장**        (자리에서 서류들 챙기면서) 네, 들어가시죠.

상식의 자리에 전화 걸려 온다.

**상식**          (얼른 받으며) 어. 지금 들어가려고. 왜. (그래보며) 뭐? 장그래도? 그러지.
**그래**          (영문 모른 채 상식 보며 눈 껌벅인다)
**상식**          (피식) 너도 같이 들어오라는데?
**천 과장**        (그래를 보며 웃으며) 아니 담당자도 아닌데, 장그래는 왜?
**상식**          인기 폭발이네? 연예인이야?
**그래**          (쑥스럽게 웃는)


## S#40 ─ 15층 엘리베이터 앞, 낮

열린 엘리베이터에서 또각또각(거슬리지 않는 정도의 소리) 걸어 나오는 영이. 상식, 천 과장, 그래 일
행 나온다. 예의 바르게 인사하는 영이.

| 상식 | 안영이. |
|---|---|
| 영이 | (약간 깜짝) 예? |
| 상식 | (손가락 휘휘 하며) 그 커피 말이야? 앞으론 나만 타줘. |
| 영이 | (피식) 네. (그래 보고) 요즘 회의가 잦네요. |
| 상식 | 아무것도 못 하는 애를 왜 자꾸 불러대는 거야. 사람들이 말이야. |
| 천 과장 | 그래도 메모하고 녹음은 열~심히 해요. 회의 정리 하나는 완벽하잖아요. |

상식, 피식 웃으며 엘리베이터를 탄다. 천 과장도 웃으며 탄다. 그래, 쑥스러워하면서 꾸벅하고 탄다. 영이는 인사하고 간다.


## S#41 ── 자원팀 + 통로, 낮

정 과장, 하 대리, 유 대리를 세워놓고 앉아서 서류를 보고 있는 마 부장. 또각또각 걸어 들어오는 영이. 조심스레 유 대리 옆에 선다.

| 마 부장 | (못마땅) 야, 단화 안 신어? 다른 사람들 신경 거슬리잖아. |
|---|---|

일동, 영이를 보며 긴장한다. 영이 역시 당황한 채 서 있으면,

| 마 부장 | 대답 안 해? |
|---|---|
| 영이 | 네. |
| 마 부장 | (손에 든 서류를 흔들어 보이며) 이거 니가 쓴 거라며? (흥분) 야! 아~놔~ 진짜 성질 뻗쳐가지고… 내가 오늘 니 서류 살피다가 어? 귀국 비행기에서 뛰어내릴 뻔한 거 아냐?! |
| 영이 | (보면) |
| 마 부장 | 이따위로 보고서 만드니까 주재원들이 죽는 거야! 너 이거 쓰면서 우리 애들이랑 통화 한 번이라도 했어? 했냐고! |
| 영이 | 과장님께 부탁드렸었습니다. 제가 얼굴을 모르는 분들이라… |
| 마 부장 | (버럭) 뭐? 과장한테 부탁을 해? 이 자식 봐라. 과장이 니 비서야, 인마?! |
| 정 과장 | 제가 얼굴을 아니까 연락하겠다고… |
| 마 부장 | (OL) 소개팅하냐?! 일하는데 이름, 직책 알면 됐지! 뭐가 더 필요한데? (책상 탁 치며 일어나며 흥분) 이것들이 아주 단체로 돌았나. |
| 영이 | (굳은 얼굴로 고개를 떨어트린다) |

백기, 자리에서 일어나 본다.

| 마 부장 | 소꿉놀이 하는 거야! 뭐야! |
|---|---|
| 영이 | 어떤 게 문제인지 말씀해주시면… |
| 마 부장 | 노르웨이 광물팀, 지금 프로젝트 어디까지 진행된 것 같아. |
| 영이 | 곧 사인만 하면 마치는 걸로 알고 있습니다. |
| 마 부장 | 그렇지. 사인만 하면 마치지. 근데 사인을 지금 왜 안 하고 있는데? |
| 영이 | (당황) 네? |
| 마 부장 | 니들이 보낸 추가 사업 때문에 일정 개판 된 거 아냐! (소리 버럭 지르는) 책상에서 하는 일 없더라도 기다릴 건 기다리라고! |

말없이 듣기만 하는 자원팀 사람들. 이때, 맥없이 15층으로 들어오던 석율과 통로에서 오던 그래가 깜짝 놀라서 본다. 굳은 얼굴로 계속 보고 있는 백기. 벌게진 얼굴로 서 있는 영이.

| 마 부장 | 니들 일하는 척하느라 현지에선 죽어난다고! 니가 하는 게 뭔지 아냐? |
|---|---|
| 영이 | (놀라서 보면) |
| 마 부장 | (영이 이마를 쿡쿡 밀며) 사업 놀이야! 사업 놀이! |

자기 이마가 찔린 듯 뒤로 움찔거리는 유 대리. 외면하는 정 과장. 하 대리, 힘준 입 다문 채 말 없이… 영이도 벌게진 얼굴로 숙이고 그대로 다 받고 있다. "에잇!" 하며 어깨로 영이 툭 치면서 휙 나가버리는 마 부장.

| 석율 | (놀라서 그래에게 다가가며 영이 보고) 뭐야? 요즘 얼굴 좀 펴고 다닌다 했더니… 열흘 붉은 꽃 없다 했지, 조상님들이. |
|---|---|
| 그래 | … |

영이 숙였던 벌게진 얼굴을 든다. 그래와 석율을 보게 된다.


## S#42 — 중앙 정원, 낮

각각의 표정으로 앉아 있는 그래, 영이, 백기, 석율.

| 석율 | (영이 보고) 괜찮아? |
|---|---|
| 영이 | (힘없이 웃으며) 네 |
| 백기 | … |
| 석율 | 너무하시네, 진짜. 이건 뭐 누가 누구를 위로해야 할 처지가 아니라서… 뭐라 입을 떼야 할지 모르겠네. (그래 보며) 얜 빼고. |

대리급 직원1, 2가 커피 들고 나온다. 인사하는 4인. 같이 인사하고 지나가려던 직원1, 2.

| | |
|---|---|
| **직원1** | 아, 장그래 씨. 지난번 영업3팀, 이란 건 진행한 적 있죠? |
| **그래** | 네? |
| **직원1** | 우리도 지금 그쪽으로 아이템 하나 진행해볼까 하는데. 지난번에 하다 보니까 어땠어요? 이란 쪽 정세가 좀 안정될 거 같아요? |
| **그래** | 네? |
| **직원1** | 아, 전문적인 분석을 묻는 게 아니고 그래 씨 감이 궁금해서 말이야. |
| **그래** | 어… (곤란) 저는 잘… 모르겠습니다. |
| **직원2** | (웃으며 직원1에게) 가아. 갑자기 그런 걸 물어. |
| **직원1** | (가면서 그래에게) 이따가 잠깐 커피 한잔해요. (하며 간다) |
| **그래** | (멍하니 보고) |
| **석율** | (가는 직원1, 2를 헐~ 하듯 본다) |
| **백기** | 전 창고 샘플 정리 좀 해야 해서요. 먼저 갈게요. (인사하고 굳은 얼굴로 간다) |
| **석율** | (백기를 봤다가 영이를 봤다가 그래를 보고) 역시 행복은 성적순이 아니었어… |

## S#43 — 창고, 밤

창고. 파이프들과 철강 판들이 쌓여 있고, 먼지를 뒤집어쓴 채 정리 중인 백기, 복잡하고 심란한 얼굴.

> [Flashback] S#42
>
> | | |
> |---|---|
> | **직원1** | 우리도 지금 그쪽으로 아이템 하나 진행해볼까 하는데. 지난번에 하다 보니까 어땠어요? 이란 쪽 정세가 좀 안정될 거 같아요? |
> | **그래** | 네? |
> | **직원1** | 아, 전문적인 분석을 묻는 게 아니고 그래 씨 감이 궁금해서 말이야. |

| | |
|---|---|
| **백기** | … |
| **차 과장** | 다 했어? |
| **백기** | (돌아보며) 아! 네! 이것만 정리하면 끝납니다. |
| **차 과장** | 어, 난 이제 가도 되지? 강 대리는 밖에서 바로 퇴근했으니까 정리 끝나면 바로 퇴근해. (2만 원 주면서) 근처 사우나라도 가서 몸 풀고 들어가라, 고생했는데. |
| **백기** | (받아 들고) 네, 감사합니다. |

차 과장 가는 거 보곤 다시 정리하는 백기. 땀 흘리고 먼지 덮어쓴 모습이다.


## S#44 ── 사우나 탈의실, 밤

사물함 앞에서 옷을 벗고 있는 백기, 옆 칸에 다른 사람이 옷을 벗는 기척이 들리지만 모른다.

**영이**      (E, 부드럽게) 욕심이 너무 많은 거 아녜요? 최고 스펙의 직원이 바닥부터 시작하는
            사람의 몸부림까지 탐내는 거예요? 우리는 어쨌든 다다르기만 하면 되는 거겠죠.

**백기**      (벗으며 자기도 모르게 중얼거린다) 글쎄 그게 골인을 못 할 것 같으니까
            이러는 거죠… 나만 제자리걸음이라구요… (사물함 문을 탁 닫는데!)

강 대리가 옷을 벗고 있다. 순간 얼음이 되는 백기. 강 대리 역시 문을 닫고 옆을 본다. 쳐다보고 있는 두 사람. 정적… 얼어붙은 백기의 얼굴 위로

**석율**      (E) 그럼 친해지기 전까지 절대 사우나 트지 마.


## S#45 ── 사우나 탕 안, 밤

김이 모락모락 나는 열탕. 조용히 탕 안에 앉아 있는 두 사람. 떨어진 것도 아니고 붙은 것도 아닌 애매한 상황. 강 대리의 대각선 쪽에 앉은 백기. 둘 빼곤 아무도 없다. 천장에서 물 떨어지는 소리. 똑! 똑!

**석율**      (E) 어색해서 미쳐 죽어. 봐라. 같이 탕 안에 있다고 생각해봐. 어후~ 먼저
            일어나기도 민망하고 참고 있자니 붙고.

슬슬 더워지는 백기. 나가고 싶다. 강 대리 눈치 슬쩍 보는데 태연히 눈 감고 있다. 목까지 담그고 있다가 상체 드러냈다가. 다시 다리도 쭉 펴보고. 뜨거움 참는 백기. 이때 강 대리가 눈을 뜨더니 일어난다. 다행스런 표정의 백기. 그런데 나가지 않고 뜨거운 물을 더 트는 강 대리.

**강 대리**      뜨거워요?
**백기**      아, 아닙니다.

다시 편안하게 고개 기대고 눈 감는 강 대리. 꾹 참고 반신욕 자세로 앉는 백기.

아무렇지 않게 비누칠하는 강 대리. 괜히 자신의 샤워기 물이 강 대리에게 튈까 의식하는 백기. 조금씩 거리 두며 떨어진다.

**석율**    (E) 앉아서 때 밀 때도 그래. 나란히 앉자니… 그렇고, 생판 남도 아닌데
         따로 앉자니~ 그것도 그렇고. 이러지도 못하고 저러지도 못하고.

샤워 끝난 강 대리. 마른 수건으로 머리 툭툭 털면.

**강 대리**   나 먼저 나갈게요.
**백기**    아… 네.

그때 강 대리 견갑골 근처에 비누 거품이 묻어 있는 게 보인다.

**석율**    (E) 비누라도 묻은 채 나가는 걸 봐도 말을 해줄 수도 없어요.
**백기**    (E, 의아) 왜 말 못 해요?
**석율**    (E) 그럼 지 홀딱 벗고 있는 몸 쳐다보고 있었다고 생각할 거 아냐!

순간 물이 담긴 바가지를 들어 물을 확! 끼얹는다. 수건까지 홀딱 물을 뒤집어 쓴 강 대리, 놀라서 돌아보는데. 백기, 모른 척 샤워하고 있다.


## S#47 ── 사우나 탈의실, 밤

머리 말리고 있는 강 대리와 백기. 강 대리는 아무렇지 않은데 백기는 여전히 어색하다. 스킨을 동시에 집으려다 어색하게 양보하는 백기, 빗을 동시에 집으려다 어색하게 양보하는 백기… 그 와중에도 뭔가 할 말이 있는 듯 망설이는 표정이다. 강 대리, 양복 윗옷을 획 입으며

**강 대리**   여기서 만날 줄은 몰랐네요. 난 원래 한 주의 마무리는 사우나에서 하거든요.
**백기**    아… 네. 전 창고에서 먼지를 너무 뒤집어써서…
**강 대리**   그래요. 먼저 갈게요.
**백기**    아, 네. (인사하며) 월요일에 뵙겠습니다.
**강 대리**   (가려는데)
**백기**    저, 강 대리님.
**강 대리**   (돌아서면) 어?

| 백기 | 술 한잔하시죠. |
|---|---|
| 강 대리 | (의외라는 듯 보면) |
| 백기 | 고민이 있어서요. |


## S#48 — 한강 둔치, 밤

앉아서 캔 맥주를 마시고 있는 두 사람. 안주는 없다.

| 강 대리 | 요는 일하는 데 있어서 동기 부여가 안 된다는 겁니까? |
|---|---|
| 백기 | 다른 동기들은 뭔가 열심히 이뤄가고 있는데… 저는 제자리걸음만 걷고 있는 것 같고, 그러다 보니 뒤처지는 것 같고. |
| 강 대리 | (웃으며) 기획서를 내고 싶은 마음이 불끈 솟는 건 아닐 테고. |
| 백기 | (약간 당황) 아, 그런 건 아닙니다. |
| 강 대리 | 장그래 씨가 하는 거 보니까 부러워요? |
| 백기 | (빠직) 부러운 건 아니고. 그냥 저 자신한테 화가 나는 것 같습니다. |
| 강 대리 | 더구나 장그래 씬 계약직이고 당신은 정규직이니까. |
| 백기 | (술 마시려던 손을 멈칫, 당황하는 얼굴이 된다) |
| 강 대리 | (맥주 한 모금 마시고) 장백기 씨가 일하는 곳은 철강팀 맞죠? |
| 백기 | … |
| 강 대리 | (자분자분) 내가 한 번 이야기하지 않았나? 철강은, 카테고리 안에 할 일이 픽스돼 있다구요. 그걸 잘 진행되게끔 체크하고 관리해야 된다구요. 픽스된 사업은 일이 없다고 생각합니까? |
| 백기 | 아, 아닙니다. |
| 강 대리 | 우리 철강팀 1년 매출이 얼마인지 알아요? 예산 및 동원 인력은? 관계하고 있는 나라와 트라이 중인 나라는? 계약이 끝난 일이 계약대로 완수되기 위해 얼마나 일이 많은 줄 알아요? 그게 다 의미 없어 보이는 건가요? |
| 백기 | 아닙니다. |
| 강 대리 | 남들한테 보이는 건 상관없어요. 화려하진 않아도 필요한 일을 하는 게 중요합니다. (다시 건배를 청한다) |

백기, 건배하면 맥주를 마저 마시고 일어나는 강 대리. 백기도 일어난다. 강 대리 걷자 백기도 따라 걷는다.

| 강 대리 | 우린 안 보일 수도 있지만, (멈춰 서서 보며) 존재하지 않는다고 생각하면 안 됩니다. 우리가 결정하는 숫자로 누군가는 목숨을 건 행동을 해요. |

| 백기 | … |
| --- | --- |
| 강 대리 | 장백기 씨 동기는 스스로 성취하세요. 그게 안 되면 버티기 힘들 겁니다. |
| 백기 | …네. |

강 대리, 웃고 간다. 쳐다보는 백기. 조금 편안해진 마음으로 따라간다. 아무것도 보이지 않는 한 강. 건너편 야경이 반짝반짝거린다.


## S#49 ── 몽타주, 밤 혹은 낮

두꺼운 옷을 입고 걷는 겨울 거리의 풍경들. 앙상한 나뭇가지의 가로수들, 바람 불며 날리는 거리의 먼지와 종이 쓰레기들 등 겨울 풍경 이모저모로 시간의 흐름.


## S#50 ── 원인터 앞, 아침

겨울옷을 입은 사람들이 웅크린 모습으로 출근하고 있다.


## S#51 ── 원인터 로비 + 엘리베이터 앞, 아침

"메리 크리스마스"라고 적힌 장식, 반짝이는 트리 등 연말 풍경이 장식된 로비. 들어오는 그래, 사람들과 활기차게 인사하며 엘리베이터 앞으로 가는데

| 영이 | (Off) 그래 씨. |
| --- | --- |

빠른 걸음으로 그래에게 다가오는 영이. 그 뒤로 백기와 석율도 보인다. 엘리베이터 앞에 멈춰 있는 4인방. 석율은 꾸며진 로비가 연신 신기한 듯

| 석율 | (랩 하듯) 오오 이것이 대기업의 연말 풍경! 변함없이 출근하는 우리 월급쟁이들을 위한 회사의 써어비스! 트리! 이런 세심한 배려가 바로 회사의 복지 아니겠습니까. 그쵸? 다들 연말 계획 잡았어? 영이 씬 뭐 하나? |
| --- | --- |
| 영이 | 술 마실 거예요. |
| 일동 | (영이를 확 돌아본다) |
| 석율 | 아아~ 역~시 쎈데?! 장백기 씬? |
| 백기 | 저는 시즌권 끊었어요. 연말은 스키장에서. |

| 석율 | (진심으로 감탄하면서) 오오~ 대박. 역~시 여친은 없나 보네. |
|---|---|
| 백기 | (당황) |
| 석율 | 장그래는? |
| 그래 | (눈을 똥그랗게 뜨면서) 저도 없는데요? |
| 석율 | 뭐가? |
| 그래 | 여친이요. |
| 석율 | (어이없이 보는데) |

그래의 휴대전화 띠링 울린다. 화면을 열어보면, 트위터 알림이다.

| 석율 | 뭐야 친구. 너 트윗해? |
| 그래 | 아… 하, 하는 거 아니고. |
| 석율 | (보며 집요하게) 팔로우 신청이네. 열어봐. |

그래, 화면을 누르면 팔로우 신청 화면 뜬다. 여자 프로필 사진 얼핏 보이고

| 석율 | (호들갑) 누군데? 누구야? 어? 없다매? 누군데? |

막으려는 그래를 뚫고 보면, 하정연의 이름과 같이 사진이 완전히 보인다.

| 석율 | 녀… 녀… 녀… 녀… 무려 녀자! |
| 영이 | (시크하게) 하 선생이네요. |

일동, 그래를 본다. 그래, 당황해서 어쩔 줄 모르는데 엘리베이터 띵 열리고, 영이가 먼저 들어간다. 나머지도 따라간다.


## S#52 — 엘리베이터 안, 아침

| 석율 | (속삭이듯) 하 선생이 누군데? |
| 영이 | (웃으며) 소미 어린이집 선생님. |
| 백기 | (영이를 본다) |
| 석율 | (어리둥절) 소, 소미는 누구…? (반색하며) 어린이집 교사? |
| 그래 | (약간 화난) 내 트윗은 어떻게 알았지? |
| 석율 | (냉큼 빼며) 물어보면 되지! |

| | |
|---|---|
| 그래 | 주세요! |
| 석율 | 자, (주려다 말고) 어?! (본다. 답 트윗이 왔다) |

트윗 "맨날 검색하거든요. 한참 찾았네요." 석율, 띵?! 하듯 깜짝 놀라고 그래, 난처하기 짝이 없다. 석율, 다시 트윗을 한다. "왜요?" 바로 오는 트윗 "알고 싶음 한잔 사요."

| | |
|---|---|
| 그래 | ! |
| 석율 | 하 선생, 대박 화끈한데? |
| 영이 | (피식 웃는다) |
| 그래 | (당황해서 휴대전화 빼앗아 수화기에 대고) **내가 왜 사야 합니까!** |

띵 하고 문이 열린다. 피식 웃으며 내리는 영이와 백기. 그래, 그들을 헤치고 저벅저벅 먼저 나간다. 백기와 영이도 피식 웃으며 내리고, 석율은 손을 흔들며 올라간다.


## S#53 —— 영업3팀 쪽 통로, 아침

당황해서 폰 넣으며 표정 및 옷매무새 가다듬고 활기차게 걸어오는 그래. 그래에게 인사하는 사람들. 사람들에게 답인사 건네며 활기차게 영업3팀으로 들어가는 그래.


## S#54 —— 영업3팀, 아침

서류 정리하는 천 과장. 프린트 걸고 있는 동식. 모니터 보고 있는 상식. 들어와서 유난히 우렁차게 인사하는 그래.

| | |
|---|---|
| 그래 | 안녕하십니까? 늦어서 죄송합니다! |
| 동식 | (깜짝 놀라보며) 뭐야?! |
| 그래 | (쑥스럽다가 프린트에 출력되어 나오는 것 보고 가방 두고 얼른 다가가서 착착 추린다) |
| | 어? 카트리지 가셨어요? 제가 오늘 와서 갈려고 했는데. (출력물 가져다준다) |
| 동식 | (종이 내용 보면서) 좋네! 완벽, 깔끔, 프로페셔널해! |
| 천 과장 | (웃으면서) 장그래 씨 우리 커피나 한 잔씩 마실까? |
| 그래 | (힘차게) 네! |

탕비실로 가는 그래. 동식과 천 과장, 서류 정리하며 웃는다.

**상식**　　　(고개 숙이고 있던 상식이 고개 들며) 아~ 물도!

하면서 통로 보는데, 이미 저만치 가고 있는 그래.

**동식**　　　(웃으며) 요즘 아주 날아다니는 거 같아요.
**상식**　　　(일어나며 피식 웃는다)


## S#55 ── 탕비실, 아침

기분 좋게 들어가려던 그래. 안에 실무직 여직원들 있는 것 보고 멈칫한다. 수다 떨던 여직원들이 장그래 보고 서둘러 컵 정리하고 휴게실로 간다.

**여직원1/2**　안녕하세요.
**장그래**　　(웃으며 꾸벅) 네.

휴게실로 들어가는 여직원들. 탕비실 들어와서 커피 타는 그래. 휴게실 쪽에서 두런두런 수다 떠는 소리 들려온다.

**직원1**　　　(E) 이력서 넣은 데 연락 왔어?
**직원2**　　　(E) 조용히 해.

탕비실로 들어오는 상식. 그래 보며.

**상식**　　　발에 모터 달렸냐? (물통 쪽으로 가는데)
**직원2**　　　(E) 뭐, 어때. 저 사람도 계약직이야, 영업3팀.
**직원2**　　　(E) 들리겠다.
**상식**　　　(멈칫한다)
**그래**　　　⋯ (커피만 탄다. 휘휘 젓는다)
**직원2**　　　(E) 저 사람도 어차피 계약 끝날 때 되면 여기저기 이력서 넣을 텐데 뭐.
**상식**　　　(벌컥!) 고만 저어라. 다 식겠다.

안에 소리가 멈춘다.

| 그래 | 아 네… |
|---|---|
| 상식 | 빨리 갖구 와. 난 됐으니까. 내 건 타지 말고. |

상식, 물 마시고 나가면 커피들 들고 나가려다 휴게실 쪽 보는 그래.

| 그래 | (Na) 하마터면 울컥할 뻔했다. 벌써 서운할 뻔했다. 벌써 웃으려 했다니 한심하다. |
|---|---|

착잡한 마음으로 나가는 그래의 쓸쓸한 모습.


## S#56 ── 영업3팀 앞 통로 + 영업3팀, 아침

착잡한 얼굴로 걸어오는 상식. 수북이 쌓인 연하장. 연하장을 쓰고 있는 동식과 천 과장이 보인다. 돌아보면, 뒤에서 커피를 들고 오는 그래가 보인다.

| 천 과장 | 여긴 아직도 손 글씨로 연하장을 보내는 거야? |
|---|---|
| 동식 | 오 차장님 고집이에요. |
| 천 과장 | 정성이지, 우리 밥 먹고 살게 해준 분들에 대한. |
| 상식 | (들어오면서) 몇 장 줘봐. |

의아한 표정으로 몇 장 상식에게 건네는 동식. 받아서 자기 자리로 가서 연하장을 쓰는 상식. 커피 분배 마친 그래가 동식과 천 과장에게 다가오자

| 동식 | (봉투 밀어주면서) 회사 봉투니까. 오상식 차장 영업3팀 일동이라고 적어. |
|---|---|
| 그래 | (앉으며) 네. (쓴다) |
| 천 과장 | 이분들 덕에 우리 큰 애가 무사히 학교를 다니고, 우리 막내 신발도 사고, |
| | 겨울옷도 따뜻하게 입고. 저 역시 사람 구실 하며 살고 있습니다, 하는 마음으로. |
| 그래 | 네. (오상식 차장, 영업3팀 일동 쓰면서, E) 저 역시… 사람 구실 하며 살고 있습니다. |

천천히 읊조리는 그래 앞에 서는 상식.

| 상식 | (Off) 장그래. |
|---|---|
| 그래 | (보며) 네. |
| 상식 | (카드 주며) 첫 번째 메리 크리스마스. |
| 그래 | 어… (벌떡 일어나 받으며) 감사합니다. |

상식 쳐다보던 천 과장과 동식이 장그래의 얼떨떨한 표정 보고 웃는다.


## S#57 ── 15층 사무실 밖, 낮

한 손에 상식의 카드를 들고 조용히 천천히 걸어 나오는 그래.


## S#58 ── 비상구 계단, 낮

계단을 천천히 걸어 올라가는 그래. 다음 층 계단을 걸어 올라가는 그래. 또 다음 층을 걸어 올라가는 그래.


## S#59 ── 옥상, 낮

옥상 문을 열고 나오는 그래. 옥상 풍경을 쳐다본다. 난간 끝으로 간다. 그대로 가만히 멀리 보다가… 상식에게서 받은 카드를 천천히 펼친다. "더할 나위 없었다. YES!" 한참을 바라보는 그래, 호들갑스럽지 않게 하늘을 올려본다.

그래      (Na) 취하라.


## S#60 ── 몽타주, 낮

#어린 그래 방. 기보집을 옆에 두고 혼자 바둑을 두고 있는 어린 그래. 그 옆에 서서 어린 그래를 바라보는 현재의 그래. 아이의 옆에 카드를 내민다. 무심히 고개를 돌려서 카드를 보는 어린 그래.

그래      (Na) 항상 취해 있어야 한다.

#제1국 S#57 장례식장. 붉어진 눈으로 앉아 있는 그래 옆에 놓여 있는 카드.

그래      (Na) 모든 게 거기에 있다. 그것이 유일한 문제다.

#제1국 S#60 기숙사 밖. 입단에 실패하고 나오던 후드 티를 뒤집어쓴 과거의 그래.

그래         (Na) 당신의 어깨를 무너지게 하여 당신을 땅 쪽으로 꼬부라지게 하는
                  가증스러운 '시간'의 무게를 느끼지 않기 위해서

그래가 걸어 지나간 바닥 위에 놓인 카드.

그래         (Na) 당신은 쉴 새 없이 취해 있어야 한다.

#제1국 S#78. 호텔 라운지. 인턴 입사 첫날 외국 바이어를 환격으로 잡아두던 그래. 옆에 놓이는 카드.

그래         (Na) 그러나 무엇에 취한다?
                  술이든, 시든, 덕이든, 그 어느 것이든 당신 마음대로다. 그러나 어쨌든 취해라.

#제2국 영업3팀. 상식, 등 돌린 채 유리창을 통해 도심을 내려다본다.

그래         (Na) 그리고 때때로 궁궐의 계단 위에서,

#기존 동식, 영이, 백기, 석율, 각각의 적당한 장면 위로.

그래         (Na) 도랑가의 초록색 풀 위에서, 혹은 당신 방의 음울한 고독 가운데서
                  당신이 깨어나게 되고, 취기가 감소되거나 사라져버리거든,

#제4국 S#42. 상식의 슬리퍼 냄새 맡고 있는 그래, 그 위 혹은 옆에 놓인 카드.

그래         (Na) 물어보아라.

#제6국 S#24. 상식과 함께 형철을 택시에 태워 보내는 그래.

그래         (Na) 바람이든, 물결이든, 별이든, 새든, 시계든,

#제2국 S#34. 지하철역 앞에서 몰려오는 사람들과 반대로 가고 있는 그래.

그래         (Na) 지나가는 모든 것, 슬퍼하는 모든 것, 달려가는 모든 것, 노래하는 모든 것

#제8국 S#48. 양말을 꽂아 넣은 채 취해서 걸어가는 상식의 뒷모습을 먹먹하게 바라보는 그래.

그래 　　　　(Na) 말하는 모든 것에게 지금 몇 시인가를
　　　　　　　　그러면 바람도, 물결도, 별도, 새도, 시계도

#제4국 에필로그. 원인터 앞 기둥을 만지고 있는 그래.

그래 　　　　(Na) 당신에게

#제13국 대회의실. 요르단 PT장에서 PT 중인 상식, 그래, 동식, 천 과장.

그래 　　　　(Na) 대답할 것이다.

#지금의 영업3팀 + 과거의 장소들. 상식에게 연하장을 받는 그래를 바라보는 그래. 영업3팀이었던 배경이 대회의실, 소회의실, 인턴 PT 때의 회의실, 원인터 외경 등 의미 있는 공간으로 바뀌면서 그래에게 건네는 상식의 모습이 점점 흐릿해져간다. 이제는 연하장을 들고 혼자 서 있는 그래.

그래 　　　　(Na) 이제… 취할 시간이다…•

## S#에필로그1 ── 철강팀, 밤 혹은 낮

강 대리에게 멋쩍게 연하장을 주는 백기.

## S#에필로그2 ── 영이 집, 밤 혹은 낮

자축하는 의미로 향초를 켜놓고 혼자 와인 잔을 기울이는 영이.

## S#에필로그3 ── 석율의 집, 밤 혹은 낮

여러 조카, 형수님, 엄마, 아빠, 숙모님들 선물을 포장하고 카드를 쓰고 있는 석율.
엔딩.

•　　샤를 피에르 보들레르, 「취하라」.

# 8년 뒤 띄우는 편지

배우 김대명

우리는 무미건조한 세상에 대체로 익숙해진 얼굴을 하고 있지만, 실은 다정한 순간이
내게 찾아와주길 기다리며 산다. 2022년 어느 겨울, 배우 김대명과 이야기 나누며
'다정한 사람'이란 말을 떠올렸다. 그의 다정함에는 김동식 대리가 그랬듯 함께했던 사람을
귀하게 여기며 묵묵히 응원하는 마음, 따뜻하고 느슨하게 타인과 연결될 줄 아는
건강한 연대가 포함돼 있었다.

*Editor* 강현지

우리 주변에 흔히 있을 법한 인물 김동식을 맡게 된 것은 꿈 같은 일이었습니다.
언젠가는 세탁소 아저씨처럼, 혹은 삼촌처럼 가깝고도 친근한 역을 맡아 삶과 가까운
이야기를 조잘조잘 들려드리고 싶다는 바람이 있었습니다. 그때 감사하게도
「미생」이 제게 찾아와주었습니다.

삶이 고스란히 담긴 이야기에 제가 조금 더 사실감을 보탤 수 있길 바라며 동식이란
사람에 대해 고민했던 나날이 떠오릅니다. 그때 정장 와이셔츠 대신 선택한
옥스퍼드 셔츠는 구겨져도 티 나지 않고 빛이 닿아도 빤딱이지 않아, 술자리가 잦고
살집 있는 김동식 대리를 더욱 사실적으로 만들어주었습니다.

김동식은 멋있는 사람이었습니다. 그에게는 안정적인 대기업 대신 과감히 오 차장님을
따라나설 용기가 있었습니다. 저는 이제야 용기를 조금 내볼 수 있을 것 같은데,
그는 현실적인 고민거리가 너무도 많을 2년 차 대리 시절에 이미 큰 결정을 내릴 줄
아는 사람이었습니다. 마지막 회에 그가 오 차장님이 있는 작은 회사로 들어가
함께 부둥켜안고 도는 장면은 용기 있는 결정으로 인한 기쁨과 환호가 뒤섞여 있었기에
특히 뭉클하고 근사했습니다.

아마 동식의 선택은 오 차장님이 그에게 좋은 멘토가 되어주었기에 가능한
일이었을 겁니다. 제게 이성민 선배님이 계셨듯이요. 선배님은 당신 것만 챙기기도
바쁜 일정에 언제나 흔쾌히 마음을 내어주셨습니다. 첫 드라마 출연인 제게 현장에서
함께하는 방법도 알려주셨습니다. 영화에 비해 촬영 회차가 긴 드라마를 찍는 동안
저희는 매끼 함께 밥을 먹었고, 같은 공간에서 여러 계절을 보냈습니다. 호흡은
점점 잘 맞아갔고, 제가 던지는 연기를 상대방이 자연스럽게 받아내는 소중한 순간도
경험했습니다. 그때의 사진들을 보면 가끔은 제가 정말 회사 생활을 했던 것 같은
기분이 듭니다. 또한 그 시절의 우리가 생각나 함께했던 분들이 잘되기를 응원하는
마음도 듭니다. 서로가 잘되기를 기꺼이 빌어줄 수 있는 사람들이 함께 모여
일하는 것은 저뿐 아니라 많은 분의 기쁨이자 바람일 겁니다.

제9국 S#57

그래가 바둑에 실패한 본인의 과거를 고백하던 날, 동식이 했던 말이 기억에 남습니다.

> "…당신은 실패하지 않았어. 나도 지방대 나와서 취직하기 힘들었는데
> 합격해서 입사해보니까 말야, 성공이 아니고 문을 하나 연 느낌이더라고.
> 어쩌면 우린 성공과 실패가 아니라, 죽을 때까지 다가오는 문만
> 열어가며 살아가는 게 아닐까 싶어."

저는 동식의 말처럼 여전히 다가오는 문을 열며 살아가고 있습니다. 이 말을 떠올리면 기쁜 일과 슬픈 일에 너무 연연하지 않고 조금은 떨어져서 생각할 수 있게 되어 좋습니다. 배우로서 어떤 캐릭터와 작품을 만나는 것은 설레고 흥분되는 일이지만, 김동식을 만난 건 제게 또 다른 차원의 큰 의미가 되어준 것 같습니다.

나이를 한 살 한 살 먹어가면서 지금 나는 극 중 누구의 모습일지 생각하게 됩니다. 언젠가는 장그래의 모습일 때도 있었고, 언젠가는 김 대리의 모습일 때도 있었습니다. 현재 제 모습에 따라 「미생」을 보는 시선이 달라지는 것을 느낍니다.

「미생」에 마음을 내어주신 분들께 8년이 지난 지금 다시 한번 감사의 인사를 전합니다. 앞으로도 행복한 마음으로 「미생」을 소비해주셨으면 좋겠습니다. 여러분의 인생을 제가 할 수 있는 방식으로 항상 응원하겠습니다.

2022년 겨울,
배우 김대명 드림

2022년 11월 김대명 배우와 진행한 인터뷰를 원저작자의 동의하에 수록하였습니다.

# 감독의 말

감독 김원석

---

종영한 지 8년이 지난 드라마 「미생」이
작품집으로 세상에 나오게 됐습니다. 소감이
어떠신지요.
제게도 뜻깊었던 드라마 「미생」이 이렇게
정윤정 작가님의 작품집으로 나오게 되어 굉장히
반갑습니다. 이전에 원작자 윤태호 작가님이
완성된 드라마를 보시고는 "이렇게까지
완벽하게 분해하고 재창작해줘서 고맙다"라고
말씀하신 적이 있습니다. 이 말은 원작이
전하고자 하는 본질을 흔들지 않으면서 드라마
라는 구조에 맞도록 인물과 사건을 재창조하는
일이 절대 쉽지 않다는 뜻이기도 한데요.
드라마 「미생」 대본은 웹툰의 여러 에피소드가
한 회의 메인 플롯과 서브플롯이 되어 여러
인물의 이야기로 얽혀 있습니다. 그런데도
복잡한 이야기 구조가 보는 사람에게 혼잡함을
주지 않고 매우 잘 묶여 있지요. 글로써도 많은
분에게 읽혔으면, 하는 마음입니다.

「미생」을 기획하게 되신 계기가 궁금합니다.
저는 실패한 사람의 이야기에 언제나 관심이
가요. 제가 어려서부터 좌절의 경험이 많아서
그런지, 사랑 이야기라 하더라도 사랑을 쟁취한
캐릭터보다 그 옆에 있는 사랑에 패배한
캐릭터에 더 깊은 공감과 애정을 느낍니다.
제가 KBS를 나와서 제일 먼저 했던 음악 드라마
역시 실패자의 이야기였어요. '연습생으로
10여 년을 보내고 결국은 데뷔하지 못한 아이돌
연습생 이야기'를 준비하고 있었지요. 당시
화제가 되었던 「리얼다큐 빅뱅」이나 서바이벌
오디션 프로그램을 보고 착안한 드라마였는데요.
'저 정도 춤과 노래 실력을 연마하려면 대체
얼마나 노력해야 하지?' 하는 생각이 들 정도로
뛰어난 친구들이 "잘하는 거 아는데, 더 이상
궁금하지 않아"라는 말을 듣고 탈락할 때 너무
마음이 아팠어요. 속을 후벼 파는 말을 듣고도 더

노력하지 못한 거라고 자책하며 세상에 던져진
친구들이 그다음에 어떻게 살아갈지 궁금했고,
그들을 응원해주고 싶었어요. 제 이런 기획을 듣고
후배 연출자가 웹툰 「미생」을 한번 보라고
추천하더라고요. 「미생」을 읽어보니 제가 하고
싶었던 이야기가 훨씬 재미있게 그리고 감동적으로
모두 담겨 있었어요. 바둑 연습생(연구생)과
아이돌 연습생이라는 차이만 있을 뿐, 결국 저는
'자신이 할 수 있는 모든 노력을 다하고도 실패한
사람이 학벌과 학력 위주의 경쟁사회에서 어떻게
살아갈 수 있을까?'를 얘기하고 싶었으니까요. 당시
마침 하던 대본 작업이 난항을 겪고 있었던 터라,
이 주제로 얘기할 거면 「미생」을 해야겠다는 생각
이 강하게 들었습니다. 결국 음악 드라마는 다른
주제로 방송하고 윤태호 선생님을 만나 「미생」을
드라마로 만들고 싶다는 말씀을 드리게 되었지요.

어떤 일에 모든 노력을 다한 사람이 실패했을 때,
그 사람은 학벌과 학력 위주의 경쟁사회에서 어떻게
살아갈 수 있을까요? 당시 답을 찾으셨는지요.
"혼자라면 못 했겠지만, 좋은 사람을 만난다면
장그래처럼 희망을 품어볼 수 있겠다." 이게
답이었습니다. '실패해본, 그러나 선의가 있는
사람들이 힘을 합친다면 이겨낼 수 있지 않을까'
라는 이야기를 해보고 싶어지더라고요.

그렇다면 반대로 이런 이야기는 안 하고 싶다,
라고 생각하신 것도 있나요?
그럼요. 「미생」은 실패한 사람들이 어떻게든
살아남는 이야기를 다루지만 결코 방점을 성공에
두고 싶지는 않았어요. 우리는 성공하지 않더라도
'이렇게 해도 안 되는구나'를 깨달아 성장할 수
있고, 또 고군분투하는 과정에서 함께하는 동료들
을 얻을 수도 있겠지요. 자라고 알아가는 모든
순간의 결괏값이 성공은 아니기에 우리의 그런
보편적인 삶이 담긴 이야기가 되기를 바랐습니다.

종영한 지 8년이 지났는데도 드라마 클립 영상에 공감한다는 댓글이 계속 달리더라고요. 이렇게 많은 사람이 오랫동안 다시 보는 이유 역시 '보편적인 삶'이 꾸밈없이 담겨 있기 때문이 아닐까 생각합니다. 삶의 이런 큰 흐름은 유행처럼 금방 바뀌어버리지 않잖아요. 드라마 「미생」을 처음 기획할 때부터 정윤정 작가님과 '부풀리지 말고 더 가까이서 바라보자' 고 방향성을 세웠습니다. 원작 자체도 '재벌이나 로맨스가 아닌 표면 자체에 잘 드러나지 않은 삶'을 그리고 있었고요. 사실 삶이라는 게 멀리서 봤을 때 전혀 드라마틱하지 않은 일도 한 발짝 가까이서 보면 엄청난 드라마가 있잖아요. 저희는 이런 이야기에 주목하고자 했습니다. 일상적인 사건 같아 보여도 누군가에게는 매우 중요하고 힘든 일이라는 것을 보는 사람들이 함께 느낄 수 있도록 구성했고, 인물이 겪는 일이 사실적으로 보이게끔 묘사하는 부분에도 굉장히 신경을 많이 썼어요.

그래서일까요. 미생은 유독 사실적이고 디테일한 공간과 미술 세팅으로 많은 팬층을 형성하기도 했어요.
「미생」 촬영 당시 세세한 세팅에 집중했습니다. 사실적인 이야기, 있을 법한 상황에 가까이 다가갔다면 그만큼 극 중 몰입이 깨지지 않아야 겠지요. 배우가 진짜 상황인 것처럼 느끼고 연기하고, 보는 이들 역시 극 중 상황에 완전히 몰입하기 위해서는 디테일한 부분들이 잘 구현 되어야 한다고 생각했습니다. 그래서 회사 주변 길거리 신은 실제 직장인들이 많이 다니는 종로나 시청 쪽 거리에서 촬영했어요. 또 사무실 내부 풍경은 실제 기업 모습을 고스란히 재현하기도 했고요.

당시 사용감 있는 칫솔, 결재 서류 등으로 실제 직장인들 사이에서 화제가 되기도 했죠. 자기 사무실을 그대로 옮겨둔 것 같다고요. 결재 서류는 클로즈업해도 문제가 없도록 극 중 상황에 맞게 모두 제작했어요. 디테일이 어디까지 보일지는 모르겠지만 작은 부분까지 진짜처럼 보이고 싶었습니다. 그래서 울산 공장 에피소드에서는 실제 기업에서 문서 자료 협조도 많이 받고 기간별로 자료들을 분류했어요. 낡은 자료와 새 자료가 두서없이 뒤섞여 몰입이 깨지지 않도록요. 미술팀이 굉장히 고생 많았습니다(웃음). 칫솔의 사용감도 마찬가지예요. 오래 사용한 듯한 디테일 구현으로써 배우가 실제 공간에 존재하는 느낌을 받도록 하는 거죠. 인물별, 자리별로 이런 준비를 해두면 배우들이 자기 자리에서 연기하고 생활하면서 '내가 오래된 칫솔을 쓰는 사람이구나' '내 자리엔 뭐가 없네, 난 들어온 지 오래되지 않은 사람이구나' 이런 특징들을 몸으로 이해하게 되는 거죠.

기억에 남는 디테일로는 또 뭐가 있을까요?
누군가에게 전화를 걸면 그 자리에 있는 사람이 진짜로 전화를 받을 수 있도록 자리마다 놓인 전화기를 내선 번호로 연결했습니다. 촬영용 인트라넷도 완성했고요. 가령 결재 페이지에 유저가 머무르다가 사내 커뮤니티 탭을 클릭하면 정말 커뮤니티 페이지로 이동하도록 인트라넷 사이트를 세팅한 거죠. 공간 배치나 설계도 매우 중요한 역할을 했습니다. 오 차장 자리 뒤로 서울역, 그 뒤로는 고가도로가 보이고 차들이 오가고… 밖에서 자연광이 들어오고. 이 같은 생생한 느낌을 살리고 싶어 조명 기반으로 촬영하는 남양주 세트장과 별개로 당시 서울스퀘어 빌딩에 영업3팀과 부장실을 쌍둥이 세트처럼 지었어요. 작은 것들이 쌓여 대놓고 드러나지는 않되 생생함을 더해주길 바랐는데, 감사하게도 대우 인터내셔널 직원분이 본인 회사에서 촬영했다고 말해도 믿을 정도라고 인터뷰하셨더라고요.

# 원인터내셔널 배치계획

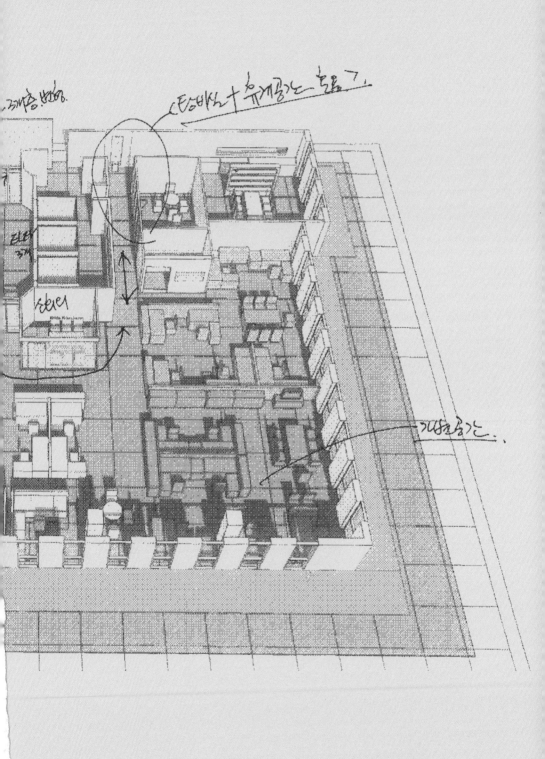

드라마 '미사당' - 인터내셔널 배치계통 -

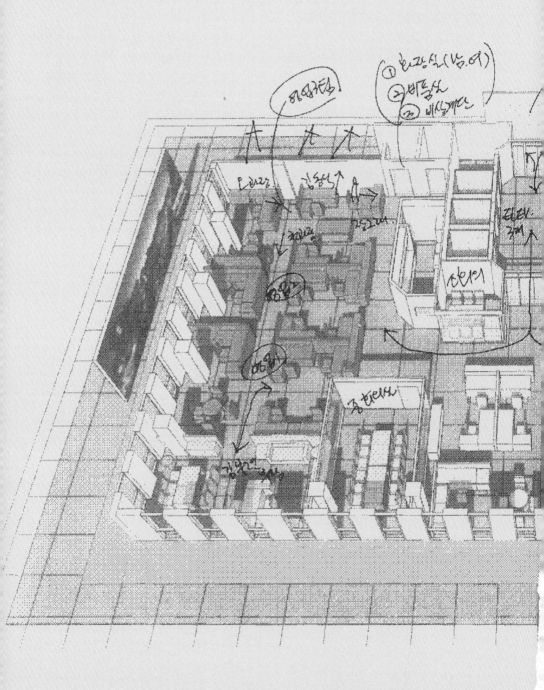

「미생」이후 출연진들이 더 잘되신 것 같아요 (웃음). 당시 김대명 배우는 「미생」이 첫 드라마 출연작이었어요. 함께 작업하면 좋겠다고 생각하셨던 이유가 궁금합니다.

제가 한참 캐스팅을 위해 독립영화들을 찾아보고 있을 때였는데, 대명 씨가 당시 「개들의 전쟁」이라는 영화에 삼류 조폭으로 나오더라고요. 그것도 아주 비열한. 그리고 「더 테러 라이브」에서는 협박범으로 목소리만 나와요. 귀여운 외모에 약간 미성 같은 목소리인 대명 씨가 이런 역할을 하니까 그게 또 묘하게 악마적이더라고요. 이질적이면서도 조화로운 이 특징들이 「미생」의 김동식을 만나면 어떻게 될까 궁금했어요. 드라마의 코믹한 부분도 잘 살려줄 수 있지 않을까 기대됐고요.

**어떻게 이처럼 각자의 역할에 꼭 맞는 배우분들을 캐스팅하신 건가요.**

그렇게 봐주셨다면 감사한 일이겠지요. 굉장히 잘하는 연기자와 감독이 만나도, 작품과 결이 맞지 않아 연기가 부실해 보이는 경우가 가끔 있습니다. 그렇기 때문에 저는 이 캐릭터와 결이 어울리는지를 유심히 보려고 합니다. 한번은 장그래 역에 맞는 배우들을 찾으면서 이성민 선배에게 조언을 구한 적이 있었어요. 그때 선배가 그러더라고요. "인지도를 떠나서 착한 연기자면 좋겠어." 장그래라는 역할은 실제로 착하지 못한 연기자가 할 배역이 아니라는 사실을 알고 계셨기에 하신 말이었죠. 또한 출연이 확정되고 나면 평소에 쉬거나 식사할 때도 가급적 대화를 많이 나누면서 배우에게 실재하는 모습에서 역할을 연결 지어보는 편입니다. 모든 배역의 말투나 행동 습관, 스타일 등을 아예 새롭게 재창조하기는 어려우니, 연출자로서 본인에게 있는 것을 최대한 끌어내려고 하는 거죠.

감독님의 이런 연출 방식 덕분에 더욱 배우분들의 연기가 자연스러워 보였나 봐요.

저도 앞서간 분들을 보며 배우고 흡수한 거겠죠(웃음). 특히 연기 연출과 관련해서는 제가 한 번도 뵌 적은 없지만 극단 '차이무'의 예술 감독이셨던 이상우 선생님을 존경합니다. 그분이 미생의 오 차장(이성민), 천 과장(박해준), 서진상(송재룡), 그 외에도 송강호, 유오성, 전혜진 씨 같은 훌륭한 배우분들을 키워내셨는데요, 배우들의 마음을 열어 무대 위에서 놀게 하는 연출가로 유명하십니다. 누군가에게 지적받던 사투리 억양이나 혀가 짧아 불리한 신체적 특징도 이분을 만나면 아이덴티티가 되고 특별함이 되는 거죠. 제가 지향하는 연출의 전범이라 할 수 있겠는데, 넓은 의미에서는 이런 태도가 좋은 선배, 좋은 사람과도 이어지지 않을까 생각합니다.

**'일만 하는 사이 이상의 관계'를 다시 한번 생각하게 만드는 답변입니다.**

미생에 이런 대사가 있어요. "누구를 만나느냐에 따라 인생이 달라질 수 있어. 파리 뒤를 쫓으면 변소 뒤나 어슬렁거릴 거고 꿀벌 뒤를 쫓으면 꽃밭을 함께 거닐게 된다잖아." 저는 어떤 회사에 들어가느냐보다 어쩌면 어떤 상사를 만나느냐가 더 중요한 것 같기도 합니다. 그런 맥락에서 장그래는 매우 좋은 리더를 만났으니 엄청난 운이 따랐던 거겠죠.

"어떤 회사에 들어가느냐보다 어쩌면 어떤 상사를 만나느냐가 더 중요한 것 같기도 합니다."

**감독님이 생각하시는 좋은 리더란
어떤 사람일까요.**

같이 일하는 구성원이 능력을 제대로 발휘하지
못할 때, 그 이유를 자신에게서 가장 먼저
찾아보는 사람이라고 생각합니다. '너는 그래서
안 되는 거야'라고 하지 않고 후배의 장점을
발견할 줄 아는 사람. 극 중에서 오 차장은
기존의 판을 뒤집고 새로 짜자는 장그래의 다소
위험한 의견도 허투루 듣지 않아요. 사실 직장에
서는 직급에 따라, 발제자의 이미지에 따라 같은
의견인데도 외면당하거나 인정받는 등 결과가
완전히 달라지는 경우가 허다합니다. 그런
의미에서 장그래가 낸 의견을 누군가는 황당한
제안이라며 무시할 수도 있을 텐데, 오 차장은
본인이 찜찜하다고 여겼던 사업 지점을
건드렸구나, 하며 존중하고 수용하려 하죠.
이런 사람이 열려 있는 리더 같아요.

**극 중에서 오 차장이 장그래에게
'내가 해줄 수 있는 게 없다' '안 될 거지만
그래도 버텨라'라고 하던 대사가 인상 깊었는데
요. 희망만 막연하게 그리지 않는 선배의 태도가
좋다고 생각했어요.**

작가님도 「미생」을 각색하시면서 이 이야기가
자기계발서나 내용처럼 보여지는 것을 특히나
경계하셨어요. 저희는 노력한다고 무조건
잘되는 건 아니라는 것을 보여주고 싶었어요.
노력으로만 성패가 갈린다면 노력했는데 안 된
사람은 뭐라고 설명할 수 있을까요. 그렇기에
오 차장처럼 선배의 위치에 있는 사람은 어쩌면
무책임해 보이더라도 후배에게 현실적으로 말할
수 있어야 한다고 생각했습니다. 그게 오히려
덜 무책임하다는 생각도 들고요. 보시는 분들이
우리의 삶을 닮은 드라마를 통해 '저런 사람이
나만은 아니구나' '혼자가 아니구나' 위로받을 수
있는 정도면 좋겠다 싶었습니다.

오 차장은 팀과 후배를 건강하게 돌볼 줄 아는
리더 같아요. 뜻을 모으되 조직 안팎으로
'끼리끼리'라는 부정적 느낌은 주지 않는. 그렇기에
**미생을 시청하신 많은 분이 감독님의 바람처럼
'혼자가 아니구나'라며 위로받으신 것 같고요.**

그게 제가 지향하는 소속감이자 연대이기도
한데요. 선량한 보통 사람들은 정글 같은
약육강식의 세상에서 부당하거나 비열한 방법으
로 똘똘 뭉치는 걸 잘 못하잖아요, 나쁜 사람들은
무지 잘하는데 말이죠. '우리끼리만'이라는
인상을 주는 무리를 형성해 누군가를 소외시키는
건 건강하지 못한 연대이겠지요. 이것은
장그래가 인턴 초반에 지독한 외로움을 느꼈던
이유이기도 합니다. 그래서 저는 서로 든든하게
의지가 되면서도 과한 구속을 요구하지 않는,
마음이 맞는 사람에겐 언제나 열려 있으면서도
맞지 않으면 또 언제나 보내줄 수 있는 조금은
헐거운 연대를 좋아합니다.

극 중 후반으로 가면 오 차장이 회사를 떠나는데
요. 그때 오 차장은 김동식 대리와 장그래에게
같이 나가자고 설불리 제안하지 않아요.
처음엔 후배들이 이 직장에서 잘 지낼 수 있도록,
부디 무사히 버틸 수 있도록 응원해주는 게
옳다고 판단했기 때문일 겁니다. 시간이 흐른 뒤
세 사람은 다시 함께 일하게 되지만 그 과정에서
오 차장이 보여준 태도는 엄연히 다른 것이지요.
저는 선량한 보통 사람들의 건강한 연대가
이어지길 바랍니다. 「미생」을 통해 실패를 딛고
일어서려면 본인의 노력뿐 아니라 여러 사람의
힘이 모여야 한다는 걸 그리고 싶었습니다.
"길이란 처음부터 있는 것이 아니라 여러 사람이
걸어가면 길이 된다"는 루쉰의 말처럼요.

마음에 남겨진 장면들

*Episode. 1*

1화 꼴뚜기 시퀀스는 원작에 없던 에피소드이기도 한데요. 험한 일 안 하려고 대기업에 왔는데,
험한 일 한다며 불평하던 인턴들이 장그래를 남겨두고 가버리죠. 장그래는 혼자 남겨진 채 열심히 하면서도
자신이 '열심히 하지 않아서 버려진 거다'라고 말하는 장면. 원작의 좋은 대사가 새로운 상황에서
조금 다른 맥락으로 쓰이면서 감정을 강화해줬어요. 「미생」이 좋은 드라마가 될 수 있겠다고
느끼도록 만든 신이었습니다.

*Episode. 10*

8년이 지나고 드라마를 다시 보는데, 안영이가 운전하는 장면 좋더라고요. 대본으로 봤을 때도
좋았지만 한석율과 안영이가 한 차에 탄 그림이 이렇게 잘 어울릴 줄은 몰랐어요.
둘 다 선배 때문에 되게 힘든 상황에서 한 차에 타게 되는 거잖아요. 해내려는 모습도 기특하고,
차 안에 둘이 있는 모습이 짠하기도 했어요.

Episode. 15

"장그래 씨의 시간과 나의 시간이 같다고 생각하지 않습니다. 그래도 내일 봅시다."
치열한 경쟁을 뚫고 여기까지 온 백기는 무혈 입성한 (것처럼 보이는) 장그래가 얼마나 아니꼽고
싫었을까요. 그런데 그 마음이 열리기 시작하고 있습니다. 장그래와 장백기의 갈등. 교감은 드라마에서
무척 중요하게 다룬 지점입니다. 저는 이 두 사람처럼 자신의 위치에서 각각 달리 노력해온
친구들을 이 사회가 모두 보듬어줄 수 있어야 한다고 생각합니다. 실제는 그 반대인 무한 경쟁으로
내몰아 서로를 더욱 멀어지게 하고 있지요.

*Episode. 17*

연기자의 합이 잘 보이는 신들을 좋아합니다. 드라마 현장에서 시간에 쫓기다 보면 배우들이
생각해온 액팅을 커트하는 경우가 종종 있죠. 저는 사실 그게 촬영 시간을 단축하는 데 큰 도움이 되지는
않는다고 생각하는 편입니다. 대리들 회식 신은 판만 깔아두니 알아서 리얼한 회식 분위기가 형성됐어요.
좋은 배우들이 능동적으로 움직여 자연스러운 그림이 잘 만들어졌습니다.

사람에 따라 다르게 볼 수 있겠지만 20화는 제가 여전히 좋아하는 회차입니다.
미생에서 전하고 싶었던 말은 19화에서 거의 다 매듭을 지었기에 그동안 주인공의 아등바등하는
분투기 보시느라 감정 소모가 컸을 시청자분들께 작은 선물을 드리고 싶었어요.
일종의 별책 부록 같은 거죠.

# 미생 2

초판 1쇄 인쇄 2023년 1월 2일
초판 1쇄 발행 2023년 1월 17일

지은이      정윤정
펴낸이      최동혁

기획본부장   강훈
영업본부장   최후신
책임편집     강현지
기획편집     장보금 오은지 조예원 한윤지
디자인팀     유지혜 김진희
마케팅팀     김영훈 김유현 양우희 심우정 백현주
영상제작     김예진 박정호
물류제작     김두홍
재무회계     권은미
인사경영     조현희 양희조
디자인       mykc
일러스트     손은경

펴낸곳      (주)세계사컨텐츠그룹
주소        06071 서울시 강남구 도산대로 542
            8,9층(청담동, 542빌딩)
이메일      plan@segyesa.co.kr
홈페이지    www.segyesa.co.kr
출판등록    1988년 12월 7일(제406-2004-003호)
인쇄        예림
제본        에스엠북

ISBN       978-89-338-7200-0 (1권)
           978-89-338-7201-7 (2권)
           978-89-338-7202-4 (3권)
           978-89-338-7199-7 (세트)

© 정윤정, 2023, Printed in Seoul, Korea

• 책값은 뒤표지에 표시되어 있습니다.
• 이 책 내용의 전부 또는 일부를 재사용하려면 반드시
  저작권자와 세계사 양측의 서면 동의를 받아야 합니다.
• 잘못 만들어진 책은 구입하신 곳에서 바꿔드립니다.

**Segyesa Contents Group**

강동원 대여
이거나
책사진 찍으세요~!
너무 행복합니다
감사합니다.